IN HORA MORTIS

ÉVOLUTION DE LA PASTORALE CHRÉTIENNE DE LA MORT
AUX IVᵉ ET Vᵉ SIÈCLES DANS L'OCCIDENT LATIN

BIBLIOTHÈQUE DES ÉCOLES FRANÇAISES D'ATHÈNES ET DE ROME
Fascicule deux cent quatre vingt troisième

IN HORA MORTIS

ÉVOLUTION DE LA PASTORALE CHRÉTIENNE DE LA MORT AUX IVᵉ ET Vᵉ SIÈCLES DANS L'OCCIDENT LATIN

PAR

ÉRIC REBILLARD

Préface de Peter Brown

ÉCOLE FRANÇAISE DE ROME
PALAIS FARNÈSE
1994

© - École française de Rome - 1994

ISBN 2-7283-0316-9

Diffusion en France:

DIFFUSION DE BOCCARD
11 RUE DE MÉDICIS
75006 PARIS

Diffusion en Italie:

«L'ERMA» DI BRETSCHNEIDER
VIA CASSIODORO 19
00193 ROMA

SCUOLA TIPOGRAFICA S. PIO X - VIA ETRUSCHI, 7-9 ROMA

PREFACE

In a small book on *The Byzantine Empire*, written in 1925, the great English Byzantinist, Norman Baynes, began one chapter with a citation from Benjamin Franklin :

Nothing is certain but death and taxes.
[N.H. Baynes, *The Byzantine Empire* (Oxford University Press, 1925) : 99].

The chapter, of course, dealt with taxes. It is only comparatively recently that historians of the later Roman empire have come to acknowledge that death, also, might have a history. It is, therefore, a particular pleasure to introduce a book entitled *In Hora Mortis* by Éric Rebillard, a one-time visitor to Princeton University, a student, scholar and friend from whom I have already learned much.

Éric Rebillard makes more plain than I can hope to do in the short compass of a preface, why a book dedicated to a precisely delimited period of time (under a century) in a precise region (effectively, southern Gaul, Italy and North Africa) could be written on a theme as potentially limitless as *la pastorale chrétienne de la mort*. Suffice to say that only through the austere precision which characterises Rebillard's approach throughout this book can so overpowering a subject as Christian attitudes to death be slowly but surely trapped in history.

For this to happen, rigid compartments have to be removed, not least the juxtaposition of Christianity and paganism as hypostasized, contrasting entities. It is the sign of a victory now securely gained that Rebillard's interest in Christian death in the fourth and fifth centuries should first have been aroused by the suggestion of Jacques Fontaine, that the death of Julian the Apostate might bear comparison with the death-bed scenes of Christian hagiography. It has long been possible to speak, as Fontaine has done with such persuasive insight, of a late antique sensibility that embraced pagans and Christians alike.

But that, as Rebillard points out, was only a beginning. More surprising is the realisation, which dominates the first chapters of this book, of how little leading Christians shared with each other. Like great blocks of *smalti* reduced to fine chips by a craftsman in mosaic-work, Latin Christianity loses its appearance as a monolithic tradition, under the delicate, repeated tapping of Rebillard's reading of the texts of its major authors. Precisely characterised in this manner, the attitudes to death, to sin, to penance evoked by Ambrose and Augustine, Petrus Chrysologus and pope Leo are deftly prised apart. Each falls into a distinctive pattern, that reflects different moments of time and widely separated cultural landscapes. It is a book that breathes change. A slow turning of the tide in Christian sensibility, that followed Augustine's victory over Pelagianism, rendered an acclaimed pillar of Catholic orthodoxy, such as Ambrose of Milan, quite as alien, in the viewing point from which he expected Christians to contemplate the fact of death, as were the obscure and suspect Syrian, Rufinus, and the memorably refractory Pelagian bishop, Julian of Eclanum.

A large part of the art of late Roman historians, faced as they are by two imposing, unitary systems – the Roman state and the Christian church – is to trace the manner in which the two great enemies of empire, time and distance, constantly pull apart traditions that can seem so deceptively unanimous when we meet them in books, neatly stacked one beside the other on the shelves of a modern library. Rebillard's study, marked as it is by an unflinching attention to differences and to the small, significant eddies that disturb the surface of seemingly unbroken traditions, represents a heartening extension of the hisorian's craft into a crucial aspect of the history of Latin Christianity.

The best test of all, for any study of late antiquity, is whether it has seized the particularity of the period in terms, also, of what it does not share with subsequent ages. One cannot resist the impression, on reading the first part, that, on the issue of attitudes towards death, as in so much else, the Pelagian controversy marked the end of a very ancient Christianity. Silently but definitively, certain doors closed in the back of Christian minds. Of course, they did not close for everyone and at one time. Throughout the Middle Ages, the vast appeal of Boethius' *Consolation of Philosophy* was precisely that, in its pages, it was still possible to hear, like the ghostly bells of a drowned city, high-hearted comfort for the few, that escaped the new sentiment of sinfulness and horror in the face of death, in which so many Latin Christians had found a new, post-classical identity.

But not to be "ancient" does not mean that one is already "medieval." Far from it. In the second part, Rebillard makes plain that the new sensibility, although it undoubtedly led to greater emphasis on penance *in extremis*, was not accompanied by the elaboration of a "death ritual," associated with the administration of the Eucharist, such as would develope in the early middle ages. It is important to stress this clear, negative conclusion. Our estimate of the distinctive character of late antique Christianity depends on it. The tendency to seek a late antique "origin" for sacramental practises elaborated after 600 A.D. assumes social and mental continuities in Latin Christianity that did not exist. Late antique Christianity had a flavor all of its own. A markedly post-classical sensibility – an awareness of sinfulness and a stark acceptance of death as an unconsolable anomaly – was widespread. But what was not present was the notion of "Christendom." Christians, rather, belonged to their church. When they died, it mattered to them that they should be forgiven by their fellow-believers. They felt most confident when they could join with their fellow-believers in collective observance, such as the fasting and almsgiving so eloquently recommended to them by pope Leo. They believed "rust of sin" might still be rubbed away from them, before they died, in the jostling crowds of great basilicas. The intensely personalized, more fragmented loyalties of a later age, loyalties that were prepared to reach far beyond the grave through prayer for the favored dead, were not yet in evidence. Nor were late antique Christians members of a medieval "Christian society," distinguished from all previous ages by the pervasive *egemonia* of Christian rituals, that placed a priest, charged with the indispensable task of "singing what is not seen" (to use the vivid phrase of an Old Irish text) at the beginning, the middle and the end of every Christian life.

Rebillard has taken a single thread – the differing attitudes towards death adopted by major Christian bishops in the course of their preaching activity. Unravelled in the attentive manner displayed throughout his book, that one thread winds past most of the principal landmarks of the Latin Christianity of the age. We are reminded throughout of the weight of the non-Christian past. Christian bishops – not least Augustine, whenever he preached in Carthage – often spoke in brand new basilicas. The hurried products of an age of triumph, these basilicas were still dwarfed by the centuries-old graveyards that lay close by. We are allowed to hear ancient conversations among the tombs. The tragic *sic et non* of death, in classical consolatory literature and in classical and early Christian epigraphy, has its place in this book. Altogether, we meet a style of preaching that is shown to be not a one-way exercise in admonition, but to have been shaped, also, by the persistent expectations of a Christian laity, whose ancient horror of death may well have come to modify the triumphant tones of an earlier age.

We are also encouraged to take the full measure of change. As Rebillard makes plain, behind Augustine's appeal to the "natural" horror of death, in the course of the Pelagian controversy, there lies far more than one man's personal sadness and growing sense of frailty. A novel image of the human person was at stake. Ancient traditions of consolation had placed human beings against the majestic background of the *cosmos*. Consolation gave the dying and the bereaved, as it were, a foothold on a higher ledge in an ascending universe that enabled them to raise their mind and their hopes above the body, and so above the moment of death. With Augustine, the ancient image of the *cosmos* receded, and with it the prized foothold above the body that it had provided. Brought face to face with the body as the irrevocable companion of the soul, the "hour of death," when the body was at its most recalcitrant, was a moment of truth. Death itself, no longer viewed *de haut en bas* from the distant perspective of the mind, brought no consolation. Only God could give the courage to endure, with deeply human reluctance, an anomaly from which no part of the self was immune. The ancient philosopher's dictum, placed on a mosaic floor at Bulla Regia, "Place your hopes in your own self," was met, now, by the assertion of Augustine, who may have passed close to that house (and may even have encountered its owner) when he stayed in the city on his way to and from Carthage – *Forte in te volebas sperare : "Spera in Dominum," noli in te. (Ennar. in Ps.* 42.7.)

Ultimately, even the body itself was eclipsed. The last two chapters, on penance, are part of a history of sin quite as much as of a history of death. For it was the prospect of God's strict judgement on sin, and not the recalcitrance of the body alone, that would make the last hours of a Christian a time of penance. Yet this is not a history of sin reduced to a history of *culpabilisation*. Reading Rebillard's last chapters makes one wonder, indeed, whether a book on late antiquity might not yet be written, under the title of *On the Usefulness of Sin*. Though largely out of fashion among modern persons, sin, in late antiquity, was a novel and elegant concept. Seldom was a society provided with such finely-calibrated tools to measure change and continuity in the human person and in entire communities.

Through the notion of sin it became possible to speak of many things in a new manner. In the form of ecclesiology, issues of sin and penance determined the identity of entire new groups, as churches, and served to measure the relations of these groups with the world outside them and the culture they had inherited. In the form of autobiographies, of which Augustine's *Confessions* is only the most famous, sin and temptation imposed new, dramatic narrative structures upon the human person, just as, in hagiography and, eventually, though more slowly, in historiography, historical causation came to move to the powerful rhythms of sin, retribution and forgiveness. Time itself took on a brisk precision. The *hora mortis* was precisely that – it was the last hour of a life where every hour counted, and where every hour could be described through images saturated with the strenuous associations of commerce, labor and tax-collection. From Britain to Syria, the intermittent pulse of wealth, in the form of almsgiving and donations to the church "for the remission of sins," embraced, within a single explanatory system of great imaginative power, one of the most impressive shifts in wealth and artistic patronage to occur in the late antique period.

The writer of a preface may be excused for permitting himself a flight of enthusiasm engendered by the contents and the implications of a work characterised, throughout, by a finely-balanced sobriety. What needs to be said, in conclusion, is more personal. A reader of this book will recognize, in Rebillard, a *homo Atlanticus*. The constant bibliographical references to American and English authors is no mere ornament. It is the symptom of a lively dialogue on the character and circumstances of late antique Christianity that is now carried out on both sides of the Atlantic by scholars of widely different backgrounds, formation and methodology joined by a common fascination with the period. The present author is only too well aware of his debt to one side of that ocean. He could not have conceived of the study of late antique Christianity if it had not been for the work of *heroica ingenia* associated with the publications of the *Bibliothèque des Écoles françaises d'Athènes et de Rome* – Henri Irénée Marrou's *Saint Augustin et la fin de la culture antique*, Pierre Courcelle's *Les lettres grecques en Occident*, Charles Pietri's *Roma christiana*. It is a small, but deeply felt, return to make for such constant inspiration, to introduce, in Rebillard's *In Hora Mortis*, a book written, in Rome and in the best tradition of French scholarship, by an author whom I came to know as an *honestus advena* (with the altertness and the manifold learning, but none of the malice, of an Ammianus Marcellinus or a Jerome!) in an American environment to which he always gave quite as much as he received.

Peter Brown

Mémoire, histoire : loin d'être synonymes, nous prenons conscience que tout les oppose. (...) La mémoire installe le souvenir dans le sacré, l'histoire l'en débusque...

Pierre Nora, *Les lieux de mémoire*, t. 1, Paris, 1984, p. xix.

REMERCIEMENTS

Ce livre est la révision de ma thèse de doctorat de l'Université de Paris-Sorbonne (Paris IV), soutenue en avril 1993. Je souhaite remercier mon directeur de recherche, Jean-Pierre Callu, pour sa confiance, son soutien et la lecture critique qu'il a faite des différentes phases de mon travail. Je dois de nombreuses et utiles remarques aux membres de mon jury : Marie-Josèphe Rondeau, Jean-Claude Fredouille, Claude Lepelley et François Dolbeau, que je remercie aussi pour la lecture minutieuse qu'il a faite du manuscrit en vue de sa publication. Ce travail aurait été très différent sans les conseils, les critiques et les suggestions de Peter Brown, qui a lu les chapitres de ma thèse au fur et à mesure que je les écrivais à Princeton; ma dette à l'égard de ses travaux est aussi difficile à exprimer. Je dois à Alain Boureau de m'avoir ouvert son séminaire, où de stimulantes discussions ont nourri mes premières recherches. Je tiens à remercier mes lecteurs : Constance Cagnat, qui a corrigé avec beaucoup d'amitié les premières ébauches de mes chapitres; Luc Willocq, pour le soin qu'il a apporté à la vérification de mes traductions et de mes citations latines; Carole Straw et Robert Dodaro, pour les échanges fructueux que j'ai eus avec eux; Claire Sotinel, Renaud Robert et Stéphane Verger, pour leur patience et leurs conseils pendant la dernière phase de mon travail à Rome. Enfin, à mes parents, je suis reconnaissant pour leur soutien tout au long de mes années d'études.

INTRODUCTION

Pourquoi l'Antiquité tardive a-t-elle échappé à la mode de l'histoire des attitudes devant la mort? La période offre, à première vue, un cas historiographique intéressant.[1] La diffusion du christianisme a-t-elle pu en effet ne pas affecter les attitudes devant la mort? Jean Daniélou pensait pouvoir résumer ainsi la situation : «La mort est en soi une chose affreuse. Mais plus encore que la mort même avec son agonie, c'est la perspective sur laquelle elle débouche qui jetait les anciens dans l'angoisse... Or cette angoisse, la victoire du Christ sur la mort l'a dissipée... Dès lors, l'attitude devant la mort va devenir totalement différente».[2] Les *Actes des martyrs* lui donnent raison : de Polycarpe à Cyprien, en passant par Perpétue et Félicité, tous proclament leur assurance face à la mort.[3] L'exclamation de Paul : «La mort a été engloutie dans la victoire. Où est-elle, ô mort, ta victoire? Où est-il, ô mort, ton aiguillon?» (1 Cor 15,55), serait-elle donc à la fois le premier et le dernier mot d'une histoire de la mort chrétienne?

On comprendrait mieux que la grande fresque de Philippe Ariès commence avec un homme déjà christianisé.[4] Pourtant Augustin re-

[1] P.-A. Février, «Le culte des morts dans les communautés chrétiennes durant le IIIᵉ siècle», dans *Atti del IXᵉ congresso internazionale di archeologia cristiana*, Rome, 1977, t.1, p. 265, et P. Brown, *Le culte des saints. Son essor et sa fonction dans la chrétienté latine*, trad.franç., Paris, 1984, p. 98, regrettent tous deux cette lacune de la bibliographie. Aux deux études sur la théologie de la mort aux trois premiers siècles de J.-A. Fischer, *Studien zum Todesgedanken in der alten Kirche. Die Beurteilung des natürlichen Todes in der kirchlichen Literatur der ersten drei Jahrhunderte*, Munich, 1954 et de J. Pelikan, *The Shape of Death. Life, Death and Immortality in the Early Fathers*, Londres, 1962, ajouter les contributions du volume *Morte e immortalità nella catechesi dei Padri del III-IV secolo*, Rome, 1985.

[2] J. Daniélou, «La doctrine de la mort chez les Pères de l'Eglise», dans *Le mystère de la mort et sa célébration*, Paris, 1951, p. 134-156, ici p. 141-142.

[3] Polycarpe et ses compagnons «supportaient tout, excitant la pitié et les larmes des spectateurs, allant avec un tel courage qu'ils ne laissaient pas échapper un cri, pas un soupir.» (*Martyrium Polycarpi* 2,2); Perpétue et Félicité «se rendirent de la prison à l'amphithéâtre comme allant au ciel : le visage joyeux et beau; s'ils tremblaient, ce n'était pas de crainte, mais de bonheur.» (*Passio Perpetuae et Felicitatis* 18); etc.

[4] Voir le compte-rendu de Ph. Ariès, *L'homme devant la mort*, Paris, 1977, par

jette la présomption de ceux qui demandent : «Est-ce que l'âme des chrétiens doit être troublée même à l'approche de la mort?», en évoquant la crainte exprimée par le Christ lui-même (Mt 26, 38) : «Mon âme est troublée jusqu'à la mort.»[5] C'est qu'il ne faut pas confondre l'interprétation chrétienne de la mort et le fait de la mort. Cyprien doit le rappeler aux carthaginois lorsque la peste ravage l'Empire.[6] L'historien ne doit pas l'oublier quand il s'intéresse aux attitudes des chrétiens face à la mort.

Invité par Jacques Fontaine à travailler sur la mort de Julien l'Apostat et à étudier parallèlement les scènes de mort de l'hagiographie latine, mon premier projet fut de comparer païens et chrétiens dans le cadre d'une époque de mutation, l'Antiquité tardive, dont le christianisme n'est qu'un des aspects, comme l'ont montré H.-I. Marrou et P. Brown.[7] S'il n'y a pas à revenir sur l'unité culturelle de cette période, l'inégalité quantitative et la disparité des sources m'ont détourné toutefois de ce projet initial. Exceptés des corpus particuliers comme les épitaphes versifiées[8] ou des genres littéraires comme la biographie[9] ou la consolation,[10] le matériel disponible ne se prête pas à une comparaison méthodologiquement satisfaisante et fructueuse.[11]

J'ai renoncé aussi peu à peu à faire des attitudes mon objet d'en-

---

P.-M. Gy, «Le christianisme et l'homme devant la mort», *La Maison-Dieu* 144 (1980), p. 7-23, ici p. 21-22.

[5] Voir Augustin, Tr in Io 60, 4-6 (BA 74A, 132-139) commenté p. 89-91.

[6] Cyprien, *De mortalitate* 8 : «D'autres encore sont contrariés par le fait que nous soyons, ainsi que tous les autres hommes, soumis à la nécessité de mourir. Mais que n'aurions-nous pas de commun avec les autres hommes puisque nous sommes issus de la même chair?» Ce texte est cité par G. Sanders, «L'épitaphe latine païenne et chrétienne : la synchronie des discours sur la mort», dans *Acts of the VIIIth International Congress on Greek and Latin Epigraphy*, Athènes, 1984, p. 181-218, ici p. 186-187, à qui j'emprunte la distinction entre interprétation et fait de la mort.

[7] Voir H.-I. Marrou, *Décadence romaine ou Antiquité tardive?*, Paris, 1977 et P. Brown, *Genèse de l'Antiquité tardive*, trad. franç, Paris, 1983.

[8] Pour lesquelles je renvoie aux travaux de G. Sanders, *Bijdrage Tot de Studie der latijnse metrische Grafschriften van het heidense Rome : de Begrippen Licht en Duisternis*, Bruxelles, 1960, et, conçu avec le même plan : *Licht en Duisternis in de chrislijke Grafschriften*, 2 vol., Bruxelles, 1965. Les articles de G. Sanders viennent d'être réunis dans *Lapides memores : païens et chrétiens face à la mort, le témoignage de l'épigraphie funéraire latine*, Epigrafia e Antichità 11, Faenze, 1991. Cf. D. Pikhaus, *Levensbeschouwings en milieu in de latinjnse metrische inscripties*, Bruxelles, 1978.

[9] Voir A. Ronconi, «Exitus illustrium virorum», dans *Reallexicon für Antike und Christentum*, t.7, 1969, c.1258-1268.

[10] Voir la bibliographie de la note 3, *infra* p. 10.

[11] Voir les réflexions historiographiques et méthodologiques de J. Z. Smith, *Drudgery Divine. On the Comparison of Early Christianities and the Religions of Late Antiquity*, Chicago, 1990.

quête. Sans remettre en cause la fécondité de l'histoire des mentalités, nous ne pouvons pas ne pas être sensibles à la question posée par A. Boureau : «L'historien des paysages mentaux atteint-il autre chose qu'une thématique textuelle ou iconographique, étroitement tributaire d'une logique culturelle qui fait dominer tel ou tel genre ou tel ou tel mode d'expression?».[12] En effet, il est impossible d'étudier les mentalités chrétiennes dans l'Antiquité tardive à partir de documents qui, excepté les inscriptions, ne soient pas produits par les porte-parole officiels de l'Eglise. Le risque d'être victime d'une «logique culturelle» est donc plus grand que pour toutes les autres périodes.

J'ai ainsi été amené à m'intéresser plutôt à la façon dont les théologiens entendaient déterminer les attitudes devant la mort, c'est-à-dire à leur enseignement sous sa forme la plus immédiatement destinée à être transmise : la prédication, et à son complément indispensable pour former une pastorale des mourants, les éventuels actes liturgiques et sacramentels qui accompagnent les derniers moments du chrétien.

Les sermons représentent en effet une masse documentaire considérable, trop souvent négligée au profit des traités théologiques. Or ces textes, qui parfois nous sont parvenus sous la forme même sous laquelle ils ont été prêchés,[13] ont touché directement un plus grand nombre de gens que tout autre genre de la littérature chrétienne.[14] L'enseignement qu'ils transmettent a donc nécessairement quitté le petit cercle des «spécialistes» qui font de la théologie et qui animent les polémiques. Sans penser naïvement que la prédication nous rapproche des masses populaires – elles restent irrémédiablement inaccessibles dans l'Antiquité –,[15] je suis du moins fondé à penser que les sermons permettent de reconstituer les attentes du public auquel ils sont adressés.

Le prédicateur en effet, en bon rhéteur, doit tenir compte de qui l'écoute.[16] Au delà des études stylistiques ou linguistiques,[17] il est

---

[12] A. Boureau, *Le simple corps du roi. L'impossible sacralité des souverains français XVe-XVIIIe siècle*, Paris, 1988, p. 48. Cf. N. Elias, *La solitude des mourants*, trad. franç., Paris, 1987, p. 24-25.

[13] Sur la prédication et les sermons antiques, je renvoie à A. Olivar, *La predicación cristiana antigua*, Barcelone, 1991.

[14] Je pense notamment aux lettres de consolation que j'ai choisi, pour cette raison, de ne pas prendre en compte.

[15] Voir les remarques provocantes, mais suggestives, de R. MacMullen, «The preacher's audience», *Journal of Theological Studies* 40 (1989), p. 503-511.

[16] Augustin consacre le livre IV du *De doctrina christiana* à cette loi fondamentale de la rhétorique; cf. *De catechizandis rudibus*. Voir analyse et bibliographie dans A. Olivar, *op. cit.*, p. 344-353.

[17] Pour les aspects stylistiques, voir l'étude pionnière d'E. Auerbach, *Literary*

curieux de constater que peu d'intérêt a été porté aux conséquences que cela pouvait avoir sur le contenu de la prédication.[18] Les relations entre doctrine et pastorale sont envisagées à sens unique, alors que, dans un sermon, le prédicateur tient compte non seulement des réactions immédiates de l'auditeur, mais aussi de ses attentes, façonnées par un environnement social et culturel déterminé. A travers ce qu'un prédicateur dit de l'attitude que se doit d'adopter un bon chrétien face à la mort, il doit donc être possible aussi d'entrevoir les attitudes de son auditoire.

Ce livre n'est donc pas une étude sur la mort, les morts et l'au delà dans l'Antiquité tardive. Il a un objet beaucoup plus limité : la présentation de la mort dans la prédication chrétienne aux IVe et Ve siècles dans l'Occident latin.[19]

Ces limites chronologiques relativement étroites sont imposées par la richesse d'une période de «crise d'identité»,[20] qui voit s'affronter non seulement paganisme et christianisme,[21] mais aussi diffé-

---

Language and Its Public in Late Latin Antiquity and in the Middle Ages, New York, 1965, en particulier p. 27-65 sur le *sermo humilis*; cf. S. M. Oberhelman, *Rhetoric and Homiletics in Fourth-Century Christian Literature. Prose Rhythm, Oratorial Style, and Preaching in the Works of Ambrose, Jerome and Augustine*, Atlanta, 1991, avec la bibliographie antérieure, en particulier les travaux de l'école de Nimègue. Pour la linguistique, voir M. Banniard, *Viva Voce. Communication écrite et communication orale du IVe au IXe siècle en Occident latin*, Paris, Etudes Augustiniennes, 1992.

[18] L'article d'A.M. Kleinberg, «De agone christiano : the preacher and his audience», *Journal of Theological Studies* 38 (1987), p. 16-33, contient des éléments de réflexion intéressants. Cf. la récente contribution de T. de Bruyn, «Ambivalence Within a 'Totalizing Discourse' : Augustine's Sermons on the Sack of Rome», *Journal of Early Christian Studies* 1 (1993), p. 405-421.

[19] J'ai délibérément laissé de côté la prédication grecque. Les recherches que j'ai effectuées sur ces textes m'ont en effet vite convaincu de la nécessité d'une étude particulière, qui serait d'autant plus intéressante que la querelle pélagienne n'a pas eu les mêmes conséquences en Orient qu'en Occident. J.-A. Fischer, *op. cit.*, prend en compte les auteurs grecs pour les trois premiers siècles; J. Pelikan, *op. cit.*, analyse la théologie de Tatien, de Clément d'Alexandrie, d'Origène et d'Irénée. Pour Origène, voir H. Crouzel, «Mort et immortalité chez Origène», *Bulletin de Littérature Ecclésiastique* 79 (1978), p. 19-36, 81-96, 181-196. Pour Grégoire de Nazianze, voir J. Mossay, *La mort et l'au-delà dans saint Grégoire de Naziance*, Louvain, 1966. Sur les Pères Cappadociens, voir R. C. Gregg, *Consolation Philosophy. Greek and Christian Paideia in Basil and the Two Gregories*, Philadelphie, 1975. Pour Jean Chrysostome, voir F.-X. Druet, *Langage, images et visages de la mort chez Jean Chrysostome*, Namur, 1990.

[20] Voir R. Markus, *The End of Ancient Christianity*, Cambridge, 1990, p. 18-84.

[21] J'emploie délibérément ces deux mots abstraits, car je pense plus à la nécessité, mise en valeur par R. Markus, *op. cit.*, p. 27-43, pour les chrétiens de se définir dans la société qui les entoure, qu'à l'affrontement des païens et des chrétiens à la fin du IVème siècle. Sur ce point, voir l'essai de T. Barnes, «Religion and Society in the Age of Theodosius», dans *Grace, Politics and Desire : Essays on Au-*

rentes spiritualités chrétiennes à travers des polémiques théologiques aux conséquences pastorales importantes.[22] C'est aussi la période qui nous a livré le plus de sermons,[23] avec, en amont, la plus
ancienne collection conservée, celle de Zénon de Vérone, dont l'activité pastorale semble devoir être située entre les années 364 et 378.[24]
Sa prédication forme avec les traités d'Ambroise, qui ont été le plus
souvent recomposés à partir de sermons,[25] avec la collection homilétique que Gaudence, évêque de Brescia entre 385 et 410 environ, a
éditée de son vivant,[26] avec les sermons de Chromace, évêque d'Aquilée entre 388 et 407-408,[27] et avec les sermons de Maxime de Turin,
qui semble avoir prêché entre 395 et 423,[28] un groupe homogène,
bien connu grâce à des travaux récents sur l'Italie du Nord à la fin
du IVe siècle.[29] Pour le Ve siècle, à côté de la figure imposante d'Augustin,[30] la prédication est encore assez bien représentée.[31] A côté

gustine, Caligary, 1990, p. 157-175, où sont présentées très commodément problé-
matiques et bibliographie antérieures.

[22] Arianisme, Donatisme et Pélagianisme sont l'occasion de débats dont les
enjeux concernent tous les chrétiens; après le concile de Chalcédoine (451), les
polémiques semblent avoir moins d'enjeux pastoraux.

[23] Voir sur ce point les remarques de A. Olivar, *op. cit.*, p. 478-479.

[24] Voir C. Truzzi, *Zeno, Gaudenzio e Cromazio. Testi e contenuti della predicazione cristiana per le chiese di Verona, Brescia e Aquileia (360-410)*, Brescia, 1985,
p. 47-53.

[25] Voir les tentatives faites par J.-R. Palanque, *Saint Ambroise et l'Empire romain*, Paris, 1933, pour isoler les différents sermons à l'intérieur des traités d'Ambroise. Voir aussi J. Schmitz, *Gottesdienst im altchristlichen Mailand*, Theophania
25, Cologne-Bonn, 1975.

[26] Voir C. Truzzi, *op. cit.*, p. 65-69.

[27] Voir C. Truzzi, *op. cit.*, p. 75-80.

[28] Voir C. Sotinel, «Maximus von Turin», dans *Theologische Realenzyklopädie*, vol.22, p. 304-307.

[29] Outre l'ouvrage de C. Truzzi, voir R. Lizzi, *Vescovi e strutture ecclesiastiche
nella città tardoantica (L'Italia Annonaria nel IV-V secolo d.C.)*, Biblioteca di Athenaeum 9, Come, 1989. Cf. L. Padovese, *L'originalità cristiana. Il pensiero etico-
sociale di alcuni vescovi norditaliani del IV secolo*, Rome, 1983.

[30] Pour les sermons d'Augustin, nous renvoyons à P.-P. Verbraken, *Etudes
critiques sur les sermons authentiques de saint Augustin*, Instrumenta Patristica
12, Steenbrugis, 1976. Il faut ajouter aux sermons répertoriés ceux dont F. Dolbeau présente la découverte dans «Sermons inédits de S. Augustin dans un manuscrit de Mayence (Stadtbibliothek, I 9)», *Revue des Etudes Augustiniennes* 36
(1990), p. 355-359. Parmi l'œuvre prêchée d'Augustin, il faut aussi compter les
Enarrationes in psalmos, les *Tracatatus in Iohannem* et les *In epistolam Iohannis
ad Parthos tractatus* : voir la présentation de A. Olivar, *op. cit.*, p. 353-363.

[31] Je n'ai pas pris en compte les homélies de Jérôme éditées par G. Morin
(CCL 78, Turnhout, 1958). Non seulement elles pourraient n'être que des traductions de sermons d'Origène (V. Peri, *Omilie origeniane sui Salmi. Contributo al-
l'identificazione del testo latino*, Studi e Testi 289, Rome, 1980; voir toutefois les
réserves exprimées par P. Jay, «Jérôme à Bethléem : les *Tractatus in Psalmos*»,

des douze sermons restitués à Quotvultdeus, évêque de Carthage en 439 lors de la prise de la ville par les Vandales,[32] deux grandes collections sont parvenues jusqu'à nous : les sermons de Pierre Chrysologue, évêque de Ravenne entre 425 et 450,[33] et ceux de Léon le Grand, pape de 440 à 461.[34] Tel est le terme de mon enquête. Il faut attendre en effet le début du VIe siècle, avec la collection des sermons de Césaire d'Arles, pour trouver un corpus de travail similaire.[35] Or, entre 450 et 500, les conditions pastorales ont subi des changements trop importants et encore trop mal connus pour qu'il soit possible d'étudier ces textes sans solution de continuité.

La découverte de ces textes et de leurs thèmes s'est faite par «une méthode d'émergence», pour reprendre une expression de P. Borgomeo, qui décrit bien la marche à suivre pour travailler sur les sermons.[36] Sans questionnaire initial, je me suis demandé ce que disent les prédicateurs quand ils parlent de la mort : en quelles circonstances, avec quelles citations, dans quelles intentions, etc. Cette démarche m'a conduit à négliger des thèmes, qui, pour être attendus – je pense en particulier à la résurrection –, n'ont pas paru s'imposer avec la même force que d'autres. La mort, dans la prédication, est surtout envisagée en fonction de la vie terrestre : c'est là un paradoxe qui souligne combien l'interprétation chrétienne de la mort n'est pas le dernier mot des pasteurs sur la mort. La difficulté éprouvée à accepter la fin de la vie terrestre (la crainte de mourir) et l'inquiétude sur ce que cette vie permet d'espérer pour l'autre (la peur du jugement) constituent ainsi les deux grandes parties du livre.

dans *Jérôme entre l'Occident et l'Orient*, Paris, 1988, p. 367-380), mais elles n'ont pas été prêchées en Occident.

[32] Voir l'introduction de R. Braun à son édition, CCL 60, Turnhout, 1976; M. Simonetti, «Qualche Riflessione su Quotvultdeus di Cartagine», *Rivista di storia e letteratura religiosa* 14 (1978), p. 201-207, émet des réserves sur l'homogénéité des sermons et sur leur attribution à Quotvultdeus.

[33] Voir A. Olivar, *op. cit.*, p. 296-304.

[34] Voir A. Olivar, *op. cit.*, p. 309-318.

[35] Je n'ai pas pris en compte les 20 sermons attribués à Valérien de Cimiez : voir A. Olivar, *op. cit.*, p. 453-454, pour le ton monastique de ces sermons et les réserves sur leur caractère prêché.

[36] P. Borgomeo, *L'Eglise de ce temps dans la prédication de saint Augustin*, Etudes Augustiniennes, Paris, 1972, p. 16-17.

PREMIÈRE PARTIE

TIMOR MORTIS

«La mort n'est pas un mal, mais un bien» : il n'est peut-être pas de thème plus traditionnel dans la diatribe.[1] Très tôt, les chrétiens ont repris les arguments des philosophes pour encourager à ne pas craindre la mort, quitte à les insérer dans un cadre biblique et à leur donner une coloration plus spécifiquement chrétienne.[2] Je n'ai pas l'intention toutefois de revenir sur la continuité entre la consolation philosophique et la consolation chrétienne.[3] En me plaçant en effet à l'intérieur du discours chrétien, je constate, au tournant des IVe et Ve siècles, une rupture que résument deux textes qui s'opposent presque mot à mot. Dans le premier, Ambroise affirme que «si les vivants estiment la mort effrayante, ce n'est pas la mort elle-même qui est effrayante, mais l'opinion qu'ils s'en font.»[4] Le second texte est un sermon où Augustin prend le contre-pied de cette affirmation, en disant que «l'horreur de la mort n'est pas le fait de l'opinion, mais de la nature».[5]

Augustin défend cette position contre les Pélagiens, avec qui il a ouvert un débat sur la mortalité.[6] A leurs yeux, en effet, dans la me-

[1] C'est le thème n° 25 du catalogue d'A. Oltramare, *Les origines de la diatribe romaine*, Paris, 1926.

[2] Le *De bono mortis* d'Ambroise est peut-être le traité dont l'inspiration philosophique a été la plus étudiée : voir P. Courcelle, *Recherches sur les Confessions de Saint Augustin*, Paris, 2e éd., 1968, p. 117-120; P. Hadot, «Platon et Plotin dans trois sermons de Saint Ambroise», *Revue des Etudes Latines* 34 (1956), p. 202-220, particulièrement p. 210-219; et la mise au point de G. Madec, *Saint Ambroise et la philosophie*, Paris, 1974, p. 61-71. W. Th. Wiesner, *S. Ambrosii De bono mortis*, A revised text with a introduction, translation and commentary, Washington, 1970, signale de nombreux emprunts dans son commentaire.

[3] Voir C. Favez, *La consolation latine chrétienne*, Paris, 1937 et, plus récemment, L.F. Pizzolato, «La 'consolatio' cristiana per la morte nel sec IV. Riflessioni metodologiche e tematiche», *Civiltà Classica e Cristiana* 6 (1985), p. 441-474 et G. Guttilla, «La fase iniziale della Consolatio latina cristiana», *Annali del Liceo classico Garibaldi di Palermo* 21/22 (1984-85), p. 108-215.

[4] Ambroise, *De bono mortis* 8,31 (BAmb 3, 174) : *Quodsi terribilis apud uiuentes aestimatur, non mors ipsa terribilis, sed opinio de morte.*

[5] Augustin, Sermon 172,1 (PL 38, 936) : *Mortem quippe horret, non opinio, sed natura.*

[6] Sur la place du thème de la crainte de la mort dans la querelle pélagienne, voir les remarques suggestives de R. Dodaro, «Christus Iustus and Fear of Death in Augustine's Dispute with Pelagius», dans *Signum Pietatis. Festgabe für C. P. Mayer*, Cassiciacum 40, Würzburg, 1989, p. 341-361.

sure où la mort est un bien, elle ne peut pas être le châtiment du péché, dont Adam a transmis l'héritage à l'humanité. Augustin leur oppose au contraire l'horreur que la nature a de la mort pour affirmer que la mort n'est pas naturelle, mais qu'elle est bien une conséquence du péché originel. Les enjeux recouverts par ce débat sont bien entendu étrangers à Ambroise. Mais le discours pélagien est en continuité avec le sien, et, par-delà, avec la tradition chrétienne, pour décrire la mort comme un bien. L'argumentation d'Augustin dépasse cependant le débat sur la mortalité. Elle est le point de départ d'une pastorale des mourants en rupture avec celle que prêchent Ambroise et ses contemporains. Le chrétien effrayé par l'approche de la mort n'est plus désigné comme un homme dont la foi n'est pas assez forte pour dépasser sa faiblesse. La crainte qu'il éprouve est prise en compte, intégrée même dans l'économie de la rédemption et du salut.

Ces remarques dictent le plan des quatre chapitres de cette partie. Après avoir exposé les thèmes de la pastorale des mourants dans la prédication de la fin du IVe siècle (chapitre 1), j'étudierai les enjeux du débat sur la mortalité dans la querelle pélagienne et ses conséquences dans la prédication sur la mort (chapitre 2). Puis je consacrerai un chapitre à la pastorale d'Augustin (chapitre 3), dont l'œuvre prêchée n'a pas d'équivalent dans la période concernée. Enfin, les sermons des prédicateurs de la première moitié du Ve siècle (chapitre 4) permettront de nuancer le changement radical dont je formule l'hypothèse.

MIHI VIVERE CHRISTUS EST ET MORI LUCRUM

AMBROISE ET LA PRÉDICATION DE LA FIN DU IVᵉ SIÈCLE

L'analyse du *De bono mortis* d'Ambroise de Milan est le fil directeur que j'ai retenu dans ce chapitre, pour la synthèse qu'il offre d'un enseignement dont on trouve de nombreux échos dans le reste de l'œuvre prêchée d'Ambroise et dans les sermons de Zénon de Vérone, Chromace d'Aquilée, Gaudence de Brescia et Maxime de Turin. L'homogénéité de la prédication des évêques d'Italie du Nord à la fin du IVᵉ siècle tient, à n'en pas douter, à la figure exceptionnelle d'Ambroise et à l'influence qu'il a exercée sur toute cette région de l'Italie grâce à son autorité morale et à son abondante correspondance avec les évêques voisins. C'est le mérite de R. Lizzi d'avoir souligné que cette homogénéité ne pouvait pas seulement être étudiée d'un point de vue doctrinal,[1] mais qu'elle devait être replacée dans un contexte historique plus général.[2] Bien que je m'attache, dans le présent chapitre, à mettre en valeur la logique d'un discours sur la mort, je m'efforcerai d'en tenir compte quand il s'agira de s'interroger sur le sens historique de l'évolution décrite.

1 – LA MORT DANS L'ÉCONOMIE DU SALUT

Ambroise a composé le *De bono mortis* à partir de deux homélies qu'Augustin a peut-être entendues à Milan en 386.[3] Le premier sermon commente la lecture des chapitres deux et trois de la Ge-

---

[1] C'est le cas de l'ouvrage de C. Truzzi, *Zeno, Gaudenzio e Cromazio. Testi e contenuti della predicazione cristiana per le chiese di Verona, Brescia e Aquileia (360-410)*, Brescia, 1985, et de celui de L. Padovese, *L'originalità cristiana. Il pensiero etico-sociale di alcuni vescovi norditaliani del IV secolo*, Rome, 1983.

[2] R. Lizzi, *Vescovi e strutture ecclesiastiche nella città tardoantica (L'Italia Annonaria nel IV-V secolo d. C.)*, Biblioteca di Atheneaum 9, Come, 1989.

[3] La date de 386 est proposée par P. Courcelle, *Recherches sur les Confessions de saint Augustin*, Paris, 1950, p. 122-32, mais elle est objet de discussions résumées par W. Th. Wiesner, *S. Ambrosii de bono mortis*, Washington, 1970, p. 11-4. Sur la mort dans la théologie d'Ambroise, voir E. Dassmann, *Die Frömmigkeit des Kirchenvaters Ambrosius von Mailand*, Münster, 1965, p. 224-229, et A. Loiselle,

nèse : le récit de la faute d'Adam et de son châtiment.[4] Ambroise y soulève le problème de l'origine de la mort en rapport avec la question, héritée de la tradition philosophique,[5] de savoir si la mort est un bien ou un mal.

Selon un procédé familier à la diatribe,[6] Ambroise part d'une objection : comment la mort peut-elle être un bien puisqu'elle est le contraire de la vie?[7] Il donne quelque poids à cet argument tiré de la dialectique des contraires,[8] en rappelant que, dans le récit de la Genèse lu avant le sermon, la mort est le prix du péché : «C'est donc un mal que la mort qui est donnée comme le paiement d'une condamnation».[9]

Les trois morts

Ambroise répond à l'objection en introduisant une distinction entre trois sens du mot «mort» dans l'Ecriture.[10] Il y a d'abord la mort de l'âme par le péché, selon Ezéchiel 18,4 : «L'âme qui commet le péché mourra».[11] La deuxième mort est la «mort mystique» ou mort au péché, définie par Rom 6,4 : «Nous avons en effet été ensevelis avec lui par le baptême dans la mort».[12] Enfin, la troisième est

«Nature» de l'Homme et Histoire du Salut. Etude sur l'anthropologie d'Ambroise de Milan, thèse dactyl., Lyon, 1970, p. 94-97 et 131-146.

[4] Ambroise la mentionne très clairement : *De bono mortis* 1.2 (BAmb 3, 130) : *Denique ut lectionis diuinae exemplo utamur, in paradiso est positus homo, ut ederet de ligno uitae et ceteris paradisi lignis, de ligno autem in quo esset cognitio boni et mali non ederet, quo die autem ederet, morte moreretur. Non seruauit praeceptum et caruit fructu atque eiectus de paradiso mortem gustauit.* Voir W.Th. Wiesner, *op. cit.*, p. 30. Le texte suivant fait peut-être allusion à une autre lecture, celle de Phil 1,21 : *Denique et in apostolo docuimus lectum : dissolui et cum Christo esse multo melius.* (*De bono mortis* 3.8 : BAmb 3, 140). Il est vrai que le terme *lectum* chez Ambroise désigne habituellement la «leçon», la «citation biblique» (voir Blaise, *sub uerbo*). Cf. toutefois *De Paenitentia* I,3.13 (SC 179, 62) : *sicut habes lectum dicente Dauide : Ps 50,7.*

[5] Sur ce thème de la diatribe, voir P. Oltramare, *Les origines de la diatribe romaine*, Paris, 1926, p. 48-49.

[6] Pour l'emploi du dialogue dans la diatribe, voir P. Oltramare, *op. cit.*, p. 11-2 et H.-I. Marrou, «La diatribe chrétienne», dans *Patristique et Humanisme*, Paris, 1976, p. 267-277.

[7] *De bono mortis* 1.2 (BAmb 3, 128) : *Sed forte aliqui adserat : 'quid tam contrarium quam uita morti? si ergo uita bonum putatur, quomodo mors non est mala?'.*

[8] Voir les remarques de P. Courcelle, *op. cit.*, p. 118.

[9] *De bono mortis* 1.2 (BAmb 3, 130) : *malum igitur mors, quae pretio damnationis infertur.*

[10] *Ibid.* 2.3 (BAmb 3, 130) : *Sed mortis tria sunt genera.*

[11] *Ibid.* : *Una mors peccati est, de qua scriptum : 'Anima quae peccat ipsa morietur'.*

[12] *Ibid.* : *Alia mors mystica, quando quis peccato moritur et deo uiuit, de qua ait idem apostolus : 'Consepulti enim sumus cum illo per baptismum in mortem'.*

la mort physique ou séparation de l'âme et du corps.[13] Comme l'ont montré C. Puech et P. Hadot, cette distinction est empruntée à *L'Entretien avec Héraclide* d'Origène.[14] Ambroise l'utilise dès les débuts de son épiscopat, quand il rédige le *De Paradiso*,[15] et y recourt à plusieurs reprises dans sa prédication.[16]

Dans le *De bono mortis*, suivant encore ici Origène,[17] Ambroise fait coïncider cette distinction avec la distinction stoïcienne entre mal, bien et indifférent :

> Remarquons donc que la première mort est mauvaise, puisque nous mourons à cause des péchés, que la deuxième est bonne, puisque celui qui était mort est justifié du péché, et que la troisième tient le milieu.[18]

Dans le vocabulaire stoïcien, les indifférents (le latin *media* traduit le grec *adiaphora*) sont moralement neutres. Dans la mesure où ils échappent au contrôle de la raison, le sage doit n'être affecté aucunement par eux.[19] Ambroise recourt à ce vocabulaire technique, mais pour désigner le statut ambivalent de la mort dans l'opinion des hommes : bonne pour les uns, mauvaise pour les autres.

> Elle est un bien aux yeux des justes, mais paraît redoutable au plus grand nombre : si elle libère tout le monde, elle ne réjouit qu'un petit nombre. Mais ce n'est pas la faute de la mort, bien plutôt de notre faiblesse : nous sommes esclaves des plaisirs du corps et des joies de cette vie, nous redoutons de voir se terminer sa course, alors qu'elle est source de plus d'amertume que de plaisir; mais pas les saints et les sages, qui se plaignaient de la durée de leur exil, estimant plus agréable de se dissoudre et d'être avec le Christ (Phil 1,23)...[20]

---

[13] *Ibid.* : *Tertia mors, qua cursum uitae huius et munus explemus, id est animae corporisque secessio.*

[14] H.-Ch. Puech et Ph. Hadot, «L'entretien d'Origène avec Héraclide et le commentaire de saint Ambroise sur l'Evangile de Luc», *Vigiliae Christianae* 13 (1959), p. 204-234.

[15] Ambroise, *De Paradiso* 9.45.

[16] Ambroise, *De excessu fratris II*, 36-7 et *In Lucam* VII,35. Voir les analyses de Puech et Hadot, *art. cit.*, p. 215-219.

[17] Voir Origène, *Entretien avec Héraclide* 25,22.

[18] Ambroise, *De bono mortis* 2.3 (BAmb 3, 130-2) : *Aduertimus igitur quod una mors sit mala, si propter peccata moriamur, alia mors bona sit, qua is qui fuerit mortuus iustificatus est a peccato, tertia mors media sit.*

[19] La théorie stoïcienne des *adiaphora* est formulée par Zénon (J. von Arnim, *Stoicorum Veterum Fragmenta*, Stuttgart, 1968, vol.1, p. 47-8, fgt 191-6). Voir M.L. Colish, *The Stoic Tradition from Antiquity to the Early Middle Ages, I. Stoicism in Classical Latin Literature*, Leiden, 1985, p. 44.

[20] Ambroise, *De bono mortis* 2.3 (BAmb 3, 132) : *Nam et bona iustis uidetur et plerisque metuenda, quae cum absoluat omnes, paucos delectat. Sed non hoc mortis est uitium, sed nostrae infirmitatis, qui uoluptate corporis et delectatione uitae istius capimur et cursum hunc consummare trepidamus, in quo plus amaritudinis*

La mort physique n'est un mal qu'aux yeux des faibles, qui ont un attachement coupable pour la vie terrestre. Pour les justes, elle est un bien et donc l'objet de leur aspiration. Sans souci de cohérence avec la classification utilisée, Ambroise fait donc de la mort un bien en soi. Les paroles de Paul en Phil 1,23 sont la caution scripturaire de cette affirmation.

La mort est un remède

Ambroise peut revenir maintenant à l'objection soulevée par le récit de la Genèse, en citant la Sagesse : «Dieu n'a pas fait la mort, mais la mort est entrée dans le monde à cause de la perversion des hommes».[21] Dans l'économie du salut voulue par Dieu, explique-t-il, la mort ne doit pas être redoutée. Elle n'est pas cessation de l'être, mais fin du péché.[22]

> «Le Seigneur voulut bien souffrir que la mort se glissât dans l'univers pour que la faute cessât».[23]

L'emploi du verbe *pati* reflète l'ambiguïté de la position adoptée par Ambroise : Dieu semble s'être laissé imposer la mort. Ambroise doit de fait concilier deux prémisses *a priori* peu compatibles, comme il le fait remarquer lui-même dans le second traité du *De excessu fratris* :

> Il est vrai que la mort ne faisait pas partie de la nature, mais fut introduite dans la nature. Dieu en effet n'a pas créé la mort depuis le commencement, mais l'a donnée comme un remède. Voyons un peu si ce n'est pas contradictoire. En effet, si la mort est un bien, pourquoi est-il écrit que «Dieu n'a pas fait la mort», mais que la perversion des hommes «a introduit la mort dans le monde» (Sap 1,13;2,24)?[24]

Les deux prémisses à concilier sont les suivantes:[25] d'une part, la

---

quam uoluptatis est. At non sancti et sapientes uiri, qui longaeuitatem peregrinationis huius ingemescebant, dissolui et cum Christo esse pulchrius aestimantes...

[21] Cf. *ibid.* 4.13 (BAmb 3, 146) : *Sed dicet aliquis scriptum esse quia deus mortem non fecit.*

[22] Voir *ibid.* 4.15 l'opposition entre *finis naturae* et *finis peccati.*

[23] *Ibid.* 4.15 (BAmb 3, 150) : *Passus est igitur dominus subintrare mortem, ut culpa cessaret.*

[24] *De excessu fratris* II,47 (BAmb 18, 100) : *Et mors quidem in natura non fuit, sed conuersa in naturam est; non enim a principio deus mortem instituit, sed pro remedio dedit. Et consideremus, ne uideatur esse contrarium. Nam si bonum est mors, cur scriptum est, quia 'deus mortem non fecit' (Sap 1,13), sed malitia hominum 'mors introiuit in orbem terrarum' (Sap 2,24)?*

[25] Y.-M. Duval, «Formes profanes et formes bibliques dans les oraisons funèbres d'Ambroise», dans *Christianisme et Formes littéraires de l'Antiquité tardive en Occident*, Entretiens sur l'Antiquité classique 23, Vandœuvres/Genève, 1977, p. 235-291, parle de «deux doctrines différentes» (p. 256), à savoir philosophie et

mort est un bien auquel les justes aspirent; d'autre part, la mort n'est pas naturelle (Dieu n'en est pas l'auteur), mais apparaît après la faute. L'apparente contradiction vient de ce que, si la mort est un bien, on ne comprend pas pourquoi Dieu n'en est pas l'auteur. Voici comment Ambroise la résout :

> En réalité la mort n'était pas nécessaire à l'œuvre divine, alors que, dans le Paradis, les hommes bénéficiaient d'une suite ininterrompue de biens. Toutefois, après la condamnation de la faute, la vie des hommes, faite de travaux continus et de plaintes insupportables, commença à être misérable. Un terme devait être donné aux maux, afin que la mort restituât ce que la vie avait perdu. L'immortalité, en effet, est un fardeau plutôt qu'un avantage sans le bénéfice de la grâce.[26]

La mort, sans être nécessaire dans l'économie de la Création, devient indispensable par la faute de l'homme. La seule conclusion possible est que la mort est un remède que Dieu, dans sa miséricorde, a donné à l'homme pour ne pas le condamner à une vie de péchés éternelle.

Exégèse de Gen 3,19

Cette interprétation repose sur une exégèse du récit de la Genèse, qu'Ambroise expose dans ce même traité du *De excessu fratris*.[27] Pour montrer que la mort n'est pas un mal, Ambroise a expliqué en effet que «mort» a trois significations dans l'Ecriture, selon un schéma très comparable à celui du *De bono mortis*. Ici, il oppose tout particulièrement la mort physique, qualifiée de «naturelle», et la mort éternelle, qu'il appelle *poenalis* :[28]

> Mais la mort qui est naturelle n'est pas en même temps une punition. Dieu en effet n'a pas donné la mort comme une punition, mais comme un remède. En somme, une partie de ce qui est prescrit à Adam pécheur est prescrit comme une punition, une autre comme un

---

Ecriture. Le mot «doctrine» est trop fort : le bienfait de la mort est un lieu commun très largement christianisé à l'époque d'Ambroise.

[26] Ambroise, *De excessu fratris II*,47 (BAmb 18, 100) : *Re uera enim mors diuino operi necessaria non fuit, cum in paradiso positis bonorum omnium iugis successus adflueret, sed praeuaricatione damnata in labore diuturno gemituque intolerando uita hominum coepit esse miserabilis. Debuit dari finis malorum, ut mors restitueret, quod uita amiserat. Immortalitas enim oneri potius quam usui est, nisi adspiret gratia.*

[27] *Ibid.*,38.

[28] *Ibid.*,36-7 (BAmb 18,94/6) : *Secundum scripturas autem triplicem esse mortem accepimus. (...) Una ergo est mors spiritalis, alia naturalis, tertia poenalis.* L'adjectif *naturalis* doit être compris à la lumière de *De excessu fratris II*, 47 (cité *supra* n. 24) : la mort a été *conversa in naturam.* Cf. H.-C. Puech et P. Hadot, *art. cit.*, p. 222-4.

remède. (...) Il y a une trêve aux punitions, puisque contre les épines
de ce siècle, les tribulations du monde et les plaisirs des richesses, qui
excluent la Parole et renferment une punition, la mort a été donnée
en remède, en tant que fin des maux. Dieu, en effet, n'a pas dit :
«Puisque tu as écouté ta femme tu retourneras à la terre.» Telle aurait été une sentence punitive, comme celle-ci : «La terre sera mau-
dite et produira pour toi des épines et des chardons.» Mais il a dit :
«Tu mangeras ton pain à la sueur de ton front, jusqu'à ce que tu retournes à la terre.» On voit que la mort est plutôt la borne finale des
châtiments dont le cours de cette vie est accablé.[29]

La mort est donc entrée dans le monde à la suite du péché d'A-
dam, mais pour mettre un terme au châtiment qu'il avait attiré sur
lui et le genre humain. Toute cette exégèse repose sur le sens littéral
de *donec*. «Jusqu'à ce que» indique en effet une limite temporelle. La
mort peut ainsi être présentée comme le prix de la condamnation
sans apparaître comme un châtiment, et donc un mal.

Interpréter la mort comme un terme fixé par Dieu à la vie de péchés à laquelle s'est condamné l'homme n'est pas une innovation
d'Ambroise.[30] Une telle interprétation du châtiment de la faute d'A-
dam apparaît en effet dans le plus ancien commentaire des chapitres deux et trois de la Genèse qui nous soit parvenu : l'*Ad Autolycum* de Théophile d'Antioche, rédigé après 180.[31]

Théophile toutefois ne fonde pas cette interprétation sur le sens
de *donec reverteris in terram*, mais sur l'expulsion d'Adam du Paradis. Chassé du Paradis, l'homme est privé en effet de la nourriture de
l'arbre de vie qui lui conférait l'immortalité.[32] Une telle exégèse est
connue de Chromace qui l'expose en ces termes aux chrétiens
d'Aquilée :

> En effet si l'homme, sans être racheté du péché, avait goûté à l'arbre
> de vie, il aurait certes vécu à jamais, mais pour un châtiment éternel
> et non pour la gloire. Par conséquent, il importait que les hommes

[29] Ambroise, *De excessu fratris II*,37 (BAmb 18, 96) : *Sed <non>, quae naturalis, eadem poenalis; non enim pro poena dominus, sed pro remedio dedit mortem.
Denique Adae peccanti praescriptum est aliud pro poena, aliud pro remedio...
Habes poenarum ferias, quia aduersum spinas saeculi huius et sollicitudines mundi uoluptatesque diuitiarum, quae uerbum excludunt, poenam includunt, mors pro
remedio data est quasi finis malorum. Non enim dixit : «Quoniam audisti uocem
mulieris, reuerteris in terram». Haec enim esset poenalis sententia, quemadmodum
est illa : «Maledicta terra, spinas et tribulos germinabit tibi». Sed dixit : «Manduca-
bis panem tuum in sudore, donec reuerteris in terram». Vides mortem magis me-
tam nostrarum esse poenarum, qua cursus uitae huius inciditur.*
[30] Voir J.A. Fischer, *Studien zum Todesgedanken in der alten Kirche*, Munich,
1954, p. 104-19, pour la patristique grecque et latine jusqu'au IIIe siècle.
[31] Théophile d'Antioche, *Ad Autolycum* II,24-27 (G. Bardy et J. Sender, SC 20,
Paris, 1948, p. 156-167).
[32] *Ibid.* 26 (SC 20, 162-4).

fussent d'abord condamnés à mourir, pour avoir transgressé le commandement, et par ce moyen fussent rappelés à la grâce.[33]

La mort, dans ces conditions, est moins un châtiment qu'une première grâce accordée par Dieu à l'homme.

Grâce aux recherches d'H. Savon,[34] il est possible de comprendre pourquoi cette tradition exégétique est parvenue à Ambroise. Le but de Théophile d'Antioche est de montrer qu'il n'y a aucune incohérence dans la Genèse, afin de réfuter Marcion et Apelle qui refusaient toute autorité à l'Ancien Testament.[35] Or les deux objections sur l'origine de la mort réfutées par Théophile sont comparables à celles qui sont reprises dans le *De Paradiso*,[36] où Ambroise présente aussi, pour la première fois dans son œuvre, les trois sens du mot *mors* dans l'Écriture.[37] H. Savon a montré qu'il ne s'agissait pas de la «survie factice de querelles dépassées»,[38] mais de la réfutation d'une «tradition rationaliste» qui, encore à la fin du IVᵉ siècle, puise sa matière dans les ouvrages de Marcion ou d'Apelle.[39]

Hors du *De Paradiso*, toutefois, cette exégèse de Gen 3,19 est utilisée de façon non polémique.[40] Le deuxième sermon du *De sacramentis* en offre un bon exemple. Ambroise cherche à expliquer aux nouveaux baptisés le sens de la mort et de la résurrection symboliques qui ont lieu dans le baptême.[41] Aussi expose-t-il l'origine de la mort et de la résurrection. L'homme a été créé immortel, et, sans la

[33] Chromace, Sermon 38,2 (SC 164, 212) : *Si enim redemptus homo non fuisset a peccato, et gustasset de arbore uitae, uiueret quidem in aeternum, non quidem ad gloriam, sed ad poenam aeternam. Unde oportuit homines pro praeuaricatione mandati ante mortis poena multari, et sic reuocari ad gratiam.*

[34] Voir H. Savon, *Saint Ambroise devant l'exégèse de Philon le Juif*, Paris, 1977, p. 25-54, en particulier p. 32-35.

[35] Voir M. Simonetti, «La Sacra Scrittura in Teofilo d'Antiochia», dans *Epektasis. Mélanges J. Daniélou*, Paris, 1972, p. 197-207, en particulier p. 201 : Théophile veut montrer que la Genèse est un enseignement véridique sur la création du monde. Sur Apelle et Marcion, voir A. von Harnack, *Sieben neue Bruchstücke der Syllogismen des Apelles*, TU 6, heft 3, p. 109-120, Leipzig, 1890 et *Marcion. Das Evangelium vom fremden Gott*, TU 45, 2ᵉ éd., Leipzig, 1924.

[36] Comparer Théophile, *Ad Autolycum* II,25 et 27, et Ambroise, *De Paradiso* 5,28 et 7,35 (SC 20, 160).

[37] Ambroise, *De Paradiso* 9,45. Le *De Paradiso* date des premières années de l'épiscopat d'Ambroise, soit 375-376 : voir P. Siniscalco, BAmb 2/1, p. 10-11.

[38] H. Savon, *op. cit.*, p. 31.

[39] H. Savon, *op. cit.*, p. 47-8.

[40] Outre le *De excessu fratris II*, le *De bono mortis*, le *De sacramentis*, voir *In Lucam* VII,35 et *De Cain et Abel* II,10, 35 (un passage fortement remanié d'un sermon prononcé pendant la semaine de Carême : voir P. Siniscalco, BAmb 2/1, p. 19-21).

[41] Rom 6,3 : *Quicumque baptizatur in morte Iesu baptizatur*, fait partie des lectures du jour, le mercredi suivant Pâques (*De Sacramentis* II,23 : SC 25,69).

faute, il n'eût point connu la mort.[42] Mais Dieu a donné un remède à sa sentence, afin que ce qui avait tout d'abord servi de condamnation servît de bienfait : la mort met fin au péché et la résurrection, don du Christ, rétablit l'homme dans sa condition première.[43] Tel est l'enseignement d'Ambroise sur le rôle de la mort dans l'économie du salut.[44]

2 – LE CHRÉTIEN DEVANT LA MORT

Dans le *De bono mortis*, la lecture de Gen 3, 19 est articulée à celle de Phil 1, 21-24 : le but d'Ambroise, en affirmant que la mort est un bienfait, est de présenter la joie de Paul devant la mort comme l'attitude que tout chrétien se doit d'adopter. Le verset de Paul : «Pour moi, vivre est le Christ et mourir est un gain», est en effet un leitmotiv dans les sermons où Ambroise et les évêques contemporains d'Italie du Nord définissent l'attitude du chrétien face à la mort.

Après avoir établi que la mort est un bien, Ambroise consacre à la crainte de la mort le second sermon dont est composé le *De bono mortis*.[45] De façon caractéristique, son argumentation y repose sur un syllogisme où les versets pauliniens servent de mineure :

> La mort, en effet, comme nous l'avons dit plus haut, est la dissolution des liens du corps et de l'âme et leur séparation; or cette dissolution n'est pas un mal, puisque se dissoudre et être avec le Christ, c'est bien mieux; donc la mort n'est pas un mal.[46]

La majeure du syllogisme est la définition de la mort comme séparation du corps et de l'âme. Le mot de *solutio* appelle en mineure la citation de Paul et dès lors la conclusion que la mort n'est pas un

---

[42] *Ibid.* II,17 (SC 25, 67) : *In principio deus noster hominem fecit ut, si peccatum non gustaret, morte non moreretur. Peccatum contraxit, factus est obnoxius morti.*

[43] *Ibid.* : *Remedium datum est ut homo moreretur et resurgeret. Quare? Ut et illud quod ante damnationis loco cessarat loco cederet beneficii. Quaeris quomodo? Quia mors interueniens finem facit peccati.*

[44] Le même enseignement est dispensé par Chromace à Aquilée (voir le Sermon 38 cité *supra* p. 16-17). Gaudence de Brescia rappelle qu'Adam a perdu l'immortalité à cause de sa désobéissance (voir les *Tractatus* 8,34 et 15,13), mais ne présente pas la mort comme un remède. Chez Maxime de Turin, on ne trouve que le *topos* consolatoire de la mort comme remède aux maux de la vie (voir le Sermon 72,1).

[45] Ambroise, *De bono mortis* 8.31-fin : aucune des lectures ne peut être identifiée.

[46] *Ibid.* 8.33 (BAmb 3, 176) : *Mors enim, ut supra diximus, absolutio corporis est et separatio animae et corporis : non est autem mala solutio, quia dissolui et cum Christo esse multo melius. Non igitur mala mors.*

mal est démontrée. Implicitement, l'attitude de Paul est proposée comme une norme. La logique du raisonnement vise en effet à détruire toute appréhension à l'idée de mourir. Puisque la mort n'est pas un mal, il n'y a aucune bonne raison de la craindre.

La crainte des insensés

Pour Ambroise, la crainte de la mort est le fait des insensés, les *insipientes*.[47] Cette crainte relève en effet de l'opinion, comme il le dit en commençant :

> Ce n'est pas la mort qui est pénible, mais la crainte de la mort. Cependant la crainte dépend de l'opinion, l'opinion de notre infirmité : elle est contraire à la vérité.[48]

La crainte de la mort ne dépend pas de la nature de la mort (qui est un bien en soi), mais de l'idée que les hommes s'en font. L'emploi du mot *opinio* par Ambroise est péjoratif : craindre la mort est une erreur de jugement.[49]

Deux idées fausses expliquent en effet la crainte des insensés.[50] La première est de croire que la mort est «destruction», c'est-à-dire cessation d'être.[51] Ambroise vise ici les païens de son auditoire.[52] La seconde erreur est de redouter les châtiments de l'autre monde.[53] Ils n'attendent, explique Ambroise, après avoir raillé les fables des poètes, que les coupables : la vie menée, et non la mort, en est responsable.[54]

---

[47] Voir *ibid.* Le terme *insipientes*, auquel s'oppose quelques lignes plus bas *sapientes*, rappelle la distinction stoïcienne entre le sage, sans passion, et le fou, dominé par les passions. Voir Cicéron, *Tusculanes* 3.4,9 (éd.G.Fohlen et J.Humbert, Les Belles Lettres, Paris, 1931, t.2, p. 6-7) : *Omnis autem perturbationes animi morbos philosophi appellant negantque stultum quemquam his morbis uacare. Qui autem in morbo sunt, sani non sunt, et omnium insipientium animi in morbo sunt; omnes insipientes igitur insaniunt.*

[48] Ambroise, *De bono mortis* 8.31 (BAmb 3, 174) : *Non ergo mors grauis, sed metus mortis. Metus autem opinionis est, opinio nostrae infirmitatis, contraria ueritati.*

[49] Ambroise recourt ici à l'opposition, classique depuis Platon (cf. C. Moreschini, BAmb 3, n.89, p. 175), de l'opinion et de la science. Une source plus immédiate d'Ambroise pourrait être Cicéron : voir, par exemple, *De oratore*,II,7,30.

[50] Ambroise, *De bono mortis* 8.33 (BAmb 3, 176) : *Duabus autem ex causis mortem insipientes uerentur.*

[51] *Ibid.* : *Una, quod eam interitum appellent.*

[52] Voir *De bono mortis* 8.45, où Ambroise explique qu'il a choisi de commenter IV Esdras pour prouver l'antériorié du christianisme sur les spéculations des philosophes.

[53] Ambroise, *De bono mortis* 8.33 (BAmb 3, 176) : *Altera autem causa, quod poenas reformident.*

[54] *Ibid.* : *Haec plena sunt fabularum. Nec tamen negauerim poenas esse post mortem. Sed quid ad mortem id quod post mortem est?* et plus haut 8.31 (BAmb 3,

La crainte de la mort peut donc relever d'un sentiment de culpabilité, comme Ambroise l'affirme sans ambiguïté :

> Si les vivants estiment que la mort est effrayante, ce n'est pas la mort elle-même qui est effrayante, mais l'opinion qu'ils se font de la mort, que chacun interprète selon son sentiment ou que chacun a en horreur selon sa propre conscience. Que chacun accuse donc les blessures de sa conscience, et non la rigueur de la mort.[55]

Craindre la mort est trahir sa mauvaise conscience : la mort étant un bien, seuls les châtiments qui attendent le coupable sont redoutables. La mort du pécheur s'oppose ainsi à celle du juste,[56] mais, en soi, la mort est un bien.

Portrait du sage

Ambroise s'attache toutefois moins à condamner les *insipientes* qu'à faire le portrait du sage chrétien. Le sage ne doute pas des avantages de la mort : non seulement il ne la redoute pas, mais il la désire, tel Paul selon les versets de l'Epître aux Philippiens.

La figure par excellence du sage chrétien dans l'œuvre d'Ambroise est Jacob. Ce patriarche incarne en effet la *fortitudo* du sage,[57] dont l'amour du Christ est indéfectible, quelles que soient les épreuves auxquelles il est soumis. Grâce aux remarquables analyses de G. Nauroy,[58] il est possible d'isoler les différents sermons dont Ambroise a composé le *De Jacob et de beata vita* et par la même occasion de suivre l'enchaînement de sa pensée. Après un prologue sur la pratique de la vertu, Ambroise réutilise quatre sermons : le premier est un commentaire de Rom 5,13-8,39, le deuxième un «sermon plotinien» sur la béatitude du sage, le troisième un portrait de Jacob, le quatrième un panégyrique sur le martyre d'Eléazar et des

---

174) : *Etenim prudentibus delictorum supplicia terrori sunt, delicta autem non mortuorum actus sunt, sed uiuentium.*

[55] *Ibid.* 8.31 (BAmb 3, 174) : *Quodsi terribilis apud uiuentes aestimatur, non mors ipsa terribilis, sed opinio de morte, quam unusquisque pro suo interpretatur affectu aut pro sua conscientia perhorrescit. Suae igitur unusquisque conscientiae uulnus accuset, non mortis acerbitatem.*

[56] *Ibid.* 8.33 (BAmb 3, 176) : *Denique et mors peccatorum pessima, non utique mors pessima generaliter, sed pessima specialiter peccatorum. Denique pretiosa iustorum.* Cf. Ps 115,15.

[57] Voir Ambroise, *De Joseph* 1.1 (BAmb 3, 344) où Jacob incarne la *singularis animi laborumque patientia*. Pour une analyse du portrait du sage dans le *De Jacob*, voir M.L. Colish, *op. cit.*, II. *Stoicism in Christian Latin Thought through the Sixth Century*, Leiden, 1985, p. 55-58.

[58] G. Nauroy, «La méthode de composition d'Ambroise de Milan et la struc-

Maccabées.[59] De l'un à l'autre des sermons, les thèmes se répondent subtilement.[60]

La conclusion du sermon plotinien fait ainsi de l'absence de peur la condition ultime de la béatitude :

> Qui pourrait nier que tel soit le modèle du sage : il ne craint rien; il ne redoute que la perte de la vertu et il étouffe les vaines frayeurs que les autres connaissent : l'inquiétude du danger, la peur de la mort, la maladie; il enseigne qu'«il est bien mieux de dissoudre les liens du corps et d'être avec le Christ» (Phil 1,23)...[61]

Non seulement le sage ne connaît pas la crainte de la mort, mais il doit se faire exemple vivant de cette absence de crainte. Le dernier mot est laissé une fois de plus à Paul.

A cette définition du sage répond dans le portrait de Jacob la définition de l'homme libre, qui est opposé à l'esclave de la bénédiction d'Isaac sur Esaü.[62] Est esclave celui qui se laisse aller à ses passions et que la peur, en particulier, peut abattre.[63] Dans le panégyrique des martyrs, enfin, Eléazar, les sept frères Macchabées et leur mère constituent autant d'exemples du comportement que le chrétien doit adopter face à la mort.[64]

Mourir chaque jour

L'absence de peur face à la mort ne saurait toutefois suffire à faire du chrétien un sage. Ambroise explique en effet que le sage doit anticiper la séparation du corps et de l'âme, qu'opère la mort physique.

Dans le *De bono mortis*, les versets de Paul lui servent à nouveau de point de départ. L'emploi du verbe *dissolui* dans Phil 1,23 est d'abord une des cautions scripturaires de la définition classique de la

---

ture du De Jacob et beata vita», dans *Ambroise de Milan. XVIe Centenaire de son élection épiscopale*, Paris, 1974, p. 115-153.

[59] Je ne fais que résumer les analyses de G. Nauroy, *art. cit.* : voir sa conclusion p. 138-140.

[60] Voir le tableau donné en annexe par G. Nauroy, *art. cit.*, p. 141-153.

[61] Ambroise, *De Jacob* I,8,38 (BAmb 3,270) : *Illam quoque formam iusti esse quis abnuat, ut nihil metuat, nihil reformidet nisi uirtutis dispendia aliorumque uanas formidines comprimat, quas habeant de periculorum sollicitudine, mortis timore, corporis infirmitate, ut doceat dissolui corpore et cum Christo esse multo melius...*

[62] Genèse 27,40 commenté par Ambroise, *De Jacob* II,3,10-13.

[63] Ambroise, *De Jacob* II,3,12 (BAmb 3, 284) : *...seruit quicumque uel metu frangitur uel delectatione inretitur uel cupiditatibus ducitur uel indignatione exasperatur uel maerore deicitur.* Cf. *Ep.* II,7 (= Maur. 37 : BAmb 19, 72-99), où Ambroise reprend le commentaire du *De Jacob* à la demande de son correspondant, et en particulier c.34 sur la peur de la mort.

[64] Ambroise, *De Jacob* II,10,43-fin.

mort comme séparation du corps et de l'âme.[65] Mais ces mêmes versets permettent aussi de redéfinir le sens des mots «vie» et «mort» : la mort devient la vie présente et la vraie vie ne commence qu'à la mort.[66]

Maxime de Turin emboite le pas à Ambroise dans un sermon prononcé pour la fête des apôtres Pierre et Paul.[67] En conclusion, Maxime affirme que les saints honorés ne sont pas morts, mais «renés» :[68]

> Il ne faut donc pas appeler mort ce par quoi nous sommes privés des persécuteurs et unis au Christ. Il ne faut pas appeler mort, ce qui, en associant le mort au Christ, est un gain pour le mourant, comme le dit le bienheureux apôtre : «Pour moi, vivre est le Christ et mourir un gain».[69]

Autour de l'axe de la mort physique, s'intervertissent donc les sens des mots «vie» et «mort».

Dès lors, le sage doit aspirer à la vraie vie et, au-delà du mépris de la mort, s'efforcer d'anticiper la séparation du corps et de l'âme dans l'ascèse et la mortification. Le juste, poursuit Ambroise, doit «imiter la mort» :

> Que font d'autre dans la vie présente les justes, que de se défaire des contagions de ce corps, qui nous lient comme des entraves…? N'est-il pas vrai que, tout en étant dans cette vie, il imite l'image de la mort, celui qui peut faire en sorte que meurent pour lui tous les plaisirs du corps et qu'il meure aussi lui-même à tous les désirs et à tous les attraits du monde…?[70]

La mortification dégage des liens du corps et anticipe donc la

---

[65] Ambroise, *De bono mortis* 3.8 (BAmb 3, 138-40) : *Itaque scriptura docente cognouimus quia mors absolutio est animae et corporis et quaedam hominis separatio. (…) Denique et in apostolo docuimus lectum : 'Dissolui et cum Christo esse multo melius'.*

[66] Voir *ibid.* 3.9 (BAmb 3, 142) : *Operetur igitur mors in nobis, ut operetur et uita, bona uita post mortem…*

[67] Maxime de Turin, Sermon 2 (SCAmb 4, 26-31).

[68] *Ibid.*,3 (SCAmb 4, 28) : *Non enim mortui sunt quorum curamus natalem hodie, sed renati.*

[69] *Ibid.*,3 (SCAmb 4, 30) : *Non ergo dicenda est mors, quae interueniente caremus persecutoribus et Christo conectimur. Non est plane dicenda mors, quae Christo mortuum socians lucrum efficit morienti, sicut ait beatus apostolus : 'Mihi uiuere Christus est et mori lucrum'.*

[70] Ambroise, *De bono mortis* 3.9 (BAmb 3, 140) : *Quid igitur in hac uita aliud iusti agunt nisi ut exuant se huius corporis contagionibus, quae uelut uincula nos ligant (…). Nonne igitur unusquisque in hac uita positus speciem mortis imitatur, qui potest se ita gerere ut ei moriantur omnes corporis delectationes et cupiditatibus omnibus mundique inlecebris etiam ipse moriatur…?*

séparation opérée à la mort physique. En ce sens, l'ascèse est un exercice de la mort.[71]

Les commentateurs ont souligné combien l'inspiration platonicienne est évidente dans ces lignes d'Ambroise.[72] Mais si le souvenir du *Phédon* est manifeste, il faut relever le soin mis par Ambroise à réélaborer ces idées philosophiques dans un contexte chrétien à l'aide de citations scripturaires.[73] Dans le second traité du *De excessu fratris*, Ambroise proclame même la supériorité de l'enseignement paulinien sur celui de Platon :

> «Je meurs chaque jour» (1 Cor 15,31), dit l'apôtre mieux que ceux qui ont dit que la philosophie est une méditation de la mort. Ceux-ci ont conseillé de penser la mort, lui s'est exercé à la pratique de la mort...[74]

Ambroise oppose donc les philosophes qui conçoivent la méditation de la mort comme un exercice spirituel, aux chrétiens qui, dans l'ascèse, anticipent la mort en détachant leur esprit de toute réalité corporelle.[75]

Cette forme de préparation à la mort permet au sage de ne plus voir dans la mort qu'une formalité : l'accomplissement du travail de toute une vie de mortification.

Etre avec le Christ

Le ressort ultime de ce comportement est l'espérance : «Etre avec le Christ», selon les mots de Paul. Ambroise consacre la fin du second sermon du *De bono mortis* à décrire l'état meilleur auquel la mort donne accès.[76] C'est nourrie de ces enseignements que la foi est source de courage :

> Nourris de ces vérités, hâtons-nous sans crainte vers Jésus notre Rédempteur; quand le jour viendra, partons sans crainte vers l'assem-

---

[71] Voir P. Hadot, *Exercices spirituels et philosophie antique*, Paris, 1987, p. 37-47 pour la philosophie comme exercice de la mort, p. 59-74 pour la version chrétienne.

[72] Voir P. Hadot, «Platon et Plotin dans trois sermons de saint Ambroise», *Revue des Etudes Latines* 34 (1956), p. 202-220, ici p. 213-4 pour l'influence de Platon, *Phédon* 64a.

[73] Voir W.Th. Wiesner, *op. cit.*, p. 178-180 à propos de *De bono mortis* 3.10.

[74] Ambroise, *De excessu fratris II*,35 (BAmb 18, 94) : '*Cottidie morior*', *apostolus dicit, melius quam illi, qui meditationem mortis philosophiam esse dixerunt; illi enim studium praedicarunt, hic usum ipsum mortis exercuit*... Sur ce texte et plus généralement la philosophie comme méditation de la mort dans les textes chrétiens, voir P. Courcelle, *Recherches, op. cit.*, p. 330 et G. Madec, *op. cit.*, p. 30-1.

[75] Ambroise commet l'erreur dénoncée par P. Hadot, *op. cit.*, p. 38 : dans le *Phédon*, l'exercice de la mort est aussi conçu comme «une séparation spirituelle entre l'âme et le corps».

[76] Ambroise, *De bono mortis* 10.45-11.48.

blée des Patriarches, sans crainte vers Abraham notre père; hâtons-nous sans crainte vers cette congrégation des saints, vers cette réunion des justes.[77]

A l'emploi anaphorique de *intrepide pergamus* succède la répétition du futur *ibimus* : «nous irons»,[78] qui souligne encore l'assurance d'être sauvé et de gagner la vie éternelle.

Foi, courage, récompense : l'absence de solution de continuité ne peut manquer d'évoquer le langage des *Actes des martyrs*, caractérisé, selon une expression de P. Brown, par «un saut à pieds joints par dessus la tombe».[79] Le seuil de la mort et le temps intermédiaire entre la mort et la résurrection sont comme effacés.[80] L'immédiateté de la récompense est le ressort efficace d'une rhétorique de préparation à la mort très imprégnée de l'idéal héroïque du martyre.

Il n'est donc pas étonnant que les sermons prononcés pour les fêtes de martyrs soient un lieu privilégié pour tenir un tel discours sur l'attitude du chrétien face à la mort. Un sermon de Zénon de Vérone, pour le *natalis* du martyr africain Arcadius,[81] paraît caractéristique. Ce panégyrique partage de nombreuses caractéristiques avec les *Acta* : comme eux, notamment, il contient un récit détaillé des circonstances du martyre. Arcadius, qui a fui une première fois devant les persécuteurs, décide de se présenter spontanément devant le juge. Celui-ci lui offre alors la possibilité de racheter sa fuite en sacrifiant sur les autels, mais Arcadius s'insurge :

> Eh quoi? ô le plus vain des juges, penses-tu que les serviteurs du Seigneur puissent être effrayés à l'idée de perdre les misérables avantages de cette vie ou d'être condamnés subitement à une mort prématurée, alors que nous savons qu'il est écrit avec la garantie de l'apôtre : «Pour moi vivre est le Christ et mourir est un gain»?[82]

---

[77] *Ibid.* 12.52 (BAmb 3, 200) : *His igitur freti intrepide pergamus ad redemptorem nostrum Iesum, intrepide ad patriarcharum concilium, intrepide ad Abraham patrem nostrum, cum dies aduenerit, proficiscamur, intrepide pergamus ad illum sanctorum coetum iustorumque conuentum.*

[78] *Ibid.* : *Ibimus enim ad patres nostros, ibimus ad illos nostrae fidei praeceptores...Ibimus et ubi sinum suum Abraham sanctus (...).*

[79] Peter Brown, *Le culte des saints*, trad. franç., Paris, 1984, p. 95.

[80] Les martyrs accèdent de fait à la récompense aussitôt après leur mort : voir A. Stuiber, *Refrigerium interim*, Bonn, 1957, p. 74-81.

[81] Zénon, *Tractatus* I, 39 (SCAmb 1, 166-173). Arcadius est un martyr de Césarée de Maurétanie, patrie d'origine de Zénon. Voir C. Truzzi, *Zeno, Gaudenzio e Cromazio*, Brescia, 1985, p. 220.

[82] Zénon, Tr I,39,2.5 (SCAmb 1, 168) : *Quid, inquit, uanissime omnium iudicium, putasne aut de lucis istius incongruis usuris aut de praeproperae mortis subitis damnis familiam domini posse terreri, cum sciamus apostolica fide esse perscriptum : Mihi uiuere Christus est et mori lucrum?*

Arcadius oppose ainsi à la crainte sa foi : présentée comme un savoir (*sciamus*) garanti (*fide apostolica*), la foi chrétienne détruit toute crainte de la mort.

Cette opposition est un motif récurrent de la prédication de Zénon, avec en particulier les figures emblématiques d'Abraham et de son fils Isaac.[83] Zénon a à cœur d'expliquer à ses auditeurs pourquoi Dieu a finalement empêché le sacrifice :

> Ainsi, mes chers frères, Abraham s'arme sans peur pour accomplir le sacrifice; l'âme assurée et la main plus encore, il se prépare à frapper; le couteau, élevé pour le sacrifice, vibre, mais l'imminence de la mort n'attriste pas le jeune garçon et la peur ne trahit pas une foi fragile. Enfin, grâce à la fermeté du sacrificateur et de la victime, Isaac mérita d'être libéré au moment où il déposait l'humaine crainte et où son père avait accompli la promesse conforme à sa foi; et le Seigneur, après avoir éprouvé leur volonté, empêcha le crime.[84]

A côté de la foi d'Abraham, Zénon loue la foi d'Isaac, qui se traduit par son courage face à une mort imminente. Or rien dans le récit de la Genèse ne vient nourrir un tel commentaire. Isaac s'y inquiète même de l'absence de victime.[85] Zénon réécrit donc cet épisode biblique afin de faire d'Isaac une figure de martyr. Pour obéir à Dieu, Isaac accepte la mort sans crainte : manifestant par là-même sa foi, il est récompensé par la substitution d'un bélier sur l'autel. Pour Zénon, de même que la foi supprime la crainte, la crainte trahit un manque de foi.

La même relation entre foi et crainte est décrite dans un sermon sur le Ps 127,1 : «Heureux, tous ceux qui craignent le Seigneur».[86] Zénon invite à distinguer la crainte de Dieu et la «crainte naturelle». Cette dernière est une impulsion de l'infirmité humaine, qui fait avoir peur de ce qu'on ne veut pas voir se produire.[87] La crainte de

---

[83] Tr I,43, I,59, I,62. C. Truzzi, *op. cit.*, p. 205, émet l'hypothèse qu'ils ont été prêchés en temps de Carême.

[84] Tr I,59,3.7 (SCAmb 1, 204) : *Denique, carissimi, intrepidus ad ministerium immolationis armatur; libratur ad ictum uulneris securus animus, sed securior manus; elatus in immolandum gladius uibratur nec puerum mors uicina contristat, ne trepidatio fidem prodat infirmam. Sub hac denique immolantis immolandique constantia absolui meruit, dum humanum ex se deponit timorem et, quantum ad fidem pertinet, pater promissa compleuit, dominus parricidium probata uoluntate prohibuit.* Cf. Tr I,62,5 (SCAmb 1, 212) : *Sola enim fides deambulat inter gladios tuta, inter esurientes feras amica, in ignibus frigida.*

[85] Genèse 22,7-8. Dans le Tr I,43,2.5, Zénon dit même qu'Abraham révèle à son fils la demande de Dieu : voir la remarque de G. Banterle, SCAmb 1, p. 181, n.8.

[86] Zénon, Tr II,2 (SCAmb 1, 224-229).

[87] Tr II,2,1.1 (SCAmb 1, 224) : *Naturalis ergo (timor) non discitur, sed impulsu nobis nostrae infirmitatis occurrit, quia non artis est timere quod metuas; metuis autem quod tibi nolis accidere.*

Dieu est une crainte supérieure à toutes les autres : fruit d'un enseignement, elle permet de maîtriser toute crainte.[88]

Dans ce schéma hérité de l'anthropologie stoïcienne, la foi joue
vis-à-vis des passions le rôle de la raison.[89] L'équivalence établie par
Ambroise entre le sage et le bon chrétien se trouve ici confirmée.[90]

Mort du corps et mort de l'âme

L'ambiguïté d'une telle prédication, où la mort physique est
comme niée, apparaît particulièrement bien dans un sermon où Ambroise commente Luc 9,27 : «Or je vous le dis en vérité, il en est d'ici
présents qui ne goûteront pas la mort avant d'avoir vu le Royaume
de Dieu».[91] Le contexte homilétique de ce texte est difficile à reconstituer, mais il semble être la conclusion d'un sermon où étaient
commentés les versets précédents (Luc 9, 23-26) sur les conditions à
remplir pour suivre le Christ.[92]

Pour Ambroise, les paroles du Christ en Luc 9,27 sont une
preuve de sa grande bonté : son intention est de soutenir «la faiblesse de l'esprit humain».[93] Ce soutien est d'autant plus nécessaire
qu'affronter la mort, c'est-à-dire suivre le Christ, est une rude
épreuve pour cette faiblesse :

> Oui, il est ardu de porter la croix, d'exposer son âme aux dangers et
> son corps à la mort (...) Oui, il semble difficile aux hommes d'acqué-
> rir un espoir par des dangers et d'acquérir le profit d'un temps à venir
> au prix du présent.[94]

---

[88] *Ibid.* : *...dei autem (timor) et discitur et docetur, quia non in trepidatione,
sed in doctrinae ratione consistit, sicut scriptum est : 'Venite, filii, audite me; timorem domini docebo uos' (Ps 33,12).* Cf. 3.7 (SCAmb 1, 228) : *O necessarius timor,
qui nihil aliud agit nisi ut beatos efficiat; qui timet arte, non casu, uoluntate, non
necessitate, religione, non culpa...*

[89] La notion d'impulsion en particulier vient de la théorie stoïcienne des passions, ou *hormai* : voir J.M.Rist, *Stoic Philosophy*, Cambridge, 1969, p. 22-3. Zénon, comme le signalent les éditeurs, emprunte cependant sa définition de la
crainte à Hilaire (In Ps 127,2 : CSEL 22, 628) : voir C. Truzzi, *op. cit.*, p. 300-1.

[90] Le *Tractatus* 17, que Gaudence de Brescia prononce pour la dédicace d'une
basilique et qui est en fait un panégyrique des martyrs, dont les reliques ont été
rassemblées, offre un enseignement identique sur le mépris de la mort, en particulier c.21 et 24. Sur ce sermon, voir C. Truzzi, *op. cit.*, p. 234-235.

[91] Ambroise, *In Lucam* VII,1-6 (SC 52, 8-10).

[92] Dans l'état du texte tel qu'il est parvenu à nous, ce passage ouvre le livre 7.
Il semble pourtant en étroite relation avec le commentaire de Luc 9,22-6 au livre
6,100-3. Entre les deux se trouve un ajout qui appartient à la phase de rédaction
(6,104-9) : voir G. Coppa, BAmb 9/1, p. 23.

[93] Ambroise, *In Lucam* VII,1 (SC 52, 8) : *Semper dominus... infirmitatem
mentis humanae... sustentat.*

[94] *Ibid.* : *Arduum quippe est crucem tollere et animam periculis, morti corpus,
offerre... Difficile quippe uidetur hominibus, ut spem periculis emant damnoque
praesentium futurae lucrum mercentur aetatis.*

Dans ce passage où il paraît adopter le point de vue de son auditoire, Ambroise reconnaît la difficulté du message qu'il prêche : la continuité entre foi, courage et récompense est un idéal exigeant pour un homme attaché au présent. Comme il l'ajoute un peu plus loin, «les consolations se glacent sous la crainte de la mort».[95]

Le Christ a donc tenu compte de cette faiblesse en promettant que quelques-uns ne goûteraient pas la mort. Ambroise précise qui seront ces élus : ceux qui se tiennent aux côtés du Christ,[96] et conclut :

> C'est pourquoi le choix même des mots autorise à déduire que ceux qui semblent avoir mérité la société du Christ ne connaîtront même pas la plus légère sensation de mort.[97]

Tous les fidèles connaîtront-ils donc le bonheur d'Enoch, d'Elie ou de Jean, évoqués par Ambroise dans la suite?[98] Non. Ambroise est ici embarrassé :

> Assurément, la mort du corps sera goûtée par qui l'effleure des lèvres, mais la vie de l'âme sera conservée par qui la possède.[99]

Il se rétracte donc en partie, et amorce un glissement vers le sens moral de la mort : la mort de l'âme, ou mort éternelle du pécheur et de l'impie. De fait, il poursuit en affirmant que le Christ parle ici pour tout le monde et que, la mort devant précéder la résurrection, il est question en Lc 9,27 de la mort de l'âme, et non de la mort du corps.[100]

Dans ce commentaire d'Ambroise, le glissement de la réalité physique de la mort à sa signification morale est symptomatique. Le prédicateur laisse voir qu'il comprend combien affronter la mort sans crainte au nom de la foi est difficile à l'homme. Mais il ne trouve pas dans l'Ecriture de réels éléments de réponse et, après avoir souligné que les «consolations» ont quelque chose de vain, il revient à son discours premier. En dernier ressort, la seule promesse du Christ est que le bon chrétien ne connaîtra pas la mort éternelle.

*
*   *

---

[95] *Ibid.* : *Frigent enim solacia sub metu mortis.*
[96] *Ibid.*, 2 (SC 52, 9) où Ambroise joue sur le *hic stantes* de Luc : *Non satis est stare, nisi ubi est Christus stetur.*
[97] *Ibid.* : *In quo licet ex uerbi ipsius qualitate perpendere ne tenuem quidem sensum mortis habituros qui Christi uideantur meruisse consortia.*
[98] *Ibid.*, 4.
[99] *Ibid.*, 3 (SC 52, 9) : *Certe mors corporis libando gustetur, uita animae possidendo teneatur.*
[100] *Ibid.*, 4 (SC 52, 9) : *non hic mors corporis, sed animae denegetur.*

La logique d'un discours sur la mort, qui se résume au «Pour moi, vivre est le Christ, et mourir est un gain» de Paul (Phil 1, 23), est claire. La mort est présentée comme un bien en soi, auquel le juste, version chrétienne du sage, doit aspirer de tout son être. L'idéal du bon chrétien est en effet non seulement d'affronter la mort sans crainte, mais encore de préparer la séparation du corps et de l'âme par une vie de mortification. Seuls les *insipientes*, c'est-à-dire les chrétiens dont la foi est fragile, ou les coupables, craignent la mort.

Cette logique n'est pas très éloignée de celle que proposent les traités des philosophes. J'ai signalé dans les notes, aussi souvent que possible, les rapprochements effectués par les savants : l'influence du stoïcisme, en ce domaine, a été étudiée avec toutes les nuances nécessaires.[101] En revanche, faire le partage entre ce qui serait authentiquement chrétien et ce qui ne le serait pas, doit rester un souci étranger à l'historien. Il est plus pertinent d'étudier comment ce discours a été utilisé et contesté, à l'intérieur même du christianisme, lors de la polémique pélagienne, qui, pour cette question, comme pour bien d'autres,[102] a fait se cristalliser des logiques incompatibles, dont les conséquences n'avaient pas été tirées jusqu'au bout.

---

[101] Voir, en dernier lieu, M. L. Colish, *op. cit.*, p. 55-58, avec la bibliographie antérieure.

[102] Cf. P. Brown, *La vie de saint Augustin*, trad. franç., Paris, 1971, p. 439 et n. 27.

CHAPITRE 2

MORTE MORIEMINI

LA POLÉMIQUE SUR LA MORTALITÉ
DANS LA CONTROVERSE PÉLAGIENNE
ET SES CONSÉQUENCES POUR LA PRÉDICATION SUR LA MORT

A la fin du IVe siècle, le problème de l'origine de la mort se trouve au carrefour de différentes discussions théologiques :

– la querelle origéniste, dans la mesure où la question de l'origine de l'âme entraîne un débat sur le composé humain tout entier.[1]

– la querelle ascétique, dont les enjeux reposent en partie sur l'interprétation de la Genèse.[2]

– les discussions sur le péché originel enfin, qui examinent la relation entre la mortalité et le péché d'Adam.[3] Les traités de l'Ambrosiaster,[4] le *Liber de fide* de Rufin,[5] Augustin lui-même,[6] témoignent que la discussion est ouverte.

Il n'est pas possible de faire ici une étude de tous les enjeux liés au problème de la mortalité : cela m'emmènerait trop loin de mon propos, et l'état de nos connaissances ne permet pas encore de voir bien clairement tous les points communs aux différentes discussions théologiques. Je voudrais en revanche suivre l'utilisation

---

[1] Sur la querelle origéniste, voir H. Crouzel, art. «Origène», dans *DSp* 11, Paris, 1981, c. 933-961, en particulier c. 955-958 avec la bibliographie essentielle. Pour les aspects anthropologiques de cette controverse, voir E. Clark, «New Perspectives on the Origenist Controversy : Human Embodiment and Ascetic Strategies», *Church History* 59 (1990), p. 145-162 et *The Origenist Controversy. The Cultural Construction of an Early Christian Debate*, Princeton, 1992.

[2] Voir E. Clark, «Heresy, Asceticism, Adam and Eve : Interpretations of Genesis 1-3 in the Later Latin Fathers», dans *Ascetic Piety and Women's Faith. Essays on Late Ancient Christianity*, Lewingston, 1986, p. 353-385.

[3] Voir P.F. Beatrice, *Tradux Peccati. Alle fonti della dottrina agostiniana del peccato originale*, Milan, 1978.

[4] Voir A. Pollastri, *Ambrosiaster. Commento alla lettera ai Romani*, L'Aquila, 1977, en particulier p. 114-145.

[5] Voir *infra* p. 30-33.

[6] Voir en particulier Augustin, *De bono conjugali* ii,2-iii,3 où il est affirmé que la question de la nature originelle des premiers hommes reste ouverte.

des arguments sur le bienfait de la mort dans le débat qui oppose Augustin aux Pélagiens.[7]

Montrer que la mort est un événement naturel est en effet un enjeu important pour les Pélagiens. A leurs yeux, si l'homme a été créé mortel et donc si la faute d'Adam n'a entraîné aucune mutation de la nature humaine, la doctrine du péché originel est sans fondement.[8] Rufin le Syrien, dont se réclame Célestius,[9] puis Julien d'Eclane, mettent à contribution le même argument qu'Ambroise pour prouver que la mort n'est pas un châtiment, en affirmant que la mort est un bienfait dispensé à l'homme par Dieu. Une telle argumentation pousse Augustin à abandonner l'interprétation de la Genèse défendue par Ambroise, et, avec elle, l'idée que la mort est un bien. Or cela ne peut pas être sans conséquence pour la pastorale des mourants.

A – MORT ET PÉCHÉ ORIGINEL : LE DÉBAT THÉOLOGIQUE

1 – DE RUFIN LE SYRIEN À PÉLAGE

Célestius, lors du procès qui aboutit à sa condamnation à Carthage en 411, pressé par Paulin de Milan de citer les autorités dont il se réclame contre la transmission du péché, donne le nom d'un prêtre, Rufin.[10]

Rufin le Syrien

Il y a aujourd'hui un consensus assez large pour identifier ce Rufin avec le Syrien du même nom, cité par Marius Mercator comme le promoteur de l'hérésie pélagienne, et le prêtre Rufin qui a séjourné au monastère de Jérôme en Palestine, avant d'être envoyé par ce dernier en Italie en 399.[11] Mais Rufin le Syrien n'est pas qu'un

---

[7] Voir les remarques fort suggestives de R. Dodaro, «Christus Iustus and Fear of Death in Augustine's Dispute with Pelagius», dans *Signum Pietatis. Festgabe für C.P. Mayer*, Cassiciacum 40, Würzburg, 1989, p. 341-61. Sur la polémique pélagienne, je renvois à la synthèse de F.G. Nuvolone, «Pélage et pélagianisme. I. Les écrivains», *DSp* 12/2, Paris, 1986, c. 2889-923, avec la bibliographie générale, c. 2936-42. Ce chapitre a été écrit avant que j'ai pu prendre connaissance de J.-M. Girard, *La mort chez saint Augustin. Grandes lignes de l'évolution de sa pensée telle qu'elle apparaît dans ses traités*, Paradosis 34, Fribourg, 1992.

[8] E. Pagels a fort justement mis l'accent sur cette notion d'une mutation de la nature humaine dans *Adam, Eve, and the Serpent*, New York, 1988, chapitre VI : The Nature of Nature, p. 127-50.

[9] Voir le récit d'Augustin, *De gratia Christi et de peccato originali* II,3,3.

[10] Voir note prédédente.

[11] Voir le résumé de la bibliographie et l'analyse des sources par A. de Veer, «Le prêtre Rufinus», note complémentaire 11, BA 22, Paris, 1975, p. 704-711. Cf.

nom. Nous avons conservé en effet un de ses écrits, le *Liber de fide*, où sont dénoncées plusieurs des hérésies de l'époque.[12] La réfutation du traducianisme, à laquelle Célestius fait allusion, est insérée dans un contexte plus large, où le récit de la Genèse est souvent discuté.

Rufin, après avoir réglé la question de l'origine de l'âme, en dénonçant les erreurs d'Origène,[13] aborde le problème de la nature du corps : a-t-il été créé mortel ou immortel? Il part de l'affirmation suivante : Adam et Eve ont été créés immortels selon l'âme et mortels selon le corps, mais ils n'auraient jamais goûté la mort s'ils n'avaient pas transgressé les ordres de Dieu.[14] Pour montrer qu'Adam et Eve ont été créés mortels selon le corps, Rufin rappelle qu'avant même leur désobéissance, Dieu leur dit : «Croissez et multipliez, remplissez la terre» (Gen 1,28).[15] Or manger et engendrer sont incompatibles avec l'immortalité.[16]

Une fois établi que les premiers hommes étaient soumis dès l'origine à la mort corporelle, Rufin en vient à la situation d'après la chute :

> Dieu donc, par souci des hommes, comme il savait qu'ils seraient enclins au mal et qu'ils aimeraient les plaisirs et les désirs de la chair et comme il voulait les ramener plutôt à l'honnête vertu, permit qu'ils ne fussent soumis à la domination de la mort que pour un temps limité.[17]

La mort physique est donc présentée comme une issue à la mort morale. Nous retrouvons ici la même interprétation que chez Ambroise. La mort entre dans le plan divin comme une borne mise à une vie de péchés : loin d'être un châtiment, elle est un effet de la bonté de Dieu (*deus... consulens*).

---

la dernière mise au point en date de W. Dunphy, «Marius Mercator on Rufinus the Syrian. Was Schwartz mistaken?», *Augustinianum* 32 (1992), p. 279-288 : l'auteur annonce une nouvelle édition du *Liber de fide*.

[12] Texte édité et traduit par M.W. Miller, The Catholic University of America Patristic Studies 96, Washington, 1964.

[13] Rufin, *Liber de fide* 24-8.

[14] Rufin, *Liber de fide* 29 (éd. Miller, p. 94) : *Illos igitur primos homines, Adam dico et Euam, licet immortales secundum animam creatos esse dixerim, mortales uero secundum corpus; numquam tamen mortem gustassent, siquidem mandatum Dei seruare uoluissent.*

[15] *Ibid.* : *Rursum autem, si Adam et Eua immortales essent secundum carnem creati, numquam audissent a deo : 'Crescite et multiplicamini et implete terram' (Gen 1,28). Cf. ibid.* 31.

[16] *Ibid.* 30.

[17] *Ibid.* 32 (éd. Miller, p. 100) : *Deus igitur consulens hominibus, cum sciret eos ad malitiam pronos et uoluptatum ac desideriorum carnis amatores et uellet ad honestam potius reuocare uirtutem, siuit usque ad tempus aliquod dominationi mortis addici...*

Rufin tient en effet à réfuter l'erreur de ceux qui font de la mort le châtiment du péché :

> Nous disons donc que la mort n'a pas été donnée aux hommes en échange de leurs vices, comme le prétendent les ignorants, mais pour détruire complètement leur dépravation, car si les hommes devaient vivre pour toujours, leurs vices ne prendraient jamais fin.[18]

Seuls les ignorants font donc de la mort le salaire des péchés. Son argument principal est que la mort est un bien : elle met fin à la dépravation des pécheurs et est une libération pour les justes.[19] Rufin, comme Ambroise, recourt à l'autorité de Paul : l'apôtre annonce sa mort avec joie dans la Seconde Epître à Timothée et il appelle la mort «sommeil» dans la Première Epître aux Thessaloniciens.[20]

Rufin poursuit la lecture du livre de la Genèse et montre que Dieu a pardonné leur faute à Adam et Eve et que leur descendance n'est aucunement coupable aux yeux de Dieu.[21] C'est ainsi qu'est introduite la question du baptême des enfants. A nouveau, Rufin s'en prend aux ignorants qui veulent que les petits enfants soient baptisés à cause du péché héréditaire.[22] Une question adressée aux tenants de cette théorie permet de comprendre l'intérêt d'avoir montré que la mort n'est pas une conséquence du péché :

> Mais si vraiment, comme ils le prétendent, les enfants meurent à cause du péché d'Adam, qu'ils nous disent pourquoi il est permis qu'ils goûtent la mort aussitôt après avoir été baptisés, puisque tous les baptisés, devenus du même coup fils de Dieu, sont sans péché.[23]

Logiquement, Rufin laisse entendre que si la mort est la conséquence du péché d'Adam et que si le péché d'Adam est effacé par le baptême, le baptême devrait empêcher de mourir.

---

[18] *Ibid.* : *Non igitur hominibus mortem datam pro malorum uice dicimus, sicut ratiocinantur indocti, sed ad delendam penitus prauitatem; nam si uicturi perpetuo homines essent, numquam profecto eorum malitia finiretur.* Cf. *ibid.* 34.

[19] *Ibid.* 33 (éd. Miller, p. 100) : *Non igitur malignis tantum hominibus ad delendam eorum prauitatem bona mors esse dicitur, sed etiam iustis utilis : sicut enim malus peccare desinit, hac luce priuatus, sic etiam iustus dormiens assiduis impugnationum afflictationibus et miseriis animi liberatur.*

[20] *Ibid.* 33 (éd. Miller, p. 102) : 2 Tim 4, 6-8; 34 (éd. Miller, p. 104) : 1 Thess 4,13.

[21] *Ibid.* 36-37. Rufin affirme même que la première partie de la condamnation d'Adam est une preuve de la bonté divine : travail et souffrances sont une sorte de pénitence (*ibid.* 35).

[22] *Ibid.* 38-41. Les partisans de cette thèse sont fous (*insaniunt*) et ignorants (*inscientia*).

[23] *Ibid.* 40 (éd. Miller, p. 114) : *Sin uero, ut ipsi asserunt, propter peccatum Adam moriuntur infantes, dicant nobis cur statim baptizati mortem gustare permittuntur, quippe cum omnes qui baptizati sunt, et propter hoc filii Dei facti, peccatum habere non possint.*

Rufin affirme donc à la fois que le corps humain est mortel par nature et qu'Adam, à cause de sa désobéissance, a perdu le privilège d'immortalité que lui conférait l'arbre de vie.[24] Mais il ne voit pas là une modification de la nature humaine, si bien que l'idée de péché héréditaire est insoutenable à ses yeux.

Quels sont les ignorants dénoncés par Rufin? Il est maintenant acquis que le *Liber de fide* n'est pas écrit en réaction au *De peccatorum meritis et remissione*.[25] Il semble plutôt que Rufin, comme les théologiens orientaux de son temps,[26] vise des croyances «populaires», dont P.F. Beatrice a montré qu'elles sont antérieures à Augustin et très vraisemblablement d'origine encratite.[27]

Augustin, dans le premier livre du *De peccatorum meritis et remissione*, réfute un *libellus* largement inspiré par le *Liber de fide* de Rufin.[28] F. Refoulé suggère même l'identité des deux ouvrages, mais les rapprochements textuels sont laches.[29] L'hypothèse d'E. TeSelle est plus convaincante : le *libellus* aurait été rédigé par Célestius, qui a puisé dans le *Liber de fide* de Rufin plusieurs de ses arguments.[30]

Quoi qu'il en soit, les thèses sur la mortalité réfutées par Augustin ne sont pas celles de Rufin. Tous deux ont en effet des positions identiques : l'homme fut créé mortel, mais jouissait de la possibilité de ne pas mourir avant la faute d'Adam.[31] Augustin adopte d'ailleurs cette interprétation dans le contexte des mêmes débats théologiques que Rufin.[32]

---

[24] La présence même de l'arbre de vie au Paradis est la preuve qu'Adam et Eve étaient mortels selon le corps : voir *ibid.* 29.

[25] Voir F. Refoulé, «Datation du premier concile de Carthage contre les Pélagiens et du *Libellus fidei* de Rufin», *Revue des Etudes Augustiniennes* 9 (1963), p. 41-9.

[26] Voir H.-I. Marrou, «Les attaches orientales du pélagianisme», *Comptes rendus de l'Académie des Inscriptions et des belles lettres*, année 1968, p. 459-472 (= *Patristique et Humanisme*, Paris, 1976, p. 331-344) sur les parentés entre l'enseignement de Rufin et celui de Théodore de Mopsueste.

[27] P.F. Beatrice, *op. cit.*, en particulier p. 205-259.

[28] Voir les passages parallèles donnés par F. Refoulé, *art. cit.*, p. 44-6.

[29] F. Refoulé, *art. cit.*, p. 48, fait remarquer qu'il n'y a qu'une citation littérale, signalée avant lui par J. de Blic, «Le péché originel selon saint Augustin», *Recherches de Science religieuse* 16 (1927), p. 518-9. Voir les remarques de E. TeSelle, «Rufinus the Syrian, Caelestius, Pelagius : Explorations in the Prehistory of the Pelagian Controversy», *Augustinian Studies* 3 (1972), p. 61-95, ici p. 74-76.

[30] E. TeSelle, *art.cit.*, p. 74-76.

[31] Voir Augustin, *De Genesi ad litteram* VI,xxv,36; *De peccatorum meritis et remissione* I,ii.2; iii,3; etc.

[32] Au livre VI et VII du *De Genesi ad litteram*, Augustin discute de la nature du corps et de l'âme d'Adam dans un contexte qui est aussi fortement anti-origénien : voir BA 48, note complémentaire 30, p. 690-695. Ces livres du *De Genesi ad litteram* pourraient d'ailleurs être contemporains du *Liber de fide* de Rufin : voir BA 48, p. 28, n.42, pour une rédaction de peu postérieure à 401.

Aux yeux d'Augustin, cependant, la nature humaine est modifiée après la faute d'Adam. Adam pouvait ne pas mourir, tandis que l'homme est maintenant soumis à la nécessité de la mort.[33] Ce n'est pas toutefois la nature exacte de ce changement qui est discutée dans le *De peccatorum meritis et remissione*, mais simplement l'affirmation que la mort est un pur phénomène naturel.

Célestius

Lorsque Célestius ouvre la polémique contre le baptême des petits enfants, il emprunte à Rufin quelques-uns de ses arguments, mais défend sur le problème de la mortalité une position différente. En effet, il est condamné à Carthage pour avoir soutenu qu'Adam serait mort qu'il péchât ou non.[34] Augustin réfute donc un argument de Célestius, dans le *De peccatorum meritis et remissione*,[35] quand il entreprend de montrer qu'affirmer que la mort est naturelle revient à dire que la mort dont est puni Adam est la mort de l'âme, et non la mort du corps.[36]

Pour montrer qu'Adam est bien puni de la mort corporelle, Augustin évoque le regret (*desiderium*) que ressent tout homme de la perte de l'immortalité dont il bénéficiait au Paradis par la grâce de Dieu et cite, à l'appui de sa thèse, le verset de la Seconde Epître aux Corinthiens où l'apôtre exprime le souhait de ne pas être dévêtu du corps terrestre, mais d'être revêtu par dessus du corps spirituel.[37]

[33] Augustin, *De Genesi ad litteram* VI,xxvi,37.

[34] La première proposition de Célestius condamnée à Carthage en 411 est la suivante : *Adam mortalem factum, qui siue peccaret siue non peccaret mortuum fuisset*. La liste de ces propositions se trouve dans Marius Mercator, *Commonitorium super nomine Caelestii* 36 (ACO I/5, 66).

[35] C'est à la demande de Marcellinus qu'Augustin rédige le *De peccatorum meritis et remissione* à la fin de l'année 411 : voir F. Refoulé, *art. cit.*, p. 41-43; M. Moreau, *Le dossier Marcellinus dans la correspondance de saint Augustin*, Paris, 1973, p. 28 et p. 45-46. R. O'Connell, *The Origin of the Soul in St. Augustine's Later Works*, New York, 1978, p. 105, n.63 et p. 108-117, remet en cause cette datation : l'ouvrage aurait été conçu fin 411, mais sa publication définitive ne serait pas antérieure à 417-418.

[36] Augustin, *De pecc. mer. et rem.* I,ii.2 (CSEL 60, 3-4) : *Qui dicunt 'Adam sic creatum, ut etiam sine peccati merito moreretur non poena culpae, sed necessitate naturae', profecto illud, quod in lege dictum est : «qua die ederitis, morte moriemini» (Gen 2,17), non ad mortem corporis, sed ad mortem animae, quae in peccato fit, referre conantur.*

[37] *Ibid.* I,ii.2 (CSEL 60, 4) : *Cuius rei desiderium nos habere non solum ipsi sentimus in nobis, uerum etiam monente apostolo agnoscimus, ubi ait : «etenim in hoc ingemescimus, habitaculum nostrum, quod de caelo est, superindui cupientes, si tamen induti non nudi inueniamur. Etenim qui sumus in hac habitatione inge-*

Enoch et Elie sont les exemples de ce qui aurait pu se produire pour tous.[38] Sans la faute, le corps animal, et donc mortel, aurait été transformé en corps spirituel, l'homme faisant ainsi l'économie de la mort.[39]

Au livre II du *De peccatorum meritis et remissione*, Augustin réfute une autre objection liée au problème de la mort : si le péché d'Adam avait entraîné la mort, la venue du Christ aurait entraîné l'immortalité.[40] Cette objection est rapidement évoquée par Rufin :[41] Célestius la lui a peut-être empruntée.

Augustin ne s'attarde pas au lien de causalité entre le péché d'Adam et la mort, mais justifie longuement que le châtiment de la mort corporelle ne soit pas effacé par le baptême. L'exemple du Christ et des martyrs lui permet de montrer l'utilité de la mort dans l'économie du salut : elle est une épreuve nécessaire à la foi qui doit se nourrir d'espérance et dont la force se mesure au mépris de la mort.[42] Il conclut ainsi :

> Qui vainc la crainte de la mort par la foi acquiert une grande gloire et une juste récompense pour sa foi. Il n'est donc pas étonnant que la mort n'eût pas touché le corps de l'homme sans le péché dont elle est le châtiment, ni qu'elle touche encore les fidèles après la rémission du péché, pour qu'en bravant la crainte de la mort ils exercent leur courage dans la justice.[43]

A ce stade de la polémique, Augustin parle donc encore de la mort en termes positifs : la mort est un mal que Dieu a fait tourner à l'avantage de l'homme.

---

mescimus grauati, in quo nolumus expoliari, sed superuestiri, ut absorbeatur mortale a uita» (II Cor 5,2-4).

[38] Voir *ibid.* I,iii.3.

[39] *Ibid.* I,iii,3 (CSEL 60, 5) : ...*quid mirum si oboedienti homini eiusdem potentia praestaretur, ut animale, hoc est mortale, habens corpus, haberet in eo quemdam statum, quo sine defectu annosus, tempore quo deus uellet a mortalitate ad immortalitatem sine media morte uenturus?*

[40] *Ibid.* II,xxx.49 (CSEL 60, 119) : *Quapropter illi qui dicunt : 'si primi hominis peccato factum est, ut moreremur, Christi aduentu fieret, ut credentes in eum non moreremur' (...).*

[41] Rufin, *Liber de fide* 40 : voir *supra* p. 32.

[42] Augustin, *De pecc. mer. et rem.* II,xxxi.50 sur la nécessité de la mort pour maintenir la force de la foi; xxxi.51 sur l'exemple du Christ; xxxiv.54 pour les martyrs.

[43] *Ibid.* II,xxxiv.54 (CSEL 60, 124) : *Cuius timorem qui uincit ex fide, magnam ipsius fidei conparat gloriam iustamque mercedem. Unde mirandum non est et mortem corporis non fuisse euenturam homini, nisi praecessisset peccatum, cuius etiam talis poena consequeretur, et post remissionem peccatorum eam fidelibus euenire, ut in eius timore uincendo exerceatur fortitudo iustitiae.*

Pélage

Il semble que la lecture de Pélage n'apporte pas d'éléments nouveaux à la polémique menée par Augustin sur le problème de la mortalité.[44]

Selon G. de Plinval, la position de Pélage a évolué sur ce point : il aurait d'abord partagé l'idée que la mort physique est un châtiment, avant de n'y voir, sous l'influence de Rufin, qu'un phénomène naturel.[45] J. Valero a cependant montré de façon convaincante que Pélage ne met jamais en relation mort physique et péché d'Adam dans le *Commentaire sur les Epîtres de Paul*.[46] Pélage ne fait, dans cet ouvrage, aucune remarque systématique sur la mortalité, et les quelques passages, où la mort est mise en relation avec la faute, parlent de la mort de l'âme, et non du corps.[47] D'autre part, dans le *De natura et gratia*, Augustin cite un extrait du *De natura* de Pélage où est nié explicitement que la mort soit la conséquence du péché.[48] Or Y.-M. Duval vient de montrer que le *De natura* pourrait avoir été rédigé à Rome vers 406,[49] soit au tout début de l'activité anti-augustinienne de Pélage.

Aux yeux de Pélage la mort semble donc toujours avoir été un phénomène naturel. De façon générale, la question de la mortalité n'a pas grande pertinence dans la théologie de Pélage.[50] Aussi Augustin ne réfute-t-il que rapidement les objections du *De natura*.[51] Avec Pélage, le débat sur la mortalité passe à l'arrière-plan.[52]

---

[44] Dans le livre III du *De pecc. mer. et rem.*, rédigé après la lecture des Commentaires de Pélage sur les Epîtres pauliniennes (voir III,i.1), Augustin se contente de résumer dans la conclusion les arguments des premiers livres (III, xiii.23).

[45] G. de Plinval, *Pélage. Ses écrits, sa vie, sa réforme*, Lausanne, 1943, p. 390-1. Cf. R.F. Evans, *Pelagius : Inquiries and Reappraisals*, New York, 1968, p. 72, n. 37.

[46] J. Valero, *Las bases antropologicas de Pelagio en su tratado de las Expositiones*, Madrid, 1980, p. 319-320. Voir aussi T. De Bruyn, «Pelagius's Interpretation of Rom 5,12-21 : Exegesis within the Limits of Polemic», *Toronto Journal of Theology* 4 (1988), p. 30-43. Je n'ai pas pu tenir compte de T. De Bruyn, *Pelagius's Commentary on St Paul's Epistle to the Romans*, Translated with Introduction and Notes, Oxford, 1993.

[47] J. Valero, *op. cit.*, p. 320-322.

[48] Augustin, *De natura et gratia* xxi,23 (BA 21, 284) : *nec ipse primus homo ideo morte damnatus est; nam postea non peccauit.* Voir J. Valero, *op. cit.*, p. 319, n. 38.

[49] Y.-M. Duval, «La date du «De natura» de Pélage», *Revue des Etudes Augustiniennes* 36 (1990), p. 257-283.

[50] Voir J. Valero, *op. cit.*, p. 319.

[51] Voir Augustin, *De natura et gratia* xxi,33.

[52] J.-M. Girard, *op. cit.*, p. 142-146, confirme les analyses de J. Valero sur ce point.

2 – La polémique contre Julien d'Éclane

Augustin ne reprend la polémique sur l'origine de la mort qu'avec l'intervention de Julien qui, à partir de 418, discute systématiquement ses arguments. Le témoignage le plus complet sur leurs positions respectives est l'*Opus Imperfectum* où Augustin cite pour les réfuter de nombreux passages des huits livres que Julien a écrits contre lui.[53]

La crainte de la mort

Au livre II, Augustin réfute à nouveau la thèse selon laquelle le châtiment infligé à Adam est la mort éternelle, ou mort de l'âme.[54] Il reprend pour cela les mêmes arguments que dans le *De peccatorum meritis et remissione*,[55] mais avec une variante intéressante. Au regret (*desiderium*) ressenti par l'homme devant la nécessité de mourir, il substitue en effet la crainte de la mort :

> Si la mort qui sépare l'âme du corps n'est pas un châtiment, pourquoi est-elle redoutée par la nature dont tu fais l'éloge, au point de prétendre qu'elle n'a pas été souillée?[56].

L'homme ne peut pas craindre ce qui fait partie de sa nature : tel est le fondement de la réfutation d'Augustin. Il n'a aucun mal ensuite à montrer que tout homme craint la mort. Aux sentiments et à l'expérience du commun des hommes, il ajoute les exemples de Paul qui, tout en désirant mourir (Phil 1,23), ne veut pas être dépouillé de son vêtement mortel (2 Cor 5,4) et de Pierre, à qui le Christ a dit : «Un autre te ceindra et te conduira où tu ne veux pas» (Jn 21,18).[57] Il ne fait que mentionner ici des textes scripturaires qui occupent, dans sa prédication, une place centrale.

La différence est importante, car la crainte de la mort, plus que le regret de devoir mourir, devient un indice de l'état de péché dans lequel se trouve l'homme par suite de la faute d'Adam. La crainte rend en effet manifeste l'anomalie qu'est la mort, dans laquelle s'ac-

---

[53] Augustin commence à rédiger l'*Opus Imperfectum* en 428 en réponse aux livres de Julien que lui fait parvenir Alypius.

[54] Augustin, *Opus Imperfectum* II,186.

[55] Augustin, *De pecc. mer. et rem.* I,ii,2 : voir *supra* p. 34-35.

[56] Augustin, *Opus imperf.* II,186 (CSEL 85/1, 304) : *Si mors poenalis non est, quae a corpore animam separat, cur eam timet natura, quam sic laudat, ut neges esse uitiatam?*

[57] *Ibid.* : *Cur etiam ipse qui concupiscentiam se dixit habere dissolui, et esse cum Christo (Phil 1,23), non uult tamen spoliari, sed superuestiri, ut absorbeatur mortale a uita (2 Cor 5,4)? Ut quid Petro dictum est de ipso glorioso fine : «Alter te cinget et feret quo tu non uis» (Jn 21,18)?*

complit, avec la séparation de l'âme et du corps, la même disjonction que dans la concupiscence.[58]

Plus avant dans son ouvrage, Augustin rapporte l'objection que
Julien faisait contre cet argument. Pour Julien, la crainte de la mort
ne prouve pas que celle-ci est un châtiment, car la crainte, ainsi que
la douleur, peut avoir des effets positifs, en particulier aider et servir
la justice divine.[59] Augustin ne fait que demander quelle justice il y a
à voir des petits enfants être terrorisés ou souffrir,[60] et conclut que
non seulement la douleur, mais la crainte, sont des tourments ini-
maginables au Paradis.[61]

Donec reuerteris in terram

La discussion sur l'origine de la mort la plus élaborée se trouve
toutefois au livre VI, où Augustin cite et commente l'exégèse de Gen
3,19 proposée par Julien.[62]

Après avoir expliqué le début de la punition infligée par Dieu à
Adam, Julien en arrive à la mort :

> Passons à la suite : «Jusqu'à ce que tu retournes à la terre dont tu as
> été tiré; puisque tu es terre, tu iras aussi en terre.» Cette dernière par-
> tie de la sentence, comme c'était le cas pour la femme, est un avis et
> non une punition. Bien plus, comme il apparaît, en promettant une
> fin, il console l'homme.[63].

Comme il l'a fait pour la condamnation de la femme,[64] Julien distingue deux parties dans celle de l'homme : la punition et un
«avis»,[65] où Dieu informe l'homme que sa vie n'est pas éternelle,
puisqu'il retournera à la terre dont il est issu. Après avoir décrit les
châtiments,

---

[58] Sur ce point, voir les analyses de P. Brown, *The Body and Society*, New
York, p. 405-407.

[59] Voir Augustin, *Opus imperf.* VI,17 (PL 45, 1538) : *Iam uero affectus timoris
et sensus doloris, per quos in naufragia hominum cieri tempestatem putauit, non
solum nullius mali coactores, sed cum repagulum bonae uoluntatis nacti sunt,
adiutores et prouectores iustitiae perdocentur.*

[60] Voir *ibid.* (PL 45, 1540).

[61] Voir *ibid.* : *absit ergo ut in loco illius felicitatis essent ulla tormenta.*

[62] Augustin, *Opus imperf.* VI,25-30. Voir *ibid.* VI,25 (PL 45, 1553), où Augustin rapporte les paroles de Julien : *Illae ergo aduersus nos, quae leguntur in Genesi, sententiae proferri solent, quibus Adam atque Eua uexantur, de quibus disseren-
di iam est tempus.*

[63] *Ibid.* VI,27 (PL 45, 1567/8) : *Sequitur autem : 'Donec conuertaris in terram
ex qua sumptus es; quoniam terra es, et in terram ibis'. Haec sane pars extrema sententiae, sicut illa mulieris, ad indicium, non ad supplicium respicit : quin immo, ut
res indicat, promisso fine consolatur hominem.*

[64] *Ibid.* VI,26 (PL 45, 1566) : la soumission à l'homme est interprétée comme
un conseil salutaire, et non comme un châtiment.

[65] La traduction de *indicium* est difficile (les manuscrits ont d'ailleurs parfois

il adoucit la maladie en en indiquant le terme, comme s'il disait : «En vérité, tu ne subiras pas cela pour toujours, mais jusqu'à ce que tu retournes à la terre dont tu as été tiré, parce que, dit- il, tu es terre, tu iras aussi en terre.»[66]

Comme Ambroise, Julien ajoute que le texte biblique serait plus explicite si la mort faisait partie du châtiment :

> Pourquoi après avoir dit : «jusqu'à ce que tu retournes à la terre dont tu as été tiré», n'a-t-il pas ajouté : «parce que tu as péché et transgressé mes ordres»? Voici ce qu'il fallait dire si la dissolution du corps était un châtiment. Que dit-il en vérité? «Parce que tu es terre, dit-il, tu iras aussi en terre.» Il montre la cause pour laquelle il devait aller en terre : «parce que tu es terre», dit-il.[67]

Le texte est clair : l'homme meurt parce que sa nature est de mourir.

Le raisonnement sur le texte de la sentence est semblable à celui d'Ambroise. Mais, alors qu'Ambroise maintient que l'homme est créé immortel et que Dieu ne laisse s'introduire la mort que pour adoucir son sort, Julien conclut que la mort est naturelle.[68] Chez Julien, la bonté de Dieu consiste à «informer» l'homme qu'il est mortel. Il est toutefois légitime de se demander si Julien ne citait pas Ambroise, rivalisant ainsi avec Augustin dans la recherche d'autorités.[69]

Les ennemis du Paradis

Il semble que Julien ait trouvé là une argumentation efficace, si nous en jugeons par la longue réfutation d'Augustin. Augustin commence par décomposer et réduire *ad absurdum* les éléments de l'exégèse de Julien :

– pourquoi Dieu aurait-il laissé ignorer à Adam qu'il était mortel avant la faute?[70]

été corrigés : voir PL 45, 1567, n.2). Quand Augustin glose l'interprétation de Julien, il emploie le verbe *indicare* (VI,27 : PL 45, 1570), d'où ma traduction.

[66] Augustin, *Opus imperf.* VI,27 (PL 45, 1568) : ...*mitificat aegritudinem terminus indicatus : ac si diceret, Verum non semper ista patieris, sed 'donec conuertaris in terram de qua sumptus es; quia terra es, inquit, et in terram ibis'.*

[67] *Ibid.* : *Cur non, postquam dixit, 'donec conuerteris in terram de qua sumptus es', subdidit, Quia peccasti et mea praecepta transgressus es? Hoc enim dicendum erat, si resolutio corporum ad crimina pertineret. Verum quid dixit? 'Quia terra es, inquit, sumptus es.' Causam cur in terram rediturus esset, ostendit : 'Quia terra es', inquit.*

[68] *Ibid.* : *procul dubio non iniquitatis, sed naturae mortalis fuit.* Pour Ambroise, voir *supra* p. 15-16.

[69] Julien distingue en particulier comme Ambroise la *mors poenalis* de la mort physique (*Opus Imperfectum* VI,30; cf. Ambroise, *De excessu fratris II*,36-7). Voir aussi *infra* p. 42.

[70] Augustin, *Opus imperf.* VI,27 (PL 45, 1570).

– la mort serait-elle moins terrible que le travail, pour être présentée comme une consolation en mettant fin à une vie de travail ?[71]

Il en vient ensuite à un argument dont l'emploi est caractéristique de l'*Opus imperfectum* :[72] si la mort n'est pas le châtiment du péché originel, elle appartient à la nature humaine, ce qui revient à affirmer l'existence d'un principe du mal mêlé à la création.[73] L'épithète d'«ennemi du Paradis» résume cette attaque.[74] La mort est en effet décrite en des termes qui rendent insoutenable l'idée de son existence au Paradis, avec les souffrances provoquées par les innombrables maladies dont les hommes meurent et les tortures de l'agonie.[75] La mort est un tel mal que son existence au Paradis est proprement impensable.

Les traités de bono mortis

Il est intéressant de constater qu'Augustin conclut la réfutation de Julien en évoquant «ceux qui ont confié à l'écriture d'admirables traités sur le bien de la mort».[76] Le ton sur lequel il les mentionne fait penser que Julien se réclamait de leur enseignement :

> Aussi, si tu ne dédaignes pas d'apprendre ce que je vois que tu ignores, apprends que la mort est un mal pour tous les mourants, mais que, pour les morts, elle est bonne pour les uns et mauvaise pour les autres. Voilà ce qu'ont pensé et confié aussi par écrit les auteurs des admirables traités sur le bien de la mort.[77]

---

[71] *Ibid.* (PL 45, 1571) : *Ut enim clamat ipsa natura, plus mors metuitur, quam labores. (…) Quotus quisque autem reperitur, qui mori malit, quam laborare?*

[72] Voir les analyses de P. de Montcheuil, «La polémique de saint Augustin contre Julien d'Eclane d'après l'Opus imperfectum», *Recherches de Science Religieuse* 44 (1956), p. 193-218, en particulier p. 197.

[73] Augustin, *Opus imperf.* VI,27 (PL 45, 1572) : *quod uos negantes, consequenter cogimini tales omnino mortes, quales nunc sunt, loco illius tantae felicitatis et iucunditatis immittere.* Cf. *ibid.* VI,16; 21; 41; etc.

[74] *Ibid.* VI, 26 (PL 45, 1564) : *Paradiso contrarius.*

[75] *Ibid.* VI, 27 (PL 45, 1572) : *cogimini tales omnino mortes, quales nunc sunt, loco illius tantae felicitatis et iocunditatis immittere; ac per hoc et innumerabilia genera morborum, tam grauia, tamque intolerabilia, ut eis homines compellantur.* Voici quelques-unes des expressions employées par Augustin : *cruciatus morientium, clades morientium, mors et damnifica et auara,* etc.

[76] *Ibid.* VI,27 (PL 45, 1575) : *qui de bono mortis laudabiles disputationes etiam litteris mandauerunt.*

[77] *Ibid.* : *Proinde si non dedignaris discere, quod te cerno nescire, mors in morientibus omnibus mala est; in mortuis autem quibusdam mala, quibusdam bona. Hoc secuti sunt, qui de bono mortis laudabiles disputationes etiam litteris mandauerunt.*

Augustin semble reprocher à Julien d'ignorer le contenu des ouvrages qu'il cite lui-même à l'appui de ses thèses. Augustin résume toutefois ces traités en leur faisant subir une distorsion révélatrice. Ambroise affirme bien en effet que la mort peut être un bien ou un mal selon les personnes.[78] Mais il ne fait pas la distinction opérée ici par Augustin entre mourir et être mort.[79] Aux yeux d'Augustin, la mort est un mal en soi, même si elle peut donner accès à quelque chose de meilleur et qu'ainsi les justes peuvent en tirer profit.[80]

Un passage du *Contra duas epistolas pelagianorum*, dans lequel Augustin répond à deux lettres écrites par Julien pour défendre les thèses pélagiennes,[81] confirme que les deux camps se disputent l'autorité d'Ambroise.[82] Augustin réfute l'idée que la mort se transmet sans la faute, en développant l'argument suivant : «il n'y a plus là une prérogative unique du Seigneur (avoir subi une mort imméritée), si, à cause d'une faute qui entraîne pour Adam une mort méritée, les petits enfants, sans contracter par lui aucune faute, subissent une mort imméritée.»[83] Seul le Christ a subi le châtiment du péché sans avoir le moindre péché. Et Augustin ajoute une dernière justification :

Sans doute la mort procure aux bons un bien immense, ce qui a même permis à plusieurs auteurs de traiter avec bonheur du bien de la mort; néanmoins, que faut-il célébrer en cela, sinon la miséricorde de Dieu puisqu'elle convertit en profit le châtiment du péché.[84].

La concessive (*quamuis...*) montre qu'Augustin réfute au passage

---

[78] Ambroise, *De bono mortis* 8,31 : voir chapitre précédent.

[79] Ambroise, *De bono mortis* 7.30 (BA 3, 172-174) affirme même que la mort n'existe ni pour les vivants, ni pour les morts : *Non igitur mors malum. Nam neque apud uiuentes mors est neque apud defunctos.* Augustin, *Cité de Dieu* XIII,ix (BA 35, 268-271) tient le même langage, mais fait place dans sa discussion à l'«instant de la mort» : *Mors autem tunc eis mala erat, quando erat, hoc est quando eam patiebantur, cum morerentur, quoniam grauis et molestus eius inerat sensus.*

[80] Voir un développement comparable dans la *Cité de Dieu* XIII,v-vi.

[81] Voir l'introduction de F.-J. Thonnard, BA 23, Paris, 1975, p. 24.

[82] Sur l'utilisation d'Ambroise par Augustin contre Julien, voir E. Dassmann, «'Tam Ambrosius quam Cyprianus' (c. Iul. imp. 4,112). Augustins Helfer im pelagianischen Streit», dans *Oecumenica et Patristica. Festschrift für W. Schneemelcher zum 75. Geburstag*, Stuttgart, 1989, p. 259-268.

[83] Augustin, *Contra duas epistolas pelagianorum* IV,iv,6 (BA 23, 562) : *Hanc singularem mediatoris praerogatiuam Pelagiani euacuare conantur, ut hoc iam non sit in Domino singulare, si Adam ita propter culpam mortem passus est debitam, ut paruuli, ex illo nullam trahentes culpam, mortem patiantur indebitam.*

[84] *Ibid.* : *Quamuis enim bonis conferatur per mortem plurimum boni, unde nonnulli congruenter etiam de bono mortis disputauerunt, tamen et hinc quae praedicenda est nisi misericordia Dei, quod in bonos usus conuertitur poena peccati?*

une objection de Julien : la mort ne peut pas être un châtiment, car elle est un bien. Cette objection figure au nombre des arguments classés par Augustin sous la rubrique «éloge de la créature» au début du livre IV du *Contra duas epistolas pelagianorum*.[85]

Sous prétexte de faire l'éloge de la créature, explique en effet Augustin, les pélagiens défendent des propositions contraires à la foi catholique.[86] Voici la proposition concernant la mort :

> (La mort) n'est pas toujours un mal, puisque pour les martyrs, elle est la cause de leur récompense. Ce qui fait parler de bonne ou mauvaise mort, ce n'est pas la dissolution des corps destinés à ressusciter chez tous ceux qui font partie du genre humain, c'est la diversité des mérites résultant de la liberté humaine.[87]

Julien reprend ici un argument d'Ambroise : la mort physique ne doit pas être incriminée pour le sort que l'homme se prépare pendant sa vie.[88] L'utilisation d'Ambroise ne semble faire ici aucun doute. L'embarras d'Augustin est d'ailleurs manifeste, comme le montre l'anonymat dans lequel il maintient les «auteurs de traités sur le bien de la mort».

Un dernier élément peut être ajouté à ce dossier : la récupération par Augustin des arguments sur le bien de la mort, empruntés à Cyprien ou à Ambroise, pour prouver, contre les pélagiens, que la perfection ne peut pas être atteinte en cette vie. L'aspiration des justes pour la mort montre bien en effet qu'ils ne peuvent pas obtenir en cette vie le bonheur qu'ils se sont fixés pour idéal.[89] Dans ces textes, Augustin cite explicitement ses autorités : le *De mortalitate* de Cyprien et le *De bono mortis* d'Ambroise. Ici cependant, il n'est plus question de la mort physique en elle-même, mais de l'état auquel elle fait passer, sans que le passage lui-même soit pris en compte.

C'est donc la polémique avec Julien d'Eclane, après 418, qui pousse Augustin à rejeter définitivement toute idée de bien, ou de

---

[85] Voir *ibid.* IV,ii,2.

[86] Voir *ibid.* IV,i,1.

[87] *Ibid.* IV,ii,2 (BA 23, 548) : *(Mors) non semper est malum, inquiunt, cum et martyribus sit causa praemiorum et uel bonam uel malam mortem dici faciat non resolutio corporum, quae excitabuntur in omni genere hominum, sed meritorum diuersitas, quae de humana libertate contingit.* Augustin cite ici un extrait de la lettre que Julien adresse à Rufus de Thessalonique : voir CCL 88,339.

[88] Voir Ambroise, *De bono mortis* 8.31 cité *supra* p. 20.

[89] Voir Augustin, *Contra duas epistolas pelagianorum* IV,x,27 et *Contra Iulianum* II,3,6 : cf. *Ep 217*,vi,22 et *De praedestinatione sanctorum* xiv,26-29 où est discutée l'affirmation de Cyprien sur la mort prématurée du juste. A.-M. La Bonnardière, *Biblia Augustiniana. A.T. Le Livre de la Sagesse*, Paris, 1970, p. 75-78, a rassemblé le dossier des citations de Sap 4,11 sur lequel Cyprien fonde son affirmation.

bienfait, attachée à la mort physique. Je reviendrai sur l'élaboration des arguments utilisés par Augustin dans le chapitre suivant, car elle est, en partie au moins, antérieure à la controverse pélagienne. Il est important de noter ici que c'est le recours par Julien aux traités *de bono mortis* qui conduit Augustin à tirer toutes les conséquences de la doctrine du péché originel sur la mortalité. La lecture des sermons anti-pélagiens montre d'ailleurs qu'il savait pouvoir convaincre son public en mettant l'horreur et la crainte de la mort au centre de son argumentation.

B – MORT ET PÉCHÉ ORIGINEL DANS LA PRÉDICATION

La polémique pélagienne ne reste pas confinée, en effet, à un débat entre théologiens. Une plus large partie de la communauté chrétienne est informée des enjeux débattus, soit lors de disputes publiques, soit dans les sermons prêchés à l'église.

1 – AUGUSTIN

Un des longs sermons polémiques où l'évêque d'Hippone porte sur la place publique les arguments de la controverse qu'il mène contre les Pélagiens est le sermon 299, prononcé à l'occasion de la fête des apôtres Pierre et Paul, un 29 juin, vraisemblablement en 418.[90] La lecture de la Seconde Épître à Timothée (2 Tim 4,6-8) et du dernier chapitre de Jean (Jn 21, 15-19) conduit Augustin à commenter l'attitude des deux apôtres face à la mort.[91] Après avoir opposé la joie de Paul devant l'imminence de sa mort (3-6) et la peur de Pierre (7), il explique qu'en fait les deux apôtres n'ont aimé la mort ni l'un ni l'autre, mais en ont simplement toléré l'idée.[92]

---

[90] Augustin, Sermon 299 : PL 38, 1367-76. La date de 418 est proposée par A. Kunzelmann, «Die Chronologie der Sermones des hl. Augustinus», dans *Miscellanea Agostiniana*, II, Rome, 1931, p. 472. Dans le texte et les notes, les chiffres entre parenthèses renvoient aux paragraphes du sermon.

[91] Lecture de 2 Tim 4,6-8 : c.3; de Jn 21,18 : c.7. Ajouter le chant du Ps 18 : c.1. Pour les lectures de la célébration du *natalis* de Pierre et Paul, voir *infra* p. 000.

[92] Augustin, Sermon 299,8 (PL 38, 1373) : *Volens Paulus et nolens Petrus? Immo si intellegamus, uolens Paulus et uolens Petrus, et nolens Paulus et nolens Petrus. (...) Amari mors non potest, tolerari potest.*

Vox naturae

Il enchaîne pour cela une série d'arguments et d'exemples (8) que nous retrouverons dans un contexte plus positif :
– la mort ne peut pas être aimée, sinon, qu'ont fait de grand ceux qui l'ont affrontée au nom de la foi?
– le martyre est appelé *passio* à juste titre, car la gloire des martyrs vient de la difficulté de leur combat : «Il n'y a pas de plus grand amour que de donner sa vie pour ses amis» (Jn 15,13).
– le recul de Pierre vient de la faiblesse humaine, transfigurée par le Christ quand il dit au Jardin des Oliviers : «Père, s'il est possible, que ce calice s'éloigne de moi» (Mt 26,39).

La conclusion ne se fait pas attendre : «La mort vient du châtiment, dont la coupe nous a été donnée à boire.»[93]

Augustin revient encore sur le cas de Paul (9), en commentant 2 Cor 5,4 comme dans les traités polémiques : le désir d'être revêtu du corps spirituel par dessus le corps mortel est le signe que Paul n'aime pas la mort.

O vocem naturae, confessionem poenae![94] La nature refuse la mort, car elle lui a été imposée comme un châtiment. Comment mieux résumer une démonstration qui débouche sur une dénonciation explicite des Pélagiens? La fin du sermon reprend en effet rapidement les arguments du *De peccatorum meritis et remissione*, en particulier l'exemple d'Enoch et Elie.[95]

Voilà donc un sermon anti-pélagien tout entier construit autour du thème de l'origine et de la nature de la mort. Puisque la mort est refusée par la nature humaine, qu'elle est un mal, elle ne peut être qu'un châtiment, le châtiment du péché originel dont les Pélagiens ne peuvent nier l'existence sans faire mentir l'Ecriture.

Un instinct animal

L'articulation étroite entre la mort et le péché originel conduit Augustin à mettre au compte de la nature l'horreur ressentie devant la mort. Il recourt dans d'autres sermons à une comparaison avec les animaux et fait de la peur de la mort un véritable instinct.

Dans le sermon 297, prononcé pour la fête des deux apôtres entre 416 et 420, Augustin commente à nouveau Jn 21,18, où Pierre

---

[93] Sermon 299,8 (PL 38, 1373) : *Mors ergo nostra de poena est, propinata nobis.*
[94] Sermon 299,9 (PL 38, 1374).
[95] Sermon 299,10-12. Enoch et Elie sont cités au c. 9. Pour le *De pecc. mer. et rem.*, voir *supra* p. 34-35.

illustre la faiblesse humaine et la nécessité de la grâce.[96] En effet, Pierre recule devant la mort à cause de son amertume :

> En réalité, la nature fuit la mort. Regarde toutes les espèces animales : tu n'en trouveras aucune qui ne veuille pas vivre et qui ne craigne pas de périr. L'espèce humaine possède cet instinct.[97]

La crainte de la mort relève de l'instinct de conservation, que tout le monde peut observer chez les animaux. Le désir de vivre se traduit par un réflexe de fuite devant la mort.

Augustin revient à la comparaison avec les animaux dans un autre sermon, en ajoutant une précision intéressante :

> Si les animaux, qui ont été créés pour mourir chacun en leur temps, fuient la mort et aiment la vie, combien plus l'homme, qui avait été créé pour vivre sans fin, s'il avait voulu vivre sans péché?[98]

L'instinct des animaux vient donc d'un simple attachement à la vie, tandis que l'homme éprouve en plus le regret d'une immortalité irrémédiablement perdue.[99] Une phrase de ce sermon permet de mesurer, comme je l'ai dit en commençant, l'écart qui sépare Augustin et Ambroise. Ce dernier met la peur de la mort au compte de l'opinion, avec ce qu'elle suppose d'irrationel et donc de faux.[100] Augustin écrit au contraire : *Mortem quippe horret, non opinio, sed natura.*[101] C'est ainsi qu'il justifie la tristesse que ressent tout homme face à la mort d'un proche.[102]

Ces sermons, où la mort, en tant que châtiment du péché originel, est présentée comme faisant horreur à la nature, laissent donc déjà deviner que la crainte de la mort perd son caractère péjoratif et ne peut dès lors qu'être prise en compte dans la pastorale.

---

[96] Augustin, Sermon 297 : PL 38, 1359-65. La fourchette chronologique est celle que propose A. Kunzelmann, *loc. cit.*

[97] Sermon 297,2 (PL 38, 1360) : *Utique natura refugit mortem. Intuere omne animalium genus, nullum inuenies quod nolit uiuere, quod non timeat interire. Habet istum sensum genus humanum.*

[98] Augustin, Sermon 172,1 (PL 38, 936) : *Quapropter si animalia quae ita creata sunt, ut suo quaeque tempore moriantur, mortem fugiunt, diligunt uitam; quanto magis homo, qui sic fuerat creatus, ut si uiuere sine peccato uoluisset, sine termino uiueret?* Cf. Sermo 173,2 (PL 38, 939). Ces deux sermons datent des années 420-424, selon V. Saxer, *Morts, martyrs, reliques*, Paris, 1980, p. 159-162.

[99] Cf. *De pecc. mer. et rem.* I, analysé *supra* p. 34-35.

[100] Voir *supra* p. 19.

[101] Augustin, Sermon 172,1 (PL 38, 936).

[102] *Ibid.* : *Est ergo de mortuis eis qui diligunt, quaedam tristitia quodammodo naturalis.*

2 – Pierre Chrysologue

Augustin n'est pas le seul témoin d'une prédication anti-péla-gienne. Pierre Chrysologue ne manque aucune occasion d'affirmer le dogme catholique, tel qu'il a été défini contre les Pélagiens.[103] Un groupe de trois sermons sur l'Epître aux Romains,[104] où il fait une mise au point sur les rapports de la mort et du péché originel, montre que la question est encore discutée à Ravenne au milieu du Vᵉ siècle.[105]

La mort est un «accident»

Dans le premier sermon, Pierre Chrysologue ne fait que rappeler que la mort est la rançon de la faute d'Adam et souligner que si le Christ meurt de sa propre volonté, l'homme est soumis à la mort par la nécessité.[106] C'est le commentaire de Rom 5,12, dans le deuxième sermon, qui conduit l'évêque de Ravenne à parler plus longuement du péché originel et de ses conséquences.

Pierre Chrysologue se propose de résoudre deux difficultés : comment le péché est-il entré dans le monde? comment Adam a-t-il nui à sa descendance?[107] Pour cela, il recourt aux catégories aristoté-liciennes de substance et d'accident, comme l'avaient fait Célestius, Pélage et Julien pour essayer de mettre Augustin en difficulté.[108] Pierre Chrysologue définit donc le péché comme un accident, et non une substance.[109] Puis il explique ce que cela signifie en termes plus imagés :

[103] Voir les remarques de F. Lanzoni, «I Sermoni di s. Pier Crisologo», *Rivista di Scienze Storiche* 7,1 (1910), p. 183-184.

[104] Pierre Chrysologue, Sermons 110, 111 et 112 (CCL 24A, 676-689), tous trois prononcés à la suite. F. Sottocornola, *L'anno liturgico nei sermoni di Pietro Crisologo*, Cesena, 1973, p. 158, n.74, ne trouve aucun indice permettant de situer dans l'année liturgique les sermons du *'corpus paulinum'* de Pierre Chrysologue.

[105] Rappelons que Julien d'Eclane a cherché à plusieurs reprises des appuis à la cour impériale de Ravenne et que le nord de l'Italie comptait plusieurs des évêques qui ont refusé de se soumettre aux décisions du pape et de l'empereur. Voir un résumé dans F.G. Nuvolone, *art. cit.*, et *infra* p. 175.

[106] Pierre Chrysologue, Sermon 110,4 et 7.

[107] Pierre Chrysologue, Sermon 111,2 (CCL 24A, 680) : *Miraris eum posteris obfuisse, qui facinore suo damnauerit mundum. Sed dicis : quomodo intrauit? Per quem intrauit?*

[108] Célestius, *apud* Augustin, *De perfectione iustitiae hominis* ii (BA 21, 128-133 : voir note complémentaire 18, p. 593-4); Pélage, *apud* Augustin, *De natura et gratia* xix (BA 21, 276-281 : voir note complémentaire 38, p. 606); Julien, *apud* Augustin, *Opus imperfectum* III,189 (CSEL 85/1, 493). Cf. N. Cipriani, «Echi anti-apollinaristici e aristotelismo nella polemica di Giuliano d'Eclano», *Augustinianum* 21 (1981), p. 371-389.

[109] Pierre Chrysologue, Sermon 111,2 (CCL 24A, 680-1) : *Peccatum natura et substantia est? Nec natura est nec substantia, sed accidens.* Cf. S 11,2 (CCL 24, 73).

Le péché est à la nature ce que la fumée est aux yeux... Ainsi l'œil est pur et voit clair par nature, mais la fumée qui le blesse trouble et obscurcit la vue.[110]

Le péché est, selon l'image proposée,[111] un accident, car il altère la nature, mais sans en faire partie.

Un raisonnement identique est appliqué à la mort, quand Pierre Chrysologue en vient à la question de la transmission du péché.[112] Le *In quo omnes peccaverunt* de Rom 5,12 résout toute difficulté : «Si tous les hommes ont péché en lui, il est juste que tous reçoivent par lui le châtiment.»[113] La nature s'en trouve altérée :

Le péché n'est pas transformé en nature, mais, puisque le péché entraîne la mort, c'est la nature qu'il contraint à payer le prix du châtiment.[114]

La mort n'est pas naturelle : elle est le châtiment que la nature paie malgré elle pour le péché. La bonté de la création est ainsi préservée :

Qui en effet va aller penser que la nature veuille l'extinction de ses enfants ou la destruction des rejetons qui lui sont si chers?[115]

L'appel à l'amour maternel de la nature rappelle l'évocation par Augustin de l'instinct de conservation.[116] Le but est le même : souligner l'absurdité qu'il y aurait à faire de la mort quelque chose de naturel.

Avant de conclure, Pierre Chrysologue éprouve le besoin de souligner à nouveau l'hérédité du péché, en insistant sur le cas des petits enfants.[117] Ces derniers sont condamnés à payer la dette contrac-

---

[110] *Ibid.* (CCL 24A, 681) : *Hoc est peccatum naturae, quod est fumus oculis... Utique purus et lucidus est oculus per naturam, sed per fumi conturbatur et obscuratur iniuriam.*

[111] Pierre Chrysologue donne deux autres images du même type : la fièvre qui affecte le corps et le sel qui rend amère l'eau des fontaines.

[112] Pierre Chrysologue, Sermon 111,4.

[113] *Ibid.* (CCL 24A, 682) : *Huic quaestioni tuae mox qui sequitur apostoli sermo respondit dicendo : 'In quo omnes peccauerunt'. Si illo omnes peccauerunt, merito per illum omnes suscepere supplicium.* Il ajoute au paragraphe suivant (5) : *Siue in homine, siue in peccato, per illum et in illo omnes peccauerunt.*

[114] *Ibid.*,5 (CCL 24A, 682) : *Non ergo peccatum uersum est in naturam, sed dum peccatum mortem ingerit, poenam sibi debitam exigit per naturam.*

[115] *Ibid.* : *Nam quis ista sentiat, fratres, quod extingui uelit natura partus suos, et germina tam cara uelit necari?*

[116] Augustin, Sermon 297,2 : voir *supra* p. 44-45.

[117] Pierre Chrysologue, Sermon 111,8.

tée avant même d'avoir goûté à la vie.[118] L'allusion anti-pélagienne est ici transparente.

«*Dieu n'a pas fait la mort*»

Dans le troisième sermon, Pierre Chrysologue revient sur le problème de la mort, car il a suscité des questions parmi son auditoire.[119] Il annonce dans son prologue que le verset 17 de l'Epître aux Romains, dont il poursuit le commentaire, va tout clarifier.[120]

Le début de ce verset : «Si, en effet, par la faute d'un seul, la mort a régné du fait d'un seul homme...» est sans ambiguïté et le Livre de la Sagesse renforce encore son autorité : «Dieu n'a pas fait la mort.»[121] Seuls les hérétiques, par obstination, refusent donc de se rendre à l'évidence :

> Pourquoi cependant quelques-uns veulent que la mort, qui est si féroce, si cruelle, si affreuse, ait été créée par Dieu, voilà ce que je ne peux pas comprendre. Nul ne peut sans impiété penser qu'un Dieu si bienveillant et si bon a pu créer la mort, dont l'univers entier accuse et maudit l'auteur par des souffrances, des gémissements et des larmes continuels.[122]

Affirmer que la mort est naturelle est une faute envers la bonté du Créateur. Les textes de l'Ecriture sont clairs : l'auteur de la mort est le diable. Les catholiques, comme le dit Pierre Chrysologue,[123] ne peuvent donc avoir aucun doute sur le lien de la mort et du péché originel.

Ces sermons sont donc un reflet fidèle des controverses théologiques, qui ne sont pas encore éteintes quand Pierre Chrysologue

---

[118] *Ibid.* (CCL 24A, 684) : *Et hinc grauius erat lamentenda conditio, quia eius parentis soluebat poenam, cuius uix uitam degustarat infantulus, et luebat peccatum mundi, qui mundum cognitum non habebat.*

[119] Pierre Chrysologue, Sermon 112,1 (CCL 24A, 685), s'excuse des obscurités que son sermon précédent pouvait contenir : *Date ergo ueniam, fratres, si intra punctum temporis et horae ipsius uix momentum obscura lucidare, clausa reserare, firmare dubia, profunda contingere, tot saeculorum ineffabile sacramentum per omnem modum aperire non possum et eloqui, siue caute aemulis, secure filiis, credentibus confidenter, constanter incredulis non ualemus.*

[120] *Ibid.* : *Verum quia hodie apostolicus sermo claro se lumine sensibus audientium totus infudit, nec quidquam catholicis mentibus reliquit ambiguum, cum dicit : Si unius delicto mors regnauit per unum...*

[121] Sap 1,13 cité au c.2.

[122] Pierre Chrysologue, Sermon 112,2 (CCL 24A, 686) : *...tamen quare eam tam trucem, tam crudelem, tam inmitem, nonnulli a deo uelint esse conditam, scire non possum. Nemo sine piaculo existimat tam pium, tam bonum deum mortem creare potuisse, cuius uniuersus mundus dolore continuo, gemitu, lacrimis accusat et detestatur auctorem.*

[123] Voir le début du sermon, cité *supra* n. 120.

commence à prêcher. L'archevêque de Ravenne ne s'en tient pas cependant à des sermons doctrinaux. Il associe souvent la mort au malheur qui pèse sur la condition humaine après la faute d'Adam et le diable reçoit fréquemment le nom de *mortis auctor*.[124] La mort, dans ses sermons, incarne le mal par excellence et nous verrons qu'il n'a pas de mots assez durs pour ceux qui cherchent des consolations dans les ouvrages sur le bienfait de la mort.[125]

*
* *

La controverse théologique avec les Pélagiens a donc joué un rôle dans la transformation du discours sur la mort.

La stricte définition de la mort comme châtiment du péché originel conduit à présenter la mort comme un mal, dans la mesure où l'horreur de la mort paraît être un sentiment assez universel pour servir de preuve absolue. En même temps, le recours des Pélagiens aux arguments sur le bienfait de la mort semble disqualifier ce discours. Un indice intéressant de cet abandon est la raréfaction de l'utilisation des versets pauliniens après Augustin.[126]

Dans leurs sermons, Augustin et Pierre Chrysologue jouent sur l'indignation que soulèvent ceux qui voient dans la mort un événement naturel. Ils ne se privent pas de faire appel au sens commun pour condamner cette atteinte à la bonté de Dieu. En dehors de ce que la mort signifie pour un chrétien, elle est une irruption brutale dans la vie. Perçue comme une anomalie, elle ne peut pas faire partie de la Création.

L'existence de tels sermons montre que le problème de la mortalité rencontrait un écho important auprès des fidèles. La même indignation transparaît encore dans le Rescrit d'Honorius où sont condamnées les thèses pélagiennes.[127] Il semble impossible d'imaginer que Dieu a créé l'homme mortel, tant la mort est associée à l'idée de châtiment et de péché.[128] Ce dernier texte accrédite l'idée que l'as-

---

[124] Voir Pierre Chrysologue, Sermons 6,2; 11,1; 40,4; 41, 1; 65,7; etc. Ces textes sont analysés *infra* chapitre 4.

[125] Voir les Sermons 101 et 118, analysés *infra* p. 98-103.

[126] Je montrerai, au chapitre suivant, l'infléchissement qu'Augustin fait subir aux versets de Paul. Ni Léon le Grand, ni Pierre Chrysologue, n'utilisent plus ces versets dans leur prédication.

[127] Rescrit d'Honorius du 30 avril 418 (PL 48, 379-386). Je remercie P. Brown qui a attiré mon attention sur ce texte.

[128] Voici le texte du Rescrit (PL 48, 381-2) : *Hi parenti cunctarum rerum Deo, praecipuaeque semper maiestati interminate potenti, et ultra omne principium transeunti, tam trucem inclementiam saeuae uoluntatis assignant, ut cum formandi opificem curam sumeret, qualitatemque hominis struendi, profunda spiritus*

sociation de la mort au péché et au mal relève d'un sentiment fortement enraciné.

La prédication, au Ve siècle, tient davantage compte de ce sentiment et des questions qu'il pose à un chrétien, comme le montrent les aspects plus positifs de la pastorale de la mort.

conceptione libraret, fundati muneris finem anteferret exordio, et mortem praemitteret nasciturus : non hanc insidiis uetiti fluxisse peccati; sed exegisse penitus legem immutabilis constituti, ut ad declinandum lethi exitialis incursum nihil prodesset abstinentia delinquendi, cuius ita uis putatur adstricta, ut non possit aboleri deinceps.

CHAPITRE 3

TRISTIS EST ANIMA MEA USQUE AD MORTEM

FAIBLESSE HUMAINE ET PEUR DE LA MORT
DANS LA PASTORALE D'AUGUSTIN

Faire du refus instinctif de la mort une preuve du péché originel suppose une approche toute différente de l'attitude qu'un chrétien doit adopter face à la mort. La pastorale des mourants chez Augustin est en effet organisée autour de deux motifs : l'attachement à la vie et au corps, qui explique et justifie que l'homme ait peur de la mort; la compassion du Christ pour la faiblesse humaine, à la fois consolation et source d'espoir.[1]

L'étude de ces motifs est suivie d'une enquête sur leur contexte pastoral. Il est possible en effet de montrer qu'après 415, les thèmes étudiés sont définitivement mis en place.[2] Les facteurs d'une telle

---

[1] Les textes d'Augustin commentés dans ce chapitre ont été l'objet d'une première présentation à la Société des Etudes Latines : voir E. Rebillard, «La détresse des mourants : sa valeur dans les sermons d'Augustin», *Revue des Etudes Latines* 69 (1991), p. 147-165. Sur la mort chez saint Augustin, outre G. Arnaud d'Agnel, *La mort et les morts d'après saint Augustin*, Paris, 1916 et D.X. Burt, «Augustine on the Authentic Approach to Death», *Augustinianum* 28 (1988), p. 527-563 (cf. «Augustine on the Authentic Approach to Death : an Overview», *Studia Patristica*, vol. 19, Leuven, 1989, p. 223-228), voir maintenant J.-M. Girard, *La mort chez saint Augustin. Grandes lignes de l'évolution de sa pensée, telle qu'elle apparaît dans les traités*, Paradosis 34, Fribourg, 1992. Ce chapitre était rédigé avant sa publication, aussi n'ai-je pas pu en tenir compte. L'ouvrage ne concerne toutefois que les traités; l'auteur appelle d'ailleurs à une comparaison avec l'évolution du thème dans les sermons (p. 11). La méthode suivie et le corpus choisi conduisent à des conclusions que je ne partage pas : pour l'auteur, les changements de perspectives sont liés à des changements d'objectifs plutôt que d'opinion (p. 212). Pour les lettres de consolation d'Augustin, qui ne sont pas prises en compte ici, voir M.M. Beyenka, *Consolation in Saint Augustine*, Washington, 1950 et M.G. Mara, «Riflessione sulla morte nell'epistolario agostiniano», dans *Morte e immortalità nella catechesi dei Padri del III-IV secolo*, Rome, 1985, p. 139-149.

[2] J'ai signalé, pour les sermons cités, la date ou la fourchette chronologique proposées par la critique. Sauf indication contraire, la date proposée pour les sermons *ad populum* est celle qu'indique P. Verbraken dans son répertoire; pour les *Enarrationes*, la chronologie établie par Zarb; pour les *Tractatus in Iohannem*, la chronologie de M.-F. Berrouard. Se reporter à l'index bibliographique, section

évolution sont complexes : controverses théologiques, contexte africain, personnalité d'Augustin constituent un faisceau convergent dont il ne faut négliger aucun aspect.

A – PEUR DE LA MORT ET AMOUR DE LA VIE

L'amour de la vie est un thème que l'historiographie récente a traité avec prédilection. Dans la mouvance de Vatican II, les théologiens et les historiens catholiques se sont efforcés de trouver les racines d'une «théologie des valeurs humaines», selon l'expression d'Henri-Irénée Marrou, qui en a fait le titre de la *Saint Augustine Lecture* donnée à Villanova en 1964 sur la résurrection dans la théologie d'Augustin.[3] Côté protestant, Margaret Ruth Miles a tenté plus récemment une «réhabilitation» du courant ascétique, trop souvent associé à l'idée d'un mépris du corps et de la vie.[4]

L'historien, s'il ne peut prétendre être imperméable aux interrogations contemporaines, ne peut néanmoins sans risque en faire le point de départ de ses investigations. Le mépris du corps et de la vie n'est pas inscrit dans l'essence du christianisme, fût-il de tradition ascétique,[5] mais les éléments d'une «théologie des valeurs humaines» ne sont pas exploités comme tels par les prédicateurs avant Augustin. De telles études ont peut-être négligé de prêter attention au tournant que prend la spiritualité chrétienne au début du Ve siècle.

1 – L'EXEMPLE DES MARTYRS

Qui plus qu'un martyr semble mépriser la mort et tenir pour rien la vie présente? Imiter les martyrs est un thème favori des sermons qu'Augustin prêche pour leurs fêtes.[6] Mais, dans ce contexte où il oppose avec prédilection amour de la vie terrestre et amour de

---

«Sources», pour les références à ces ouvrages. Il s'agit toutefois le plus souvent d'une datation par critique interne : la prudence s'impose.

[3] H.-I. Marrou, «Le dogme de la résurrection des corps et la théologie des valeurs humaines selon l'enseignement de saint Augustin», *Revue des Etudes Augustiniennes* 12 (1966), p. 111-136.

[4] M.R. Miles, *Fullness of Life. Historical Foundations for a New Asceticism*, Philadelphie, 1981.

[5] Voir M.R. Miles, *op. cit.*, p. 37-61.

[6] Voir G. Lapointe, *La célébration des martyrs en Afrique d'après les sermons de saint Augustin*, Montréal, 1972, pour une présentation générale et, en particulier p. 180-9, sur la continuité entre célébration liturgique et vie morale. Sur le thème de l'exemple des martyrs, voir aussi M. Pellegrino, «Chiesa e martirio in

la vie céleste, Augustin tient un discours tout en nuance, où l'exemple des martyrs est à la portée de tous. *Martyres sunt, sed homines fuerunt* :[7] tel est le message qu'Augustin a à cœur de faire passer.

Amatores uitae

Quelques sermons peignent la vie terrestre sous ses plus noirs aspects et ridiculisent l'amour que les hommes lui portent. Pour une fête de saint Laurent, vers 400, Augustin imagine par exemple un petit dialogue avec un *amator praesentis uitae* :

> Interrogeons un de ceux qui aiment la vie présente : Que fais-tu? Pourquoi t'agites-tu? Pourquoi trembles-tu? Pourquoi fuis-tu? Pourquoi cherches-tu à te cacher? Pour vivre, répond-il. Pour vivre? Pour vivre d'une vie qui doit toujours durer? Non. Tu te démènes donc, non pour supprimer la mort, mais pour la différer.[8]

L'attachement à une vie qui doit finir est en effet un paradoxe que la verve de l'orateur ne pouvait manquer d'exploiter.[9]

Néanmoins, l'opposition des deux amours vise aussi à souligner que la force de l'attachement à la vie terrestre doit être pour le chrétien une invitation à aimer la vie éternelle. Il est rare en effet qu'Augustin présente l'amour de cette vie comme un obstacle au bonheur éternel.[10] Il y voit plutôt une propédeutique à l'amour de la vraie vie. Dans le sermon 344, l'exemple des martyrs eux-mêmes sert à illustrer ce que doit être ce «transfert d'amour» :[11]

> D'où vient la victoire des martyrs? Ils ont fait passer la volonté de l'esprit avant la volonté de la chair. Ils aimaient cette vie, et ils s'en délestaient. Ils mesuraient donc combien devait être aimée la vie éternelle, si cette vie qu'ils devaient perdre était tant aimée.[12]

---

sant'Agostino», *Rivista di Storia e Letteratura Religiosa* 1 (1965), p. 191-227 (= *Ricerche Patristiche*, I, Turin, 1982, p. 597-633), en particulier p. 200-4.

[7] Augustin, Sermon 335H,2 (=Lambot 26 : RB 62, 102).

[8] Sermon 302, 4 (PL 38, 1387) : *Alloquamur amatorem praesentis uitae : Quid agis, quid festinas, quid trepidas, quid fugis, quid latebras quaeris? Ut uiuam, inquit. Certe ut uiuas? Ut uiuas semper uicturus? Non. Non ergo mortem satagis auferre, sed differre.*

[9] Augustin recourt au même procédé dans le Sermon 229H,2 (MA 1, 481) postérieur à 412. Voir aussi le dialogue du jeune homme riche et du Christ (Mt 19,16-17) dans le Sermon 301A, 3 (MA 1, 83), prêché avant 400 et consacré à l'amour des richesses.

[10] Voir toutefois le Sermon 311 (PL 38, 1414-1420) pour la fête de Cyprien, vers 405, où l'impératif *contemnite (mundum)* est un véritable refrain, et le Sermon 301 (PL 38, 1380-1385) pour la fête des Macchabées, vers 417.

[11] Ce sermon prêché vers 428 a pour sujet l'amour de Dieu et l'amour du monde. L'injonction *Muta amorem* y revient à plusieurs reprises.

[12] Sermon 344,3 (PL 39, 1513) : *Unde ergo et martyres uicerunt? Quia uolun-*

Il n'y a pas seulement du mépris dans l'attitude des martyrs.[13] Ils aiment la vie, mais celle qu'ils connaissent sur terre est imparfaite, aussi choisissent-ils la vie éternelle. Les deux amours ne sont pas exclusifs l'un de l'autre, même si l'amour de la vie terrestre doit être vaincu par celui de la vie éternelle.[14] Il n'y a pas nécessairement de solution de continuité d'un amour à l'autre.

Augustin va jusqu'à dire, dans un autre sermon, que, sans l'aide du Christ, les martyrs n'auraient jamais pu vaincre leur amour pour cette vie :

> En vérité, mes frères, si douce est cette vie hideuse et miséreuse, oui, si douce, que les martyrs n'auraient pas pu la mépriser au nom de la vérité et de la vie éternelle sans l'aide de Celui qui imposait de la mépriser.[15]

Seule l'aide du Christ permet au martyr de dépasser l'attachement humain à la vie.[16] Ainsi, non seulement le mépris exigé par la foi n'est pas dépréciatif, mais le Christ le met à la portée de tout croyant.

Toleratores mortis

La gloire des martyrs vient aussi de ce que, comme tout un chacun, ils redoutent la mort :

> En effet, si grand est je ne sais quel charme de cette vie pourtant pleine de misères, si forte est dans la nature l'horreur de tous les vivants pour la mort, que ne veulent pas mourir même ceux qui par la mort vont à la vie où mourir n'est pas possible. Telles sont donc la

---

tati carnis uoluntatem spiritus praeposuerunt. Amabant hanc uitam, et deponderabant. Inde considerabant quantum amanda esset aeterna, si sic amatur ista peritura. Cf. Sermon 306 (PL 38, 1400-1405), non daté, où Augustin prend appui sur l'aspiration générale au bonheur.

[13] A. Blaise, *Dictionnaire Latin-Français des auteurs chrétiens*, Paris, 1955, *sub uerbo*, traduit *deponderare* par «mépriser». Mais le seul exemple donné est précisément le sermon 344 d'Augustin. Le TLL ne relève qu'un autre emploi, dans un fragment de l'Anthologie, attribué à Pétrone, où le verbe a un sens technique : *Sic rate demersa fuluom deponderat aurum / remorum leuitas naufraga membra uehit.* «Se délester» paraît être la meilleure traduction.

[14] Cf. Augustin, Sermon 335A,2 (= Frang.6 : MA 1, 221) : *in sanctis martyribus amor uitae amore uictus est uitae.*

[15] Pour une fête de martyr, vers 410-412, Sermon 335B,4 (=Guelf.31 : MA 1, 560) : *Amatores uitae fuerunt martyres, ideo fuerunt mortis toleratores. Verumtamen, fratres mei, tam dulcis est uita ista, foeda, aerumnosa, tam dulcis est, ut non eam possent martyres pro ueritate et pro aeterna uita contemnere, nisi illo adiuuante qui iubebat ut contemnerent.*

[16] Sur ce thème, voir M. Pellegrino, «Cristo e il martire nel pensiero di sant'Agostino», *Rivista di Storia e Letteratura Religiosa* 2 (1966), p. 427-60 (=*Ricerche Patristiche*, I, Turin, 1982, p. 635-68), en particulier p. 446-52.

joie de vivre et la peur de mourir qu'avec un vrai amour, une ferme
espérance et une foi authentique, les martyrs du Christ ont méprisées
grâce à une éminente vertu.[17]

Amour de la vie et peur de la mort ne sont pas dénoncés par
l'exemple des martyrs.

De fait, leur exemple peut n'être évoqué que pour affirmer
combien la mort provoque un sentiment d'horreur naturel. «Si la
mort n'est rien, demande souvent Augustin, qu'ont méprisé de grand
les martyrs?»[18] L'exemple des martyrs n'est donc pas aux yeux d'Augustin celui d'un simple mépris de la mort. Leur gloire vient d'avoir
éprouvé et vaincu, grâce à leur foi, mais aussi avec l'aide du Christ,
un solide attachement à la vie et un refus instinctif de la mort. Il y a
là plus qu'une nuance apportée à l'idéal héroïque proposé par Ambroise.

2 – PIERRE ET PAUL FACE À LA MORT

Autour des figures de Pierre et Paul, Augustin construit plus systématiquement un discours sur la peur de la mort, qui révèle un véritable effort pour tenir compte de la faiblesse humaine.

Le recul de Pierre (Jean 21,18)

Dans l'Evangile de Jean, lorsqu'après la résurrection, il apparaît
à ses disciples sur les bords du lac de Tibériade, le Christ annonce à
Pierre son martyre en ces mots : «Lorsque tu seras vieux, un autre te
ceindra et te conduira où tu ne veux pas.»[19] Pour Augustin, le sens de

---

[17] Pour une fête de Perpétue et Félicité, sermon 280, 3-4 (PL 38, 1282) : *Tanta quippe est etiam huius uitae aerumnosae uitae nescio quae suauitas, tantusque
in natura utcumque uiuentium horror mortis, ut nec illi moriri uelint, qui per mortem ad uitam transeunt, in qua mori non possint. Hanc igitur uiuendi tantam iu-
cunditatem metumque moriendi caritate sincera, spe certa, fide non ficta martyres
Christi praecipua uirtute contemnunt.*

[18] Sermon 335B,3 (MA 1, 560) : *Si nihil est mors, quid magnum martyres
contempserunt?* Cf. Sermons 31,3; 173,2; 299,8 et 344,3.

[19] Telle est du moins la forme abrégée de Jean 21,18 que commente le plus
souvent Augustin. Le texte complet est le suivant : «Lorsque tu étais plus jeune,
tu te ceignais toi-même et tu allais où tu voulais; mais, quand tu auras vieilli, tu
étendras les bras, un autre te ceindra et te mènera où tu ne veux pas aller.» M.
Pellegrino, «Doppioni e varianti nel commento di S. Agostino a Giov. XXI,15-19»,
Studi e Materiali di Storia delle Religioni 39 (1967), p. 403-419, ne dit curieusement rien du verset 18. D. Louit, «Le reniement et l'amour de Pierre dans la prédication de saint Augustin», *Recherches Augustiniennes* 10 (1975), p. 217-268,
commente l'utilisation de Jn 21,18 aux pages 260-262, mais sans en avoir saisi les
enjeux. Voir aussi les réserves exprimées *infra* n. 21.

ce verset est clair : «Il (=le Christ) montre en lui (=Pierre) la volonté humaine confrontée à la crainte de la mort.»[20] Pierre est donc l'exemple par excellence de la mauvaise volonté avec laquelle tout homme se résigne à mourir.

Rares sont les textes, en effet, où Augustin cherche à laver l'apôtre de cette faiblesse :

– Dans le sermon 296, la citation de Jn 21,18 est suivie d'une question oratoire : «Est-ce que, parce qu'il est mort malgré lui, il a été couronné malgré lui?»[21] Augustin s'adresse, dans ce sermon, aux réfugiés romains après la catastrophe de 410.[22] Son message est de se soumettre entièrement à la volonté de Dieu. Aussi met-il l'accent sur l'accomplissement du martyre.

– Dans le sermon 297, l'exégèse proposée est quelque peu forcée. Augustin soutient en effet, en faisant fi du contexte de la citation, que Pierre a peur avant la résurrection du Christ, mais qu'après, il sera ferme devant la mort.[23]

Le plus souvent, toutefois, Jn 21,18 est cité pour illustrer la peur de l'homme face à la mort. En commentant le Ps 89,7 : *Deficimus in ira tua, et in indignatione tua conturbati sumus*, Augustin donne l'exemple de Pierre et souligne cette fois sa crainte, malgré l'assurance de recevoir la récompense :

> Nous sommes devenus infirmes en effet et nous craignons la fin de notre infirmité. «Un autre te ceindra, dit-il, et te conduira où tu ne veux pas aller», quoique le martyre pour lui ne doive pas être un châtiment, mais un couronnement.[24]

---

[20] Prêché à Carthage le 29 juin 410 ou 411 pour la fête des apôtres, Sermon 296,8 (MA 1, 406) : *Ecce et Petro hoc dixit : «Cum senueris, alter te cinget, et fert quo tu non uis.» Ostendit et in illo humanam uoluntatem circa trepidationem mortis.*

[21] Sermon 296,8 (MA 1, 406) : *Numquid quia nolens mortuus est, nolens coronatus est?* D. Louit, *art.cit.*, p. 261, donne un texte non attesté par les éditions : *Numquid quia uolens mortuus est, nolens coronatus est?* Le commentaire qui suit en est faussé.

[22] A partir du paragraphe 9, Augustin s'adresse explicitement aux chrétiens sous le choc des événements romains. Sur le contraste avec le langage qu'il tient, vers 428, quand les Vandales ravagent l'Afrique, voir *infra* p. 66.

[23] Un 29 juin pour la fête des apôtres entre 416 et 420, Sermon 297,1-2 (PL 38, 1359) : *Quid tamen Dominus Petro praenuntiauit, unde est festus hic dies? «Cum esses iunior, inquit, praecingebas te, et ibas quo uelles; cum autem senueris, alter te cinget et feret quo tu non uis.» Ubi est : «Tecum ero usque ad mortem» (Lc 22,33)? Ubi est : «Animam meam pro te ponam» (Jn 13,37)? Ecce formidabis, ecce negabis, ecce plorabis; et pro quo mori timuisti, resurget, et firmaberis. Quid enim mirum, quia timuit Petrus, antequam resurgeret Christus?* Rappelons que Jn 21,18 rapporte les propos du Christ lorsqu'il apparaît à ses disciples après la résurrection. Cf. D. Louit, *art.cit.*, p. 245-246, où sont cités des textes qui offrent la même idée, mais appliquée avec pertinence au reniement de Pierre.

[24] Exposé dicté vers 414-416, En in Ps 89,7 (CCL 39, 1248) : *Deficimus in in-*

Le cas de Pierre constitue ici comme une excuse à la faiblesse humaine.[25]

Ce verset de l'Evangile de Jean est le plus souvent cité comme une simple annonce du martyre de Pierre et de son accomplissement.[26] Ambroise toutefois s'est arrêté sur le *non uis*. Dans l'hymne *Apostolorum passio*, il joue avec l'antithèse *nolle/uelle*, d'une façon dont Augustin a pu se souvenir dans les sermons où il atténue le recul de Pierre devant la mort.[27] Le genre de l'hymne, cependant, ne se prête pas à un commentaire exégétique.

Dans le livre X du *Commentaire de Luc*,[28] après avoir souligné combien la vieillesse est un âge heureux,[29] Ambroise revient sur «un autre... te conduira où tu ne veux pas». Pierre est prêt à affronter le martyre et pourtant il sent vaciller son courage :

> Qui en effet ne choisirait le martyre, si l'on pouvait mourir volontiers? Pierre, lui aussi, paraît ne pas vouloir, mais il se prépare à vaincre. Et qu'y a-t-il d'étonnant à ce que Pierre ne veuille pas, alors que le Seigneur a dit : «Père, s'il est possible, éloigne de moi ce calice; mais que ta volonté, et non la mienne, soit faite» (Lc 22,42)? Enfin, après la mise à l'épreuve de sa présomption, Pierre n'ose plus faire de promesse sur la constance de sa volonté, mais, comme consolation, il demande à être en compagnie d'un autre.[30]

Ambroise offre donc trois explications du recul de Pierre : les deux premières n'ont pas été perdues pour Augustin; la dernière, où le

---

firmitate; conturbati sumus, mortis timore. Infirmi enim facti sumus, et infirmitatem finire trepidamus. 'Alter, inquit, te cinget, et feret quo tu non uis', quamuis martyrio non puniendum, sed coronandum.

[25] Voir aussi les Sermons 173,2; 299,8; 344,3; les *Enarrationes in Psalmos* 30,ii,s.1,3 et 68,s.1,3.

[26] Seul emploi chez Cyprien (*Zelo* 12 : CCL 3A,81) et Tertullien (*Scorpiace* 15,3 : CCL 2, 1097), d'après les références relevées dans *Biblia Patristica*, Paris, t.1 (Tertullien), 1975, t.2 (Cyprien), 1977.

[27] Ambroise, *Hymne XII : Apostolorum passio* 17-20 (éd. J. Fontaine, Paris, 1992, p. 525) : *Praecinctus, ut dictum est, senex/ et eleuatus ab altero,/ quo nollet iuit, sed uolens/ mortem subegit asperam.* L'influence de ce texte sur Augustin est suggérée par D. Louit, *art.cit.*, p. 261.

[28] Ambroise, *In Lucam* X,177-178 (SC 52, 215-216) dans le cadre d'un commentaire de Jean 20 et 21, parallèlement à l'explication de Lc 24,13-49 sur l'apparition du Christ aux disciples après la résurrection.

[29] Ambroise, *In Lucam* X,177 (SC 52, 215). Cf. *In Ps 36,60* (BAmb 7, 222-225) à propos du verset 25 : *Etenim senui.*

[30] *Ibid.* X,178 (SC 52, 216) : *Nam quis martyrium non eligeret, si libenter mori posset? Ergo et Petrus uidetur nolle, sed parat uincere. Et quid mirum si Petrus nolit, cum dominus dicat : «Pater, si fieri potest, transfer a me calicem hunc; uerum tamen non mea uoluntas, sed tua fiat» (Lc 22,42)? Denique post temptationem praesumptionis suae Petrus iam non audet uoluntatis perseuerantiam polliceri, sed quasi ad solacium sui consortium quaerit alterius.*

compagnon en question est peut-être Jean,[31] ne l'a pas inspiré. La première question d'Ambroise rappelle en effet les développements d'Augustin sur la gloire des martyrs et l'amertume de la mort,[32] tandis que la deuxième opère un rapprochement entre Jn 21,18 et Lc 22,42 (=Mt 26,39) qu'Augustin exploite de très nombreuses fois dans les sermons où il aborde le problème de la crainte de la mort.[33]

Il est intéressant de voir comment Augustin trouve sans doute chez Ambroise une chaîne de motifs et de textes, mais les utilise dans un contexte pastoral d'une façon personnelle. Alors qu'Ambroise cherche à disculper Pierre, Augustin part de la peur de l'apôtre pour expliquer la crainte de tout homme face à la mort. La comparaison des attitudes de Pierre et Paul montre encore plus clairement la liberté d'Augustin par rapport à la tradition exégétique.

Le cas de Paul

Nous avons vu comment, dans le sermon 299,[34] Augustin cherche à résoudre l'apparente contradiction entre les lectures de 2 Tim 4,6-8 sur la joie de Paul devant l'imminence de sa passion, et de Jn 21,15-19 où se trouve l'annonce du recul de Pierre devant la mort.[35] Pour cela, il cite la Seconde Epître aux Corinthiens : «Nous voulons non pas être dévêtus, mais survêtus, de sorte que ce qui est mortel soit absorbé par la vie.» (2 Cor 5,4), et explique que Paul y exprime la même crainte que Pierre : tous deux n'ont pas aimé la mort, ils n'ont fait que la tolérer.[36]

---

[31] Voir Jn 20,3 où l'«autre disciple» (Jean) accompagne Pierre au tombeau et 21,20-23, où ce même disciple suit Jésus et Pierre.

[32] Voir *supra* p. 54-55, sur les martyrs et l'amour de la vie.

[33] Jn 21,18 est cité en même temps que Mt 26,38 dans les Sermons 296,8; 299,8; 344,3 et l'*Enarratio in Psalmum* 30,ii, s.1,3. Sur les commentaires de Mt 26,38 : voir *infra* p. 78 et suiv..

[34] Voir *supra* p. 43-44 l'analyse de ce sermon prêché le 29 juin 418.

[35] Ces lectures apparaissent dans les huit autres sermons d'Augustin consacrés à la fête des deux apôtres le 29 juin. Les sermons 299, 299A et 299B attestent les deux lectures de 2 Tim 4,6-8 et Jn 21,15-19; l'Epître est encore attestée ou citée par les sermons 297, 298 et 299C et l'Evangile par les sermons 295 et 296. (Le verset 5 du Ps 18 semble avoir été chanté avant les sermons 295, 298, 299B et 299C.) Cf. V. Saxer, *Morts, martyrs, reliques en Afrique chrétienne aux premiers siècles*, Paris, 1980, p. 210 (Saxer annonce onze sermons, mais Sermon Cas. 1,133 = Sermon 296, et Lambot 3 a été prêché le samedi suivant Pâques – le troisième sermon, pour parvenir à onze, n'est pas cité; le relevé des péricopes n'est pas non plus exempt d'erreurs.) G. Lapointe, *op. cit.*, p. 88, relève la lecture de Jn 13,37 dans les sermons 296 et 297, mais il s'agit de simples citations. Les lectures présentent une grande homogénéité, mais est-il permis de conclure qu'elles étaient fixes? Quoiqu'il en soit, Augustin ne se sent pas tenu de les commenter systématiquement et seul le sermon 299 oppose l'attitude des deux apôtres.

[36] Cf. Sermon 299,8 (Pl 38, 1373) : *Amari mors non potest, tolerari potest.*

L'interprétation de 2 Cor 5, 4

Il faut revenir sur l'interprétation de 2 Cor 5,4, car Augustin y trouve l'explication de la crainte de la mort ressentie par tout homme : l'attachement au corps, compagnon de misère en cette vie et de joie dans l'autre.

Un sermon sur le Psaume 68, prêché en 414, propose une exégèse détaillée des paroles de l'apôtre, à propos du verset 2 : «Sauvezmoi, mon Dieu, parce que les eaux sont entrées jusque dans mon âme.» Personne ne voudrait mourir, commente Augustin, s'il était possible de gagner autrement la vie éternelle.[37] Puis il laisse la parole à Paul :

L'apôtre parlant quelque part de notre nature, c'est-à-dire d'une communauté du corps et de l'âme et d'une habitude en eux d'être collés et joints l'un à l'autre, dit que nous avons au ciel une maison qui n'est pas faite à la main et qui est éternelle (cf.2 Cor 5,1); c'est-à-dire que l'immortalité a été préparée pour nous, puisque nous devons être revêtus, quand nous ressusciterons d'entre les morts (cf.1 Cor 15,53).[38]

En paraphrasant 2 Cor 5,1, Augustin décrit à la fois comment l'âme est attachée au corps terrestre, cette maison faite à la main, et comment une autre maison plus parfaite, car éternelle, l'attend à la résurrection. L'image du vêtement, introduite par Augustin avec la paraphrase de 1 Cor 15,53, amène très naturellement la citation de 2 Cor 5,4 :

et il dit : «En lui, nous ne voulons pas être dévêtus, mais survêtus, si bien que ce qui est mortel soit absorbé par la vie» (2 Cor 5,4). Si c'était possible, nous voudrions, dit-il, devenir immortels, de sorte que l'immortalité viendrait elle-même à l'instant et nous transformerait tels que nous sommes maintenant, si bien que ce qui est mortel serait absorbé par la vie et que nous ne déposerions pas notre corps par la mort pour le recevoir à nouveau à la fin.[39]

L'exégèse de 2 Cor 5,4 repose sur l'opposition des verbes *exspoliari* et

---

[37] Prêché à Thagaste en 414, En in Ps 68,s.1,3 (CCL 39, 903) : *Quamquam enim Christo inhaerere cupiamus, mori nolumus; et ideo libenter, uel potius patienter patimur, quia alius transitus non datur, per quem Christo cohaereamus. Nam si possemus aliter peruenire ad Christum, id est ad uitam aeternam, quis uellet mori?*

[38] En in Ps 68,s.1,3 (CCL 39, 903-904) : *Naturam quippe nostram, id est consortium quoddam animae et corporis, et quamdam in his duobus familiaritatem conglutinationis atque compaginis exponens quodam loco apostolus, ait habere nos domum non manufactam, aeternam in caelo; id est immortalitatem praeparatam nobis, quia induendi sumus in fine, cum resureximus a mortuis.*

[39] Ibid. : *et ait : «In quo nolumus spoliari, sed superuestiri, ut absorbeatur mortale a uita» (2 Cor 5,1-4). Si fieri posset, sic uellemus, ait, fieri immortales, ut iam ueniret ipsa immortalitas, et modo sicut sumus mutaret nos, ut mortale hoc nostrum a uita absorberetur, non per mortem corpus poneretur, ut in fine iterum reciperetur.*

supervestiri.[40] Augustin applique l'image du vêtement, que l'on quitte et revêt, à la mort dans laquelle corps et âme sont séparés, puis à la résurrection dans laquelle ils sont à nouveau réunis. Paul voudrait éviter de quitter le corps mortel et recevoir par-dessus lui le corps immortel promis à la résurrection.

La peur de la mort est donc en fait le désir de faire l'économie de la mort physique, par crainte d'être séparé du corps, fût-ce temporairement.[41]

Paul recourt plusieurs fois à la métaphore vestimentaire pour décrire la résurrection et les Pères l'ont reprise après lui.[42] Mais le désir d'être survêtu a été peu commenté dans ce contexte. Ambroise, par exemple, applique l'image du déshabillage au baptême dans lequel le vieil homme est régénéré : il est mieux alors de se dévêtir que de se survêtir.[43] L'exégèse proposée par Augustin est sans doute empruntée à Tertullien qui a commenté l'opposition entre se dévêtir et survêtir en réfutant ceux qui, comme Marcion, niaient la résurrection des corps. Tertullien explique en effet que l'apôtre parle en 2 Cor 5,4 de l'économie de la mort que connaîtront ceux qui seront vivants à la Parousie,[44] et il présente ce désir comme très naturel.[45]

---

[40] Cette opposition est encore commentée dans les sermons 277,8; 299,9; 344,4; dans l'*Enarratio in Psalmum* 30,ii,s.1,13; dans le *Tractatus in Iohannem* 123,5.

[41] Voir En in Ps 68,s.1,3 cité *supra* n. 38. Cf. En in Ps 30,ii,s.1,13 (CCL 38, 201) : *Mori necesse est, et nemo uult. Nemo uult quod necesse est. Nemo uult, quod erit uelit nolit. Dura necessitas, nolle quod non potest euitari. Nam si fieri posset, nollemus utique mori; et effici quod angeli uellemus, sed commutatione quadam, non morte, sicut dixit apostolus : «In quo nolumus spoliari, sed superuestiri, ut absorbeatur mortale a uita» (2 Cor 5,1-4). Volumus peruenire ad regnum Dei, sed per mortem nolumus.*

[42] 1 Cor 15,53 : «Il faut en effet que cet être corruptible revête l'incorruptibilité, que cet être mortel revête l'immortalité.» Voir Zénon de Vérone, Tr I,2; Ambroise, *Exameron* V,23,7-8; *In Lucam* VII,126; *In Ps 39,18*; *In Ps 1,40*; *In Ps 36,81*. Le verset est déjà cité par Cyprien dans les *Testimonia ad Quirinum* III,58 comme un *locus consolationis*.

[43] Ambroise, *In Ps 38,22* (BAmb 7, 354) : *Grauat nos tamen in hoc corpore constitutos quaedam terrena contagio, quae non grauaret, si nos exuere magis ueterem hominem, cum induimus gratiam, quam superuestire mallemus.* Cf. *In Ps 43,74* et *Exp in Ps 118,3.22*.

[44] Tertullien, *Adversus Marcionem* V,12 et *De resurrectione mortuorum* 42. Voir J. Doignon, «La lecture de I Thessaloniciens 4,17 en Occident de Tertullien à Augustin», *Jenseitsvorstellungen in Antike und Christentum. Gedenkschrift für A. Stuiber*, Münster, 1982, p. 98-106, sur le *compendium mortis* à la Parousie.

[45] Tertullien, *De resurrectione 42,3* (CCL 2, 976-977) : *Quis enim non desiderabit, dum in carne est, superinduere immortalitatem et continuare uitam lucrifacta morte per uicariam demutationem, ne inferos experiatur usque nouissimum quadrantem exacturos?* Cf. *Adversus Marcionem V,12.4* où Tertullien explique néanmoins que cet espoir ne doit pas faire craindre la mort (CCL 1, 700) : *Ideo quia ostendit hoc melius esse, ne contristemur mortis si forte praeuentu, et arrabo-*

Comme pour Jn 21,18, Augustin trouve donc dans la tradition exégétique un point de départ, mais il en utilise les éléments dans le cadre d'une pastorale qui révèle un réel souci de prendre en compte les réactions affectives de l'homme devant la mort.

Relecture de Phil 1, 23

Le contraste avec le discours sur l'attitude face à la mort que nous trouvons dans la prédication antérieure est d'autant plus évident que Paul servait déjà d'exemple privilégié avec les versets de l'Epître aux Philippiens.[46] Or Augustin, dans son effort pour montrer que Paul aussi a craint la mort, tente de concilier le désir de se dissoudre et d'être avec le Christ (Phil 1,23) et le souhait de faire l'économie de la mort physique (2 Cor 5,4).

Le traité 123 du Commentaire sur l'Evangile de Jean est en effet consacré au passage où le Christ annonce à Pierre son martyre : «Quand tu seras vieux, tu lèveras les bras, et un autre te ceindra, et te conduira où tu ne veux pas».[47] Augustin commente longuement l'amour de Pierre pour le troupeau qui lui a été confié, puis en vient à l'annonce de sa mort :

> Son amour pour celui dont il nourrit le troupeau doit croître jusqu'à une ardeur spirituelle si grande qu'il vainque même la crainte naturelle de la mort, qui fait que nous ne voulons pas mourir, même quand nous voulons vivre avec le Christ. En effet, l'apôtre Paul dit qu'«il désire se dissoudre et être avec le Christ» (Phil 1,23); il se plaint pourtant sous le fardeau, et ne veut pas être dévêtu, mais survêtu, afin que ce qui est mortel soit absorbé par la vie (Cf. 2 Cor 5,4).[48]

nem nos spiritus dicit a deo habere, quasi pignoratos in eandem spem superinduendi, et abesse a domino, quamdiu in carne sumus, ac propterea debere boni ducere abesse potius a corpore et esse cum domino, ut et mortem libenter excipiamus.

[46] Voir au chapitre précédent l'utilisation de Phil 1,21-23 par Ambroise et Zénon.

[47] Tr in Io 123 : éd. R. Willems, CCL 36, Turnhout, 1954, 675-80. L'éditeur considère que les Traités 55-124 ont été dictés (op. cit., p. vii-viii). Pour M. Le Landais, «Deux années de prédication de saint Augustin. Introduction à la lecture de l'In Johannem», Etudes Augustiniennes, Paris, 1953, p. 9-95, ils ont été prêchés ad populum. A.-M. La Bonnardière dans Recherches de chronologie augustinienne, Paris, 1965, p. 123-124, suggère qu'ils ont été conçus pour la prédication après 422. M.-F. Berrouard, «L'activité littéraire de saint Augustin du 11 septembre au 1er décembre 419 d'après la Lettre 23*A à Possidius de Calama», dans Les lettres de saint Augustin découvertes par Johannes Divjak, Paris, 1983, p. 301-327, ici p. 314-318, a donné la preuve que les Tractatus 55-124 ont été dictés, à partir de 419. Voir maintenant, BA 74A, Paris, 1993, p. 9-49. Quoi qu'il en soit, ces traités ont été conçus en vue d'être prêchés (le commentaire de M.-F. Berrouard n'est pas entièrement satisfaisant sur ce point) et c'est là le point important dans la perspective qui est la mienne.

[48] Tr in Io 123,5 (CCL 36,679) : Cuius amor in eo qui pascit oues eius, in tam

Désirer être avec le Christ n'est pas synonyme de vouloir mourir. La peur de la mort et le souhait d'être réuni au Christ ne sont pas contradictoires, puisque Paul a exprimé l'un et l'autre. Appliquant à Pierre les sentiments de Paul, Augustin conclut :

> Il voulait donc être délivré de son corps pour être avec le Christ, mais, si cela était possible, il désirait la vie éternelle sans la souffrance de la mort.[49]

Augustin apporte donc comme une correction à l'interprétation de Phil 1,23 : Paul aspire à l'union avec le Christ et non à la mort corporelle, qui est l'objet d'une crainte naturelle chez tout homme.

Le sermon 298, prêché pour une fête des apôtres après 415, apporte une autre nuance au désir de Paul.[50] Augustin est amené à citer Phil 1,23 pour commenter 2 Tim 4,6 qui a été lu à l'office : «Je serai bientôt immolé, et l'heure de ma libération est imminente». Paul annonce sa mort sans crainte, fait remarquer Augustin, car il avait dit qu'il désirait «se dissoudre et être avec le Christ».[51] Alors que Paul exulte à l'idée de mourir, continue Augustin, l'homme est attaché à son corps et ne veut pas s'en séparer.[52]

> A présent l'amertume de la passion est imminente, mais la pensée qu'il doit la subir ne fait que le traverser et il pense à ce qu'il y a après : par où il passe ne compte pas, mais où il va.[53]

Le désir de Paul est double : se dissoudre, et être avec le Christ. Il considère donc le terme du voyage plutôt que le chemin emprunté.

Dans la suite du sermon, Augustin montre que la couronne qui attend Paul après la passion n'est pas tant due à ses mérites qu'à la

---

magnum debet spiritum crescere ardorem, ut uincat etiam mortis naturalem timorem, quo mori nolumus, et quando cum Christo uiuere uolumus. Nam et apostolus Paulus dicit se habere concupiscentiam dissolui et esse cum Christo; ingemiscit tamen grauatus, et non uult exspoliari, sed superuestiri, ut absorbeatur mortale a uita.

[49] Tr in Io 123,5 (CCL 36,679) : *Solutus quippe a corpore uolebat esse cum Christo, sed si fieri posset praeter mortis molestiam uitam concupiscebat aeternam. Si fieri posset* est une réminiscence de Mt 26,39, qui est cité quelques lignes plus bas.

[50] Sermon 298 : éd.C.Lambot, SPM 1, 95-9. Deux fourchettes chronologiques ont été proposées : 416-20 et 426-30.

[51] Sermon 298,3 (SPM 1,96) : *Videbat imminentem passionem : uidebat, sed non timebat. Quare non timebat? Quia iam dixerat : 'Concupiscentiam habens dissolui et esse cum Christo'.*

[52] Sermon 298,3 (SPM 1,97) : *Est enim quoddam dulce uinculum corporis, et ligatus est homo, et solui non uult. Ille tamen (...) gratulabatur quod ista uincula essent aliquando soluenda...* Noter que tout vocabulaire dépréciatif comme l'opposition *sapiens-insipiens* est ici absente.

[53] *Ibid.* : *Adhuc imminet amaritudo passionis, sed transit eam passuri cogitatio, et quid ultra sit cogitat; non qua itur, sed quo itur.*

grâce du Seigneur.[54] Son intention est d'insister sur la grâce par laquelle les mérites mêmes des hommes sont des dons de Dieu. Il n'invite donc pas à mépriser la mort, mais bien à croire en la miséricorde de Dieu qui fait de la mort «une heureuse transformation et un saint départ».[55]

Aux yeux d'Augustin, Paul n'est donc plus le modèle du chrétien qui désire mourir et se réjouit quand la mort est imminente. Ses interprétations de Phil 1,21-23 et de 2 Cor 5,4 convergent pour souligner que, si la mort est «un gain», elle reste une épreuve dont tout homme, si saint soit-il, souhaite faire l'économie. Il y a là un effort important pour intégrer le refus instinctif de la mort dans la pastorale chrétienne.

3 – UNE NOUVELLE ANTHROPOLOGIE

Un tel effort est aussi le reflet de la rupture progressive d'Augustin avec une anthropologie dualiste, dans laquelle le corps est dévalorisé.[56]

Toutes les controverses dans lesquelles il a été engagé ont en effet été pour lui l'occasion de réfléchir sur la nature humaine : contre les Manichéens, il défend la bonté du composé humain tout entier, corps et âme; contre les Donatistes, et surtout contre les Pélagiens, il doit définir ce qu'on peut attendre de la nature humaine.[57]

Mais au delà des controverses, comme le confirme la place éminente accordée aux épîtres pauliniennes dans les sermons, la relec-

---

[54] Sermon 298,4 où est commenté le *reddet* de 2 Tim 4,8 et cité 1 Cor 15,9 : *Non ego autem, sed gratia dei mecum.*

[55] Sermon 298,3 (SPM 1,97) : *Felix mutatio, sancta migratio.*

[56] L'étude fondamentale pour l'anthropologie d'Augustin et son évolution est maintenant M. R. Miles, *Augustine on the Body*, AAR Dissertation series 31, Missoula : Montana, 1979 (Voir aussi le chapitre sur Augustin dans *Fulness of Life*, *op. cit.*, p. 62-78). Compléter H.-I. Marrou, *art.cit.* par A.-M. La Bonnardière, *Biblia Augustiniana A.T. Le Livre de la Sagesse*, Paris, Etudes Augustiniennes, 1970, p. 205-27. Voir aussi T.J. Van Bavel, «The Anthropology of Augustine», *Louvain Studies* 5 (1974), p. 34-47. Sur les rapports entre néo-platonisme et Augustin, outre H.-I. Marrou, les travaux de A.H. Armstrong sont les plus nuancés : voir «Neoplatonic Valuations of Nature, Body, and Intellect», *Augustinian Studies* 3 (1972), p. 35-59. Le chapitre consacré à Augustin par Peter Brown dans *Body and Society*, New York, 1988, p. 387-427, complète ces études par une description du contexte historique et sociologique dans lequel les idées d'Augustin se développent.

[57] Voir M.R. Miles, *Augustine on the Body*, *op. cit.*, p. 51-54 pour le manichéisme; *passim* pour donatisme et pélagianisme. Sur les affinités entre donatisme et pélagianisme aux yeux d'Augustin, voir R. Markus, *The End of Ancient Christianity*, Cambridge, 1990, p. 51-53 et R.F. Evans, *One and Holy*, Londres, 1972.

ture de Paul dans la seconde moitié des années 390 marque la vraie rupture.[58] R. Markus, nuançant les analyses d'H.-I. Marrou,[59] a montré que cette évolution spirituelle ne pouvait pas être seulement décrite dans les termes d'une opposition entre néo-platonisme et théologie paulinienne.[60] De fait, la nouvelle orientation de la pensée d'Augustin rompt aussi avec la tradition chrétienne : la part d'«anti-augustinisme» du pélagianisme en est la meilleure preuve.[61]

Corps, âme et péché originel

La doctrine du péché originel permet à Augustin de rendre compte de la nature humaine dans son état présent.[62] Or c'est l'âme qui est à l'origine du péché, et non le corps. «La corruption du corps, qui pèse sur l'âme, n'est pas la cause du premier péché, mais son châtiment; ce n'est pas la chair corrompue qui a rendu l'âme coupable du péché, mais l'âme coupable du péché qui a rendu la chair corrompue», résume Augustin dans la *Cité de Dieu*.[63]

Le corps, rendu corruptible, est un poids pour l'âme. Toutefois il n'appesantit pas l'âme en tant que corps, mais en tant qu'il est mortel.[64] Augustin rejette donc toute conception du corps comme une

---

[58] Voir Peter Brown, *La vie de saint Augustin*, trad. franç., Paris, 1971, p. 115-184 : «L'avenir perdu». Sur l'utilisation de Paul contre les manichéens et les pélagiens, voir P. Frederiksen, «Beyond the body/soul dichotomy : Augustine on Paul against the Manichees and the Pelagians», *Recherches Augustiniennes* 23 (1988), p. 87-114. A la relecture de Paul, il faudrait ajouter l'exégèse des premiers chapitres de la Genèse : voir chapitre 2.

[59] H.-I. Marrou, *art.cit.*, p. 117 et suiv.

[60] R. Markus, *Conversion and Disenchantment in Augustine's Spiritual Career*, The Saint Augustine Lecture 1984, Villanova, 1989, p. 14-23.

[61] La réaction de Pélage au «Donne ce que tu commandes et commande ce que tu veux» du livre X des *Confessions* est bien connue : voir Augustin, *De dono perseverentiae* 20,53 et P. Courcelle, *Les Confessions de saint Augustin dans la tradition littéraire*, Paris, 1963, p. 580, n.2 et p. 592-593. Cf. l'hypothèse d'Y.-M. Duval d'une rédaction du *De Natura* de Pélage à Rome vers 406 («La date du 'De natura' de Pélage», *Revue des Etudes Augustiniennes* 36 (1990), p. 257-283). Voir aussi Peter Brown, *La vie de saint Augustin*, trad. franç., Paris, 1971, p. 453-473 sur Julien d'Eclane.

[62] Voir les indications bibliographiques données *supra* n. 56, et en particulier Peter Brown, *Body and Society*, *op. cit.*, p. 404-408 sur le «tremblement de terre qui fait émerger à la surface une autre île dans l'archipel de la culture chrétienne» (p. 408 : «It is as if, in the archipelago of the ancient Christian culture of the Mediterranean, an earthquake had forced another island to the surface.»)

[63] Augustin, *Cité de Dieu* XIV,3 (BA 35, 358-359) : *Nam corruptio corporis, quae adgrauat animam, non peccati primi est causa, sed poena; nec caro corruptibilis animam peccatricem, sed anima peccatrix fecit esse corruptibilem carnem.*

[64] Voir A.-M. La Bonnardière, *op. cit.*, p. 208-12, en particulier pour la distinction entre corruptible et corrompu.

prison.[65] L'âme reste un principe supérieur; mais, comme l'a justement analysé T.J. Van Bavel, parler de dualisme est incorrect. Cette supériorité est hiérarchique et Augustin substitue à une dualité une différence de niveaux.[66]

Peur de la mort et salut

Dans l'anthropologie augustinienne, le corps est donc revalorisé et peut jouer un rôle dans le dynamisme qui conduit au salut.[67] La peur de la mort est un sentiment naturel qui provient d'un attachement légitime au corps, dont l'âme regrette de devoir être séparée.[68] Loin d'être une faiblesse coupable, cette peur peut prendre une valeur positive.

La crainte, qui envahit l'homme à l'approche de la mort, doit devenir en effet l'instrument d'une prise de conscience de son infirmité et de la nécessité de la grâce. C'est ce qu'Augustin explique dans un sermon sur le Psaume 30 :

> L'effroi vient de l'infirmité humaine, l'espoir de la promesse divine. Ce qui t'effraie est tien, ce que tu espères est un don de Dieu en toi. Aussi est-il mieux que tu te reconnaisses pour ce que tu es dans cet effroi, afin qu'à ta délivrance tu glorifies celui qui t'a fait. L'humaine infirmité peut bien s'effrayer : dans cet effroi, la divine miséricorde ne fait pas défaut.[69]

Au plus profond de sa détresse l'homme prend donc conscience de sa faiblesse et la peur lui permet de reconnaître l'infinie miséricorde de Dieu. Or cet aveu de faiblesse est la clé du salut pour l'homme dont les mérites sont nuls comparés à la grâce.[70]

---

[65] Voir P. Courcelle, «Tradition platonicienne et traditions chrétiennes du corps-prison (*Phédon* 62b; *Cratyle* 400e)», *Revue des Etudes Latines* 43 (1965), p. 406-443, et plus particulièrement p. 430-33 pour Augustin.

[66] T.J. Van Bavel, *art.cit.*, p. 39.

[67] La notion de dynamisme m'a été inspirée par T.J. Van Bavel, qui écrit, à propos de l'anthropologie d'Augustin : «it has the positive caracteristic of being able to portray the human being in *a dynamic manner*», *art.cit.*, p. 39 (je souligne).

[68] Voir *supra* p. 59-61 l'exégèse de 2 Cor 5, 4, et en particulier En in Ps 68, s.1, 3 : cité *supra* n. 38.

[69] Prêchée à Carthage entre 411 et 412, En in Ps 30,ii,s.1,4 (CCL 38, 193) : *Pauor est ex humana infirmitate, spes ex diuina promissione. Quod paues tuum est, quod speras donum dei est in te. Et melius in pauore tuo agnoscis te, ut in liberatione tua glorifices qui fecit te. Paueat humana infirmitas, non in eo pauore deficit diuina misericordia.*

[70] Je reviens plus en détail sur ces notions dans la Seconde Partie.

Dans la mesure où il rappelle à l'homme sa condition, le corps peut donc être aux yeux d'Augustin un instrument du salut.

4 – Résurrection et crainte de la mort

H.-I. Marrou a souligné combien cette anthropologie mettait la résurrection au cœur du discours d'Augustin.[71] Il est donc intéressant de voir comment résurrection et peur de la mort sont articulées dans les sermons.

Les deux morts

Reprenons par exemple l'analyse du sermon 344. Augustin donne en exemple à ses auditeurs le «transfert d'amour» opéré par les martyrs de la vie mortelle à la vie éternelle,[72] puis leur en explique l'enjeu :

> Tu ne veux assurément pas mourir. Change d'amour, et la mort qui t'est montrée n'est plus celle qui, malgré toi, te touchera, mais celle qui, si tu l'as voulu, ne te touchera pas.[73]

Augustin fait allusion ici aux deux morts : la première, commune à tous, est la mort physique; la seconde, châtiment des pécheurs, est la mort éternelle.[74] L'homme, poursuit-il, voudrait éviter ces deux morts :

> Si cela était possible, tu voudrais ne subir ni l'une ni l'autre. Je sais que tu aimes vivre et que tu ne veux pas mourir. Tu voudrais passer

---

[71] H.-I. Marrou, *art.cit.* Marrou tient en fait un raisonnement inverse : les réflexions sur le dogme de la résurrection «conduisent le penseur chrétien à une tout autre anthropologie» (p. 120). A moins de supposer que la résurrection ne vient au centre de la foi chrétienne qu'avec Augustin, il semble plus pertinent de penser que le tournant anthropologique pris par Augustin le conduit à faire une place nouvelle à la résurrection. Voir M. R. Miles, *Augustine on the Body, op. cit.*, p. 99-125. Cf. M. Alfeche, «The Basis of Hope in the Resurrection of the Body», *Augustiniana* 36 (1986), p. 240-296.
[72] Cité *supra* n. 12. Ce sermon est prononcé par Augustin après 428, alors que les Vandales ravagent déjà l'Afrique. Comme le fait remarquer Peter Brown, *La vie de saint Augustin, op. cit.*, p. 518-519, il rend un son très différent des sermons adressés aux réfugiés romains après le sac de la Ville en 410. Voir en particulier le sermon 296, cité *supra* p. 56.
[73] Sermon 344,3 (PL 39, 1513) : *Mori certe non uis. Muta amorem, et ostenditur tibi mors, non quae te nolente aderit, sed quae, si uolueris, non erit.*
[74] Sermon 344,4. Sur la mort seconde, voir J.G. Plumpe, «Mors secunda», *Mélanges Joseph de Ghellinck*, Gembloux, 1951, t.1, p. 387-403 et la note complémentaire 38 de G. Bardy dans BA 35, p. 526-529, où se trouve une liste des *loci* augustiniens.

de cette vie dans l'autre sans avoir à mourir pour ressusciter, mais tout en restant en vie te transformer en un état meilleur.[75]

La peur de la mort éternelle se passe de commentaire. Mais l'homme craint tout autant la mort physique : par un sentiment enraciné profondément, l'homme voudrait ressusciter sans abandonner au préalable son corps.[76]

Augustin cite les paroles de Paul en 2 Cor 5,4 où l'apôtre exprime ce sentiment, puis il file la métaphore du corps, vêtement de l'âme :

> Tu ne veux pas être dévêtu, mais tu dois l'être. Il faut pourtant que tu fasses en sorte qu'après avoir été dévêtu de la tunique charnelle dans la mort, tu sois trouvé revêtu de la cuirasse de la foi. (...) Il faut donc plutôt que tu fasses en sorte que, devant ressusciter que tu le veuilles ou non, tu ressuscites pour obtenir ce que tu veux.[77]

Encourir le châtiment de la mort seconde est être privé du fruit de la résurrection. Augustin propose ici une dialectique entre mort éternelle et mort corporelle comparable à celle qui conduit de l'amour de la vie terrestre à l'amour de la vie éternelle.[78] L'homme doit d'autant plus se garder d'encourir la mort éternelle qu'il désire avec plus de force faire l'économie de la mort physique.

C'est dans la mesure où l'attachement au corps fait à la fois craindre la mort et désirer la résurrection que croire en la résurrection peut diminuer la crainte de la mort.[79]

---

[75] Sermon 344,4 (PL 39, 1514) : *Si fieri potest, ambas non uis pati. Scio, uiuere amas, mori non uis; et de hac uita in aliam uitam sic transire uelles, ut non mortuus resurgeres, sed uiuus in melius mutareris.*

[76] Sermon 344,4 (PL 39, 1514), où il faut noter que l'âme elle-même éprouve ce désir : *Hoc uelles, hoc habet humanus affectus; hoc ipsa anima nescio quo modo habet in uoluntate et cupiditate.*

[77] Sermon 344,4 (PL 39, 1514) : *Non uis spoliari; sed spoliandus es. Hoc tamen agas oportet, ut spoliatus per mortem carnea tunica, inueniaris indutus lorica fidei. (...) Opus est ut potius agas, ut qui resurrecturus es, uelis nolis, sic resurgas ut habeas quod uelis.*

[78] Voir *supra* p. 53-54.

[79] Augustin n'oppose donc pas l'espoir de la résurrection à la peur de la mort comme le fait Ambroise dans le *De excessu fratris II* : voir A.-L. Fenger, «Tod und Auferstehung des Menschen nach Ambrosius' De excessu fratris II», *Jenseitsvorstellungen in Antike und Christentum. Gedenkschrift für Alfred Stuiber*, Jahrbuch für Antike und Christentum 9, Münster, 1982, p. 129-139. Cf. M.R. Miles, *op. cit.*, p. 120 : «It is very important to our understanding of Augustine's teaching on the resurrection of the body to notice that the resurrection is not, for him, a way to avoid facing death, a defense against death.» Il faut relever toutefois que le sermon 229H, prêché un mardi après Pâques à partir de 412, fait exception. Au paragraphe 3, Augustin dit que la résurrection est la motivation première des martyrs avec le «revers de la médaille» qu'est la peur de la mort éternelle : il faut les imiter et ne pas s'arrêter à la peur de la mort physique (Sermon 229H,3 : MA 1, 482).

Résurrection et amour du corps

Dans un sermon prononcé pour la fête du martyr Vincent,[80] Augustin présente ce thème sous la forme d'un paradoxe : les martyrs, en n'épargnant pas leur corps, ont eu souci de leur corps.[81] Il s'agit à nouveau d'un «transfert» : du corps corruptible au corps spirituel.

Pour faire comprendre à ses auditeurs la gloire du corps ressuscité ou corps spirituel, Augustin évoque d'abord le fardeau du corps mortel.[82] Mais il s'attache surtout à laisser imaginer ce que peut être le corps ressuscité en décrivant ce qu'est la santé en ce corps. En effet, si l'état de santé est si enviable en cette vie, il est facile de comprendre que les martyrs l'ait négligé pour une santé plus parfaite.[83]

Dans le résumé qu'il donne de sa démarche, Augustin montre bien qu'enseigner le mépris du corps est vain, car tout homme y est attaché et craint de mourir. Voici les étapes de son raisonnement :

– «L'occasion d'aborder le sujet du corps spirituel nous a été fournie par la passion du martyr,[84] dont nous avons vu et admiré le mépris du corps dans les tourments. Nous avons dit en effet qu'en n'épargnant pas son corps, il se souciait encore de son corps même. (...)D'où mon désir de vous exhorter ainsi que moi-même à mépriser les réalités présentes pour espérer celles à venir.»[85] Tel est le thème inspiré par la liturgie des martyrs.

– «'En vérité, dans cette maison nous gémissons sous le fardeau', et pourtant nous ne voulons pas mourir et nous craignons d'être soustrait à ce fardeau : 'nous ne voulons pas en effet être dévêtu, mais survêtu, de sorte que ce qui est mortel soit absorbé par la vie' (2 Cor 5,4).»[86] Ce second temps est une objection implicite :

---

[80] Sermon 277 (PL 38, 1257-1268), prononcé à Carthage pour la fête de Vincent (22 janvier) vers 410-412 ou entre 413 et 415.

[81] Sermon 277,3 (PL 38, 1259) : *Non ergo carnem tamquam inimicam, uel contempserunt, uel persecuti sunt martyres. 'Nemo enim umquam carnem suam odio habuit' (Eph 5,29). Magis ei consuluerunt, quando eam neglegere uidebantur.*

[82] Sermon 277,4.

[83] Sermon 277,5-6.

[84] Sur le témoignage d'Augustin pour les lectures liturgiques des Actes des martyrs, voir G. Lapointe, *op. cit.*, p. 104-112.

[85] Sermon 277,8 (PL 38, 1261) : *Nata nobis occasio est de corpore spiritali aliquid disputandi ex passione martyris, a quo sic uidimus et mirati sumus corpus inter tormenta contemni. Diximus enim quia non parcendo corpori, eidem etiam corpori consulebat (...) Hinc ergo hortari uos cupiens, et me ipsum ad praesentia contemnenda, futura speranda.*

[86] Ibid. : *'Etenim in hoc habitaculo ingemescimus grauati', et tamen mori nolumus, et exui pondere formidamus; 'nolumus enim spoliari, sed superuestiri, ut absorbeatur mortale a uita'.*

pourquoi inviter à mépriser le corps alors que tout homme y est attaché?

– «J'ai donc saisi cette occasion de vous parler du corps spirituel, et, j'ai trouvé bon, pour commencer, de présenter la santé de ce corps fragile et corruptible, afin que nous découvrions en elle quelque chose de grand.»[87] Voilà la démarche choisie : une pédagogie qui tient compte des réactions affectives de l'homme. La suite du sermon exploite toutes les possibilités d'une telle dialectique pour décrire le corps spirituel.[88]

L'espoir de la résurrection est donc moins présenté comme une raison pour ne pas craindre la mort, que la crainte de la mort n'est présentée comme une raison pour croire en la résurrection et mener en conséquence une vie telle que l'homme voie ses vœux comblés : jouir d'une union éternelle avec un corps parfait.

* *
*

Les savants laissent parfois entendre qu'il s'agit là des pensées d'un Augustin âgé, lui-même proche de la mort.[89] S'il est vrai que les sermons analysés sont écrits par un homme de plus de soixante ans,[90] Augustin raconte, au livre IV des *Confessions*, comment il a éprouvé l'horreur de la mort lors du décès de «l'ami».[91] Dans une page, qu'il a qualifiée, il est vrai, de «déclamation» dans les *Retractationes*,[92] il se laisse aller à dire qu'il ne veut pas vivre, diminué de moitié.[93] Et pourtant, il a ressenti alors combien il avait en horreur la mort : loin de vouloir mourir à son tour, il redoutait «cette ennemie très cruelle» et la «haïssait».[94] Cette crainte de la mort est indissolublement liée à l'amour qu'il porte à la vie, à celui qu'il portait à

[87] *Ibid.* : *hac ergo occasione de spiritali corpore suscepi aliquid loqui uobis, et primitus commendandam putaui hanc ipsam huius fragilis et corruptibilis corporis sanitatem, ut ex ipsa magnum aliquid inueniamus.*

[88] Dans la suite du sermon, Augustin compare ainsi la vélocité et l'acuité oculaire du corps terrestre à celles du corps spirituel.

[89] H.-I. Marrou, *art.cit.*, p. 126, n.72, parle d'une «obsession»; M.R. Miles, *op. cit.*, p. 121, d'une «growing obsession with death».

[90] En 415, Augustin a soixante et un ans.

[91] Augustin, *Confessions* 4,4.7-6.11 (BA 13, 416-427).

[92] Augustin, *Retractationes* II,vi,2 : cité par A. Solignac, BA 13, p. 427, n.1.

[93] Augustin, *Confessions* 4,6.11 (BA 13,426) : *et ideo mihi horrori erat uita, quia nolebam dimidius uiuere.* Augustin se souvient ici d'Horace, *Carmina* 1,3,8.

[94] *Ibid.* (BA 13, 424) : *Ita miser eram et habebam cariorem illo amico meo uitam ipsam miseram. Nam quamuis eam mutare uellem, nollem tamen amittere magis quam illum (...). In me nescio quis affectus nimis huic contrarius ortus erat et taedium uiuendi erat in me grauissimum et moriendi metus. Credo, quo magis illum amabam, hoc magis mortem, quae mihi eum abstulerat, tamquam atrocissimam inimicam oderam et timebam.*

la vie même de son ami. Il ne parvient pas toutefois à exprimer ses sentiments confus sur un plan théologique, ce qui explique peut-être ses scrupules rétrospectifs. Dans les sermons de la vieillesse, il a trouvé et médité les textes scripturaires propres à faire partager ses sentiments à son auditoire et à le rassurer par là-même sur la légitimité de l'horreur de la mort.[95]

B – FAIBLESSE HUMAINE ET FAIBLESSE DU CHRIST

Avec les martyrs et les apôtres Pierre et Paul, Augustin propose à ses auditeurs des figures de saints qui ont craint la mort. Son intention est de prouver l'universalité de ce sentiment et de montrer que l'attachement de l'homme pour son corps en est la cause. La tristesse du Christ au jardin des Oliviers (Mt 26,38-39) prend dans les sermons d'Augustin une tout autre valeur.

Le Christ a compati avec la faiblesse humaine, l'a assumée et l'a transfigurée en lui. Dans la scène de l'agonie du Christ, Augustin voit moins un modèle à imiter qu'une figure à se remémorer à l'heure de la mort pour faire face à la détresse. Avant d'explorer ce thème dans les sermons, il faut toutefois rappeler, comme Augustin le fait devant ses auditeurs, les problèmes christologiques liés à la tristesse du Christ.

1 – L'exégèse de la tristesse du Christ (Mt 26, 38)

L'histoire de l'exégèse de la tristesse du Christ, comme celle des autres *anthropina*, est marquée avant tout par la lutte menée contre l'Arianisme.[96] Athanase et Hilaire nous apprennent en effet que le verset de Mt 26,38 était utilisé par les tenants de l'Arianisme pour affirmer l'infériorité de nature du Fils.[97]

---

[95] Grâce à 2 Cor 5,4, l'opposition *mutare / non amittere* des *Confessions* (voir note précédente) devient ainsi une opposition entre *exspoliari* et *superuestiri*. Comparer aussi le *nescio quis affectus nimis huic contrarius ortus erat* et le *Hoc uelles, hoc habet humanus affectus; hoc ipsa anima nescio quo modo habet in uoluntate et in cupiditate* du sermon 344, cité *supra* n. 76.

[96] Pour une histoire de la christologie, voir A. Grillmeier, *Le Christ dans la tradition chrétienne. 1 : De l'âge apostolique à Chalcédoine (451)*, trad. franç., Paris, 1973.

[97] Voir Hilaire, *De trinitate* X,9 (CCL 62B, 465-466) : *Volunt enim plerique eorum ex passionis metu et ex infirmitate patiendi non in natura eum impassibilis Dei fuisse. (…) Adque hac impietatis suae adsertione nitantur, quia scriptum est : 'Tristis est anima mea usque ad mortem'.* Cf. Athanase, *Oratio contre Arianos* 3,26. Voir aussi Augustin, *Contra Maximianum Arianum* 2,20 (PL 42, 789).

Le Christ arien

R. Gregg et D. Groh ont montré qu'il n'y avait pas de la part d'A-rius une volonté délibérée d'attenter à la divinité du Christ, mais une conception très différente de l'économie du salut.[98] Dans le modèle arien, en effet, le salut de l'homme s'effectue par une imitation du Christ, homme modèle, devenu fils de Dieu par ses mérites.[99] En conséquence, Arius met l'accent sur tout ce qui rapproche le Christ des hommes : la faim, la soif, et la peur de la mort.[100]

Les partisans de l'orthodoxie ne se battent pas sur ce terrain, mais concentrent leur attaque sur la préservation de la divinité du Christ. Ils sont donc conduits à mettre l'accent sur la nature divine du Christ aux dépens de sa nature humaine.[101] L'exégèse de Mt 26,38 est à cet égard révélatrice : tous leurs efforts tendent à exclure que le Christ ressente une quelconque crainte pour lui-même et que la mort en soit l'objet.

Hilaire

L'exégèse d'Hilaire, dans le *Commentaire de Matthieu*, est un bon témoin de ces efforts au début de la période considérée ici.[102] Il cherche en effet, au prix d'une exégèse forcée, à éloigner la tristesse de l'âme du Christ.[103] Hilaire insiste d'abord sur le fait que, selon le verset 37, le Christ commence à être triste quand il prend avec lui Pierre, Jacques et Jean : ce sont donc eux le sujet de sa tristesse.[104] Puis, à l'aide de la logique stoïcienne, il écarte toute causalité de l'expression *usque ad* : le Christ ne craint donc pas la mort.[105] L'expres-

---

[98] R. Gregg et D. Groh, *Early Arianism – A View of Salvation*, Philadelphie, 1985, p. 12 : «Writers invariably interpret the movement in its early stages as a conspiracy to «demote» the divine Son to the level of a creature.» Leur entreprise consiste à essayer de comprendre positivement une christologie qui insiste sur les liens entre le Christ et ses compagnons humains : «The early Arians portrayed Christ as they did because the advocacy of this Christology gave fullest expression to their understanding of the content and dynamic of salvation.» (p. 50)

[99] *Ibid.*, p. 50-70 : «Adoption as salvation».

[100] *Ibid.*, p. 1-30 : «The Arian Christ».

[101] *Ibid.*, p. 13 et A. Grillmeier, *op. cit.*, p. 215-225 et p. 275 (conclusion).

[102] Sur la christologie d'Hilaire, voir A. Grillmeier, *op. cit.*, p. 354-362 et surtout P.C. Burns, *The Christology in Hilary of Poitiers' Commentary on Matthew*, Studia Ephemeridis Augustinianum 16, Rome, 1981.

[103] A. Grillmeier, *op. cit.*, p. 357. Hilaire, *Sur Matthieu* 31, éd. J. Doignon, SC 258, Paris, 1979, p. 224-239.

[104] Hilaire, *Sur Matthieu* 31,4 (SC 258, 230) : *Adsumptisque Petro et Iacobo et Ioanne coepit tristis esse (Mt 26,37). Ergo non ante tristis est quam adsumit et omnis metus illi esse coepit adsumptis; atque ita non de se orta est, sed de his quos adsumpserat maestitudo.*

[105] *Ibid.* 5 (SC 258, 230-232) avec le commentaire de J. Doignon.

sion a en effet une simple valeur temporelle : «Ce n'est donc pas la mort, mais le moment de la mort qui est objet de crainte, parce qu'après elle, la foi des croyants devait être confirmée par la vertu de la Résurrection.»[106] L'exégèse de la prière du verset 39 a le même but. Le Christ n'éprouve aucune crainte pour lui-même et la mort n'en est pas l'objet. Il demande seulement que «la force de boire le calice passe de lui à eux.»[107]

Nous pouvons emprunter à A. Grillmeier sa conclusion de l'examen de la christologie d'Hilaire : «Il a le courage de prendre au sérieux les événements terrestres, humains, de la vie du Christ, mais il montre immédiatement l'aspect divin de chaque trait terrestre de cette vie. (…) Cette tendance à accentuer la divinisation de la nature humaine du Christ l'amène finalement à souligner et à exposer avant tout l'exaltation du Christ.»[108]

Jérôme

La même tendance est illustrée par les Pères latins postérieurs.[109] Jérôme, fidèle aux commentaires d'Origène, explique que la tristesse du Christ atteste avant tout la réalité de sa nature humaine : il s'agit d'une *pro-passio*, c'est-à-dire d'une émotion qui touche la sensibilité, mais n'affecte pas la volonté.[110] La mort n'en est pas l'objet et le Christ n'éprouve de crainte que pour ses disciples.[111]

Ambroise

Ambroise, pour sa part, exploite la formule qui distingue, dans l'unique personne du Christ, la dualité manifestée par ses œuvres divines et humaines.[112] Rapportant dans le *De fide* l'objection arienne à la divinité du Christ fondée sur Mt 26,39, Ambroise dit qu'il faut avant tout se demander «quand et sous quelle forme» parle le Christ.[113] Il porte ici, explique-t-il, la nature humaine et prend donc

---

[106] *Ibid.* (SC 258, 232) : *Non itaque mors, sed tempus mortis in metu est, quia post eam resurrectionis uirtute fides esset firmanda credentium.*

[107] *Ibid.* 7-8 (SC 258, 232-234). Citation *ibid.* 8 (SC 258, 234) : *Non ergo ut non patiantur rogat dicens : 'Non ut ego uolo', sed ut, ait : quod pater uult, bibendi calicis in eos ex se transeat firmitudo.*

[108] A. Grillmeier, *op. cit.*, p. 359.

[109] Voir une présentation synthétique, *ibid.*, p. 362-368.

[110] Jérôme, *Commentaire sur S. Matthieu* IV,26.37-39 (éd. E. Bonnard, SC 259, Paris, 1979, p. 252-255). Sur *passio* et *pro-passio*, voir *ibid.* 37 (SC 259, 252) et note 65 de E. Bonnard. Cf. Origène, *Commentarii in Mattheum*, series 92 (GCS 98, 207).

[111] Jérôme, *ibid.* 39 (SC 259, 254) : *Postulat autem non timore patiendi sed misericordia prioris populi, ne ab illis bibat calicem propinatum.*

[112] A. Grillmeier, *op. cit.*, p. 367-368.

[113] Ambroise, *De fide* II,41-42 (BAmb 15, 146) : *Scriptum est, inquiunt : «Pater,*

en lui les sentiments de l'homme : sa tristesse est ainsi une preuve de l'Incarnation pour les impies.[114] Le Christ ne pouvait pas ne pas prendre en lui les passions de l'âme, mais en tant qu'il est Dieu, il ne ressent aucun trouble.[115] Comme Ambroise l'explique plus loin, le Christ n'assume les passions humaines que pour apprendre aux hommes à les dépasser.[116]

Augustin

Augustin[117] hérite de cette distinction entre les paroles prononcées selon la nature divine et celles prononcées selon la nature humaine.[118] Mais, à la suite de Tychonius,[119] il introduit une distinction supplémentaire : parmi les paroles qui relèvent de la nature humaine du Christ, les unes sont dites en son nom propre, les autres au nom des membres dont il est la tête, c'est-à-dire les chrétiens.[120] Le seul critère possible pour attribuer ces paroles est la dignité du Christ.[121] Les paroles prononcées selon la nature humaine peuvent donc inclure ou non les hommes, car la nature humaine du Christ a une excellence qui découle de l'unité de la personne.[122] Ces règles

---

si possibile est, transfer a me calicem hunc.» Et ideo si omnipotens est, quomodo de possibilitate ambigit? (...) Verum dicis. Sed quando et in qua forma loquatur, aduerte.

[114] *Ibid.* 42 (BAmb 15, 146) : *Hominis naturam gessit, hominis adsumpsit adfectum. (...) Non ergo quasi deus, sed quasi homo loquitur.* Et 44 : *quasi deus in corpore constitutus fragilitatem carnis exponit, ut eorum, qui sacramentum incarnationis adiurant, excluderetur impietas.*

[115] *Ibid.* 56 (BAmb 15, 152) : *Et ideo quia suscepit animam, suscepit et animae passiones. Non enim eo, quod deus erat, aut turbari aut mori posset.*

[116] *Ibid.* 90 (BAmb 15, 170) : *Suscepit carnem, ut quasi homo uinceret, qui homines erudiret.* et *ibid.* 91 : *Temptari debuit, compati mihi debuit, ut scirem, quemadmodum temptatus uincerem, compassus euaderem.*

[117] D'une immense bibliographie, nous retenons l'exposé fondamental de T.J. Van Bavel, *Recherches sur la christologie de saint Augustin. L'humain et le divin dans le Christ d'après saint Augustin*, Paradosis X, Fribourg, 1954 et M.R. Miles, *Augustine on the Body, op. cit.*, p. 79-97. Voir aussi M. Pontet, *L'exégèse de saint Augustin prédicateur*, Paris, 1946.

[118] T.J. Van Bavel, *op. cit.*, p. 103.

[119] Augustin, *De doctrina christiana* III,xxx,42 (CCL 32, 102-103). Sur Tyconius, voir J. Quasten, *Initiation aux Pères de L'Eglise*, t.IV, trad.franç., Paris, 1986, p. 169-173 et P. Cazier, «Le livre des règles de Tyconius. Sa transmission du 'De doctrina christiana' d'Augustin aux 'Sentences' d'Isidore de Séville», *Revue des Etudes Augustiniennes* 19 (1973), p. 241-261.

[120] Augustin, *De doctrina christiana* III,xxxi,44 (CCL 32, 104) pour l'exposé de la règle. Voir M. Pontet, *op. cit.*, p. 400-411 (sur les *Enarrationes in Psalmos*) et T.J. Van Bavel, *op. cit.*, p. 110-114.

[121] T.J. Van Bavel, *op. cit.*, p. 112, avec les références de la note 33.

[122] *Ibid.*, p. 112-113 : «De cette dignité, il s'en suit que le Christ peut parler en son propre nom sans que nous soyons inclus dans ses paroles. Il y a des mots qui appartiennent à la Tête seule, parce qu'il y a un aspect dans le Christ qui lui est

exégétiques, qu'Augustin explique souvent à ses auditeurs,[123] permettent donc de comprendre qu'en Mt 26,38 le Christ parle selon la nature humaine et que ces paroles sont dites au nom de ses membres.[124]

Une telle solution christologique n'exclut pas la réalité de la tristesse du Christ. Comme la tête et les membres ne font qu'un, le Christ participe aux faiblesses humaines, il compatit avec les hommes.[125] Le Traité 60 du *Commentaire de Jean* peut servir d'exemple :

> Il a donc été troublé, lui qui a «le pouvoir de donner sa vie et de la reprendre à nouveau» (Jn 10,18)? Un si grand pouvoir a été troublé? La fermeté de la pierre a été troublée? N'est-ce pas plutôt en lui notre faiblesse qui est troublée? Mais oui, bien plutôt! Celui qui est mort par un effet de son pouvoir a été troublé aussi par un effet de son pouvoir. Celui qui a transfiguré notre corps de misère en le rendant conforme à notre corps de gloire (cf. Phil 3,21) a transfiguré aussi en lui le sentiment de notre faiblesse, éprouvant pour nous en son âme un sentiment de compassion.[126]

Augustin commence donc par écarter la possibilité que le Christ parle selon sa nature divine, à l'aide de Jn 10,18. Mais le même texte exclut aussi que le Christ parle en son nom propre.[127] Augustin téléscope en effet les deux distinctions pour en arriver au vrai statut des paroles du Christ : il parle au nom des hommes dont il transfigure en lui les faiblesses.

Le verbe *transfigurare* exprime «l'assomption de notre voix dans la voix du Christ», comme le dit M.-J. Rondeau.[128] Evoquant la trans-

---

propre et qui nous dépasse. Au contraire, nous ne pouvons jamais parler sans le Christ, parce qu'il a daigné se faire un avec nous et prendre sur lui nos infirmités. S'il est donc question d'infirmité, il s'agit de notre infirmité assumée par le Christ.»

[123] Voir les nombreuses références données par Van Bavel, *op. cit.*, notes 27-35.

[124] Voir maintenant H. Drobner, *Person-Exegese und Christologie bei Augustinus. Zur Herkunft der Formel Una Persona*, Leiden, 1986.

[125] C'est là une question qui a beaucoup préoccupé les modernes. Voir en particulier G. Jouassard, «L'abandon du Christ d'après saint Augustin», *Revue des sciences philosophiques et théologiques* 13 (1924), p. 310-326. Van Bavel a une position très nuancée qui s'efforce de respecter la perspective qui était celle d'Augustin : voir *op. cit.*, p. 114-118.

[126] Augustin, Tr in Io 60, 2 (BA 74A, 128-130) : *Turbatus est ergo potestatem habens ponendi animam suam, et potestatem habens iterum sumendi eam. Turbatus tam ingens potestas, turbatur petrae firmitas, an potius in eo nostra turbatur infirmitas? Ita uero! Qui ergo potestate mortuus est, potestate turbatus est; qui transfigurauit corpus humilitatis nostrae conforme corpori gloriae suae, transfigurauit etiam in se affectum infirmitatis nostrae, compatiens nobis affectu animae suae.*

[127] Voir aussi Sermon 31,3; 305,2; En in Ps 40,6; 87,5; etc.

[128] M.-J. Rondeau, *Les commentaires patristiques du psautier (IIIe-Ve siècles)*,

figuration de l'homme en corps glorieux lors de la résurrection,[129] ce verbe désigne l'opération par laquelle le Christ devient la tête de son corps, dans une unité d'ordre mystique.[130] Il ne s'agit pas d'une simple «représentation» : la «transfiguration» suppose une solidarité ontologique.[131] Les faiblesses humaines semblent donc être elles-mêmes transformées, et non simplement assumées telles quelles en vertu de l'Incarnation. Cette transfiguration ne leur fait-elle pas alors perdre leur caratère péjoratif?[132]

Pour mieux saisir combien une telle compréhension de l'Incarnation permet à Augustin d'utiliser la tristesse du Christ à des fins pastorales nouvelles, il faut donner quelques exemples de l'utilisation non polémique qui en était faite avant lui.

2 – LE CHRIST ET LA FAIBLESSE HUMAINE DANS LA PRÉDICATION AVANT AUGUSTIN

Les querelles christologiques ont certainement limité la liberté des prédicateurs dans leur commentaire et leur utilisation pastorale de la tristesse du Christ.[133]

Zénon de Vérone

Zénon de Vérone ne cite Mt 26,38 que dans un seul des sermons conservés : le sermon sur la résurrection,[134] dont le contexte est vide de toute polémique christologique. A la fin du sermon, après une longue démonstration de la résurrection, surgit une dernière ob-

---

Orientalia Christiana Analecta 219-220, Rome, 1982-1985, ici vol.2, p. 380; sur *transfigurare*, p. 380-388.

[129] Comme le montre le Traité 60, Augustin emprunte le verbe *transfigurare* à Phil 3,21 : «Nous attendons notre sauveur qui transfigurera notre corps de misère en le rendant conforme à son corps de gloire.» Le texte de Paul utilise le futur : Augustin ne le conserve que quand il garde le sens original du passage (3 cas sur 12 selon le relevé de *Vetus Latina* 24/2, p. 266). Quand il emploie le présent ou le parfait, le texte de Paul est rapporté à un aspect de l'Incarnation.

[130] Voir l'analyse de En in Ps 101,s.1,2 par Van Bavel, *op. cit.*, p. 113 : au premier abaissement de l'Incarnation, dans lequel le Christ porte la chair de l'homme, en succède un second – la transfiguration – par lequel il devient la tête de son corps.

[131] M.-J. Rondeau, *op. cit.*, p. 384, n. 1103, rejette l'explication incomplète adoptée par E. Mersch, *Le Corps Mystique du Christ. Etudes de théologie historique*, Paris, 3e éd., 1951, t. 2, p. 103.

[132] C'est la comparaison avec la transfiguration du corps ressuscité qui me fait poser la question. L'étude de l'utilisation pastorale de Mt 26,38 par Augustin confirme sa pertinence.

[133] Voir les remarques d'A. Grillmeier, *op. cit.*, p. 275.

[134] Zénon, Tr I,2) : *De resurrectione* (SCAmb 1, 34-51).

jection : si la chair périt, comment reconnaître celui qui ressuscite ? Zénon répond que ne périt que ce qui est inutile : il est nécessaire d'être dévêtu de ce qui est corruptible pour être revêtu de ce qui est incorruptible.[135]

Le Seigneur le confirme, poursuit-il, en disant : «Mon âme est triste jusqu'à la mort». Il ne craint pas la mort, lui qui a le pouvoir de donner sa vie et de la reprendre à nouveau (Jn 10,18) : «(il s'exprime ainsi) pour enseigner que, tant que le juste vit dans ce monde, il est toujours soumis à la tribulation, il est toujours dans la souffrance.»[136] Le Christ fait donc part de l'affliction causée par le poids de la corruptibilité et annonce que la mort en libère, quand il dit que sa tristesse ne dure que «jusqu'à la mort».

Zénon tient donc pour acquise la valeur temporelle de *usque ad*, ce qui confirme l'influence d'Hilaire sur sa prédication.[137]

Ambroise

Ambroise a un peu plus souvent commenté ce verset devant les chrétiens de Milan. Si le *De incarnationis dominicae sacramento* est issu directement des polémiques christologiques,[138] le sermon du *Commentaire sur l'Evangile de Luc*, consacré à l'agonie du jardin des Oliviers,[139] ne contient qu'une allusion rapide aux Apollinaristes.

Ambroise y exprime d'abord l'admiration qu'il éprouve pour la tristesse du Christ :

> Pour moi, non seulement je ne vois pas qu'il y ait sujet de l'excuser, mais nulle part je n'admire davantage sa tendresse et sa majesté : son bienfait eut été moindre s'il n'avait pas pris mes affections.[140]

Ambroise semble refuser ainsi d'entrer dans les débats christologiques de son temps. L'économie de l'Incarnation rend nécessaire

[135] Zénon, Tr I,2.14 (SCAmb 1, 48-51). Pour une analyse du sermon, voir B.E. Daley, *The Hope of the Early Church. A Handbook of Patristic Eschatology*, Cambridge, 1991, p. 96-97.

[136] Zénon, Tr I,2.14 (SCAmb 1, 50) : *(hoc dixit) ut doceret, quoniam, cum uiuit in hoc mundo, semper in tribulatione, semper iustus est in poena.*

[137] Sur cette influence, voir l'état de la question donné par C. Truzzi, *Zeno, Gaudenzio e Cromazio. Testi e contenuti della predicazione cristiana per la Chiesa di Verona, Brescia e Aquileia (360-410 ca.)*, Brescia, 1985, p. 300-302.

[138] Sur les circonstances du *De Incarnationis dominicae sacramento*, voir Paulin, *Vita Ambrosii* 18 et l'introduction de E. Bellini à BAmb 16, Milan/Rome, 1979, p. 359-361.

[139] Ambroise, *In Lucam* X,56-62 (SC 52, 175-177). J.R. Palanque, *Saint Ambroise et l'Empire romain*, Paris, 1953, p. 451 inclut ce passage dans une homélie sur la scène du Jardin des Oliviers (*In Lucam* X, 46-62).

[140] Ambroise, *In Lucam* X,56 (SC 52,175) : *Ego autem non solum excusandum non puto, sed etiam nusquam magis pietatem eius maiestatemque demiror; minus enim contulerat mihi, nisi meum suscepisset affectum.*

l'assomption des affections humaines : la peur de la mort ne peut pas être mise de côté. En l'assumant, le Christ montre comment la vaincre :

> «Homme de douleurs et sachant, est-il dit, supporter les faiblesses» (Is 53,3), il a voulu nous instruire, de sorte que, puisque Joseph nous avait appris à ne pas craindre la prison, nous apprenions à vaincre la mort dans le Christ et, ce qui est mieux encore, comment vaincre l'angoisse de la mort à venir.[141]

La victoire du Christ est donc un modèle pour les hommes. Ambroise cite alors le verset 39 : «Non pas ce que je veux, mais ce que tu veux, Père» et montre que la victoire repose dans la soumission de la volonté humaine à la volonté divine.[142]

A ce commentaire, Ambroise ajoute, vraisemblablement lors de la rédaction définitive, un développement sur la réalité de la tristesse du Christ.[143] Dans un premier temps, Ambroise affirme que seule l'âme assumée est triste et non la divinité.[144] Puis il mentionne deux causes possibles de la tristesse du Christ : les hommes qu'il abandonne, les persécuteurs qu'il sait condamnés.[145]

Dans les autres sermons où Mt 26,38 est commenté, Ambroise prend toujours soin de mettre la divinité du Christ à l'abri de cette faiblesse : sa propre mort n'est pas la cause de sa tristesse.[146] La crainte de la mort est en effet un sentiment qui trahit la faiblesse humaine. Le chrétien se doit donc de la rejeter selon l'exemple du Christ qui s'en remet à la volonté du Père.[147]

Ces textes sont symptomatiques d'une gêne, engendrée en

---

[141] *Ibid.* 57 (SC 52, 175-176) : *Homo enim in plaga et sciens inquit ferre infirmitates (cf.Is 53,3), nos uoluit erudire, ut quia in Ioseph didiceramus carcerem non timere, mortem uincere disceremus in Christo et quod est amplius quemadmodum futurae mortis maestitiam uinceremus.*

[142] *Ibid.* 60.

[143] *Ibid.* 61-62 introduit par ces mots : *Deinde uerborum ipsorum proprietatem consideremus : «Tristis est anima mea usque ad mortem».* Tout indique un remaniement ultérieur : Ambroise revient à Mt 26,38 après avoir commenté le verset 39 et à l'admiration succède une exégèse tortueuse pour expliquer la nature et les raisons de la crainte éprouvée par le Christ.

[144] *Ibid.* 61 (SC 52, 177) : *Tristis autem est non ipse, sed anima.*

[145] *Ibid.* : *pro nostra dispersione* (61), *pro persecutoribus suis, quos sciebat in malis sacrilegii poenas daturos.* (62).

[146] Ambroise, *In Lucam* VII, 133 (SC 52, 57) : *Qui in se nihil habuerit quod doleret, nostris tamen angebatur aerumnis et sub tempore mortis maestitiam praetendebat, quam non ex metu mortis suae, sed ex mora nostrae redemptionis adsumserat. Et ibid. : Non propter mortem, sed usque ad mortem tristis erat dominus, quia eum condicio corporalis adfectus, non formido mortis offendit. Cf. In Ps 40,6* (BAmb 8, 40); *In Ps 61,6* (BAmb 8, 284).

[147] Ambroise, *In Ps 39,18* (BAmb 8, 24) : *Communis affectus est mortem timere, quem suscepit Christus, ut crucifigeret, sicut crucifixit, et carnem; mihi enim est luctatus, ut mihi uinceret. Cf. In Lucam VII,133* (SC 52, 57) : *Simul ostendit*

grande partie par les controverses christologiques. Mais ils sont révélateurs aussi d'une restriction qui fait que si la faiblesse humaine devant la mort est reconnue et affirmée, ce n'est que pour donner l'exemple de la façon dont le Christ enseigne à la vaincre.

3 – La compassion du Christ dans les sermons d'Augustin

Augustin cite beaucoup plus souvent que les autres prédicateurs les paroles du Christ au Jardin des Oliviers dans ses sermons. Outre les textes où ils ne sont que de pures références,[148] il est possible de distinguer deux types de commentaire.

Leçon de patience

Le premier type apparaît dans les *Enarrationes in Psalmos* à propos de l'expression «un cœur droit» (*rectum cor*).[149] Parfois, sans référence à la mort, Augustin met l'accent sur le seul verset 39 dans un développement stéréotypé, où, à la volonté humaine, est opposée la volonté divine.[150] La leçon du Christ est une leçon de patience : il invite à soumettre la volonté humaine à celle de Dieu.[151]

Plus souvent, Augustin commente les deux versets 38 et 39 en rapport avec la mort.[152] Le Christ a voulu corriger les hommes qui s'attristent devant la mort en leur montrant comment lui-même est passé de la tristesse à l'acceptation de la volonté de Dieu. Le commentaire du verset 11 du Psaume 31 : «*Et gloriamini omnes qui recti corde*» est caractéristique. Avoir un cœur droit est ne pas résister à la volonté de Dieu, même dans l'adversité, explique Augustin, car Dieu

---

quod in certamine passionis mors corporis absolutio anxietudinis, non coaceruatio sit doloris.

[148] Soit 12 textes, dont 6 pour illustrer le principe exégétique selon lequel il faut parfois entendre la voix de ses membres dans les paroles du Christ (En in Ps 21,ii,4; 40,6;42,7;85,1;142,9 et Sermon 265A,6); 4 à propos de l'union de la chair et de l'âme du Christ (Sermons 186,2; 214,7; 261,7; 265D,3), 2 pour illustrer le sens de *calix* (Sermons 160,5 et 329,2).

[149] Sur l'opposition droit/courbe dans la prédication d'Augustin, voir S. Poque, *Le langage symbolique dans la prédication d'Augustin : Images héroïques*, Paris, 1984, vol.1, p. 234-7.

[150] Soit 3 textes : En in Ps 32,ii,s.1,2; 63,18 et 93,18-19.

[151] Voir, par exemple, prêché le 16 septembre 403 pour la vigile de la fête de Cyprien, En in Ps 32,ii,s.1,2 (CCL 38, 248) : «*Pater, si fieri potest, transeat a me calix iste.*» *Haec humana uoluntas erat, proprium aliquid et tamquam priuatum uolens. Sed quia rectum corde uoluit esse hominem, ut quidquid in illo aliquantulum curuum esset, ad illum dirigeret qui semper est rectus : «Verum non quod ego uolo, ait, sed quod tu uis.»*

[152] Soit 6 textes : En in Ps 31,ii,26; 100,6; 103,s.3,11; 144,19; Tr in Io 52,3; Sermon 296,8.

éprouve tous les hommes, jusqu'à son Fils qui porte en lui l'infirmité humaine.[153] La tristesse du Christ à l'approche de la passion est alors expliquée :

> Que portait-il donc ? L'infirmité de certains, qui, à l'heure des tribulations ou de la mort, sont attristés. Mais vois comment il leur indique où diriger leur cœur. (...) Voyez comment le Seigneur Jésus Christ l'enseigne : «Mon âme est triste jusqu'à la mort» et «Père, s'il est possible, que ce calice s'éloigne de moi». Voilà qu'il montre la volonté humaine. Mais vois le cœur droit : «En vérité, non ce que je veux, mais ce que tu veux, Père». Voilà ce qu'il te faut faire : te réjouir de ce qui t'arrive; même si vient le dernier jour, réjouis-toi.[154].

L'opposition de la tristesse, qui trahit la volonté humaine, à la soumission à la volonté divine, est dans la continuité de l'enseignement d'Ambroise. Augustin donne encore une telle leçon aux réfugiés romains à Carthage après le sac de Rome en 410.[155]

Compassion du Christ

Le second type de commentaire ne parle plus de correction, mais met l'accent sur la compassion du Christ, sans citer la deuxième partie du verset 39, où le Fils s'en remet à la volonté du Père.[156] A l'occasion d'une fête de Cyprien, Augustin explique en effet qu'il faut perdre sa vie en ce monde pour la sauver,[157] mais il ajoute aussitôt :

---

[153] Prêché à Carthage en 412 ou 413, En in Ps 31,ii,26 (CCL 38, 243) : *Sic est ergo rectum cor, fratres. Cuicumque aliquid accidit, dicat : Dominus dedit, Dominus abstulit. (...) Flagellat omnem filium quem recipit. (...) Etiam Unicus...*

[154] *Ibid.* (CCL 38, 244) : *Quid igitur portabat? Infirmitatem quorumdam, qui ueniente tribulatione uel morte contristantur. Sed uide quomodo eos ducit in directionem cordis. (...) Videte quomodo hoc docet Dominus Iesus Christus : «Tristis est anima mea usque ad mortem» et «Pater, si fieri potest, transeat a me calix iste». Ecce ostendit humanam uoluntatem. Sed uide rectum cor : «Verum non quod ego uolo, sed quod tu uis, Pater». Hoc ergo fac, gaudens in his quae tibi accidunt; et si uenerit dies ille ultimus, gaude.*

[155] Sermon 296,8 prêché à Carthage en 410 ou 411 pour la fête des apôtres le 29 juin (MA 1, 406) : *Et tamen, fratres mei, audeo dicere, libenter audituri estis, si iam primas partes oboedientiae detinetis, si habitat in uobis lenis et mitis patientia ferendi dominicam uoluntatem, non solum lenem : lenem quippe non ferimus, sed amamus; asperam toleramus, ad lenem gaudemus. Dominum tuum uide, caput tuum uide, exemplum uitae tuae uide; redemptorem tuum, pastorem tuum attende. «Pater, si fieri potest, transeat a me calix iste.» Quomodo ostendit humanam uoluntatem, et continuo conuertit renisum ad oboedientiam? «Verum, non quod ego uolo, sed quod tu uis, Pater.»*

[156] Soit 12 textes : En in Ps 30,ii,s.1,3; 87,3; 89,7; Sermon 31,3; 297,3; 299,8; 305,4; 313D,3; 335B,3; 344,3; Tr in Io 60,2-4; 123,5.

[157] Sermon 313D (=Guelf.27 : MA 1, 531-535), non daté. Le sermon commente Jn 12,25 : «Qui aime son âme la perdra» et Mc 8,25 : «Qui aura perdu son âme pour moi la trouvera».

C'est dur, c'est douloureux, cela cause de la tristesse : je compatis avec toi, puisqu'a compati avec nous notre Seigneur lui-même. En effet, c'est lui qu'il montra en toi et toi en lui, quand il dit : «Mon âme est triste jusqu'à la mort.»[158]

Souvent Augustin ne développe pas davantage : les paroles du Christ semblent simplement devoir excuser la faiblesse humaine.[159]

La détresse du mourant

Cette utilisation de Mt 26,38, qui est nouvelle dans la tradition patristique,[160] est au cœur d'un groupe de sermons où Augustin s'adresse aux chrétiens envahis par la détresse à l'heure de la mort.[161] Le sermon 305, prononcé pour la fête du martyr saint Laurent et où Augustin explique Jean 12,27 : «A présent, mon âme est troublée»,[162] est un bon exemple de cette prédication.

Après un prologue où le martyre de Laurent est comparé au grain qui se multiplie dans la terre (1), Augustin commence par commenter Jn 12,25 : «Qui aime son âme en ce monde la perdra» (2-3), souvent cité dans les sermons sur les martyrs.[163] Le Christ, dit-il, a prêché par l'exemple, lui qui est mort pour nous et qui a dit : «J'ai le pouvoir de donner mon âme et le pouvoir de la reprendre à nouveau» (Jn 10,18).

Et pourtant le Christ ajoute aussitôt : «A présent, mon âme est troublée» (4). Augustin commence par régler la question christologique. C'est par sa puissance (*potestas*) que le Christ est mort et ressuscité pour le salut des hommes, mais «l'expression 'mon âme est troublée' ne renvoie pas à proprement parler à cette puissance»[164] :

---

[158] Augustin, Sermon 313D,3 (MA 1, 533) : *Durum est, molestum est, triste quoddam est; compatior tibi, quia compassus est nobis et Dominus Deus noster. Se in te, et te in se ostendit, cum diceret : «Tristis est anima mea usque ad mortem.»*

[159] Cf. Sermon 297,3 (PL 38, 1360) : *«Alter te cingit, et fert quo tu non uis.»* *Consolatur Dominus de hoc, transfigurans in se infirmitatem nostram, et dicens :* *«Tristis est...»* et les autres textes cités *supra* n. 156.

[160] Voir *supra* p. 73-75.

[161] Sermons 31 et 305; Tr in Io 60; En in Ps 30,ii,s.1 et En in Ps 42. Cf. En in Ps 87,3 où l'on trouve le même langage appliqué au contexte plus général des tribulations.

[162] Sermon 305 (PL 38, 1397-1400), prêché pour la fête de saint Laurent, le 10 août, à Carthage, en 413 (voir S. Poque, «L'écho des événements de l'été 413 à Carthage dans la prédication de saint Augustin», dans *Homo spiritalis. Festgabe für Luc Verheijen*, Würzburg, 1987, p. 398-399). Les numéros entre parenthèses renvoient à la division en paragraphes.

[163] Voir les sermons 313C,1; 313D,1; 330,2 et 331,1.

[164] Sermon 305,4 (PL 38, 1399) : *Ipse, inquam, Dominus et Saluator noster Iesus Christus, quantum ad ipsum pertinet, potestate posuit animam suam, potestate resumpsit eam. Ad hanc potestatem non pertinet proprie : Anima mea turbata est.*

C'est nous qu'il transfigura en lui, nous sur qui il porta les yeux, nous qu'il prit sous son regard, nous dont il assuma la fatigue et qu'il réconforta, afin que quand viendrait pour l'un de ses membres le jour ultime, avec lequel cette vie doit prendre fin, il ne fût pas troublé à cause de sa faiblesse, ni ne désespérât de son salut, ni ne dît qu'il n'appartenait pas au Christ, puisqu'il ne serait pas prêt à mourir sans qu'aucun trouble ne naquît en lui ni qu'aucune tristesse n'assombrît son esprit tout dévoué à Dieu.[165]

Augustin montre donc comment le Christ, en faisant part de sa tristesse, parle pour les hommes : l'anaphore de *nos* au début du texte est particulièrement explicite. Mais Augustin ne s'arrête pas à la solution exégétique qui voit dans les faiblesses du Christ l'assomption des faiblesses de ses membres. Il donne en effet une explication de la compassion du Christ : empêcher que naisse le désespoir dans l'âme de celui qui a peur de mourir.

La suite du texte souligne en effet le danger d'un tel désespoir :

Puisque le désespoir mettrait ses membres en danger quand ils seraient troublés à l'approche de la mort, refusant de mettre fin à une vie de misères et hésitant à commencer une vie sans fin, donc, pour qu'ils ne fussent pas brisés par le désespoir, il pensa aux faibles eux-mêmes parmi les siens; les derniers de ses membres, si peu courageux, il les rassembla tous en son sein; les derniers eux-mêmes, si peu courageux, il les protégea comme une poule ses petits et de la même façon, il s'adressa à eux pour leur dire : «A présent, mon âme est troublée.»[166]

Le Christ défend l'homme contre le désespoir, car, si la crainte de la mort n'est pas un péché, le désespoir est une faute envers la miséricorde divine.[167] Dans les quelques lignes qui terminent le sermon, Augustin répète ainsi le verset 5 du Psaume 42 : «Pourquoi es-tu triste mon âme et pourquoi me troubles-tu? Espère en le Seigneur.»[168]

---

[165] *Ibid.* : *Nos in se transfigurauit, nos uidit, nos inspexit, nos fatigatos suscepit et fouit; ne forte quando ueniret alicui membro eius ultimus dies, quo ista esset uita finienda, turbaretur per infirmitatem, et desperaret salutem, et diceret se ad Christum non peruenire, quoniam non sic praeparatus esset ad mortem, ut nulla in illo perturbatio exoriretur, nulla tristitia mentem deuotissimam nubilaret.*

[166] *Ibid.* : *Quoniam ergo periclitarentur membra eius desperatione, quando propinquante morte aliquis turbaretur, nolens finire miseram uitam, piger incohare numquam finiendam : ne ergo desperatione frangerentur, ipsos infirmos suos intendit, ipsa membra sua ultima non ualde fortia collegit in sinum suum, ipsa non ualde fortia tamquam gallina texit pullos suos; et tamquam alloquitur eos : Nunc anima mea turbata est.*

[167] Voir Tr in Io 60,5 (BA 74A, 134-6) : *(infirmos) consolatus est, ut si qui suorum adhuc morte imminente turbentur in spiritu, ipsum intueantur, ne hoc ipso se putent reprobos, peiore desperationis morte sorbeantur.*

[168] Sermon 305,4 (PL 38, 1399-1400) : *'Quare ergo tristis es, anima mea? et*

La crainte de la mort est encore présentée comme une faiblesse, mais une faiblesse qui n'entraîne aucune culpabilité : une faiblesse constitutive de la nature humaine.[169] La transfiguration dans la personne du Christ de la faiblesse humaine est comme une garantie de cette absence de condamnation.

Appartenir au Christ : c'est participer à son humanité qui est la nôtre, dit Augustin. Et de prendre la voix du Christ :

> Reconnaissez-vous en moi, afin que, quand vous viendrez à être troublés, vous ne désespériez pas, mais repensiez à votre tête et vous disiez : Quand le Seigneur disait : «Mon âme est troublée», nous étions en lui, c'est nous qu'il signifiait. Nous sommes troublés, mais nous ne sommes pas perdus.[170]

En se remémorant la tristesse du Christ, qui est la sienne, l'homme doit comprendre que son trouble ne le condamne pas, et doit donc conserver espoir en la miséricorde de Dieu.

La scène du jardin des Oliviers est donc pour Augustin une pièce importante de la pastorale des mourants. La tristesse que le Christ laisse paraître à l'approche de la mort est une marque de sa compassion pour la faiblesse humaine. Puisque le Christ lui-même a craint la mort dans son humanité assumée, le chrétien envahi par la détresse ne doit se croire ni coupable de faiblesse, ni condamné pour cette faiblesse.

L'insistance d'Augustin sur la peur du chrétien d'être condamné à cause du trouble qui s'empare de son âme à l'approche de la mort ne peut manquer de laisser penser qu'il répond dans ces sermons à une angoisse réelle de ses auditeurs.[171] L'étude du contexte pastoral dans lequel ces sermons sont prêchés devrait permettre de préciser cet horizon d'attente.

---

quare conturbas me?' Habes quid agas. Defecisti in te? 'Spera in Domino.' Turbaris in te? 'Spera in Domino'...

[169] Voir Sermon 31,3 (CCL 41, 392) : *Verumtamen, fratres mei, uidetur mihi quod caput nostrum infirmioribus membris suis compassum est, ne de se forte membra infirma desperent, sicut est humana fragilitas morte propinquante perturbarentur et dicerent non se ad deum pertinere, nam si pertinerent, gauderent.* Cf. à propos des tribulations, l'exposé dicté entre 414 et 416, En in Ps 87,3 (CCL 39, 1210) : *ut si cui eorum inter humanas tentationes contristari et dolere contingeret, non ideo se ab eius gratia putaret alienum et non esse ista peccata, sed humanae infirmitatis indicia.*

[170] Sermon 305,4 (PL 38, 1399) : *Agnoscite uos in me, ut quando forte turbati fueritis, non desperetis, sed ad caput uestrum reuocetis aspectum, et dicatis uobis : Quando Dominus dicebat : «Anima mea turbata est», nos in illo eramus, nos significabamur. Turbamur, sed non perimus.* Cf. Tr in Io 60,5 : *ipsum intueantur,* cité *supra* n. 167.

[171] Voir les textes cités *supra* : *non peruenire ad Christum, reprobos, non ad deum pertinere, alienum.*

C – UN CONTEXTE PASTORAL COMPLEXE

1 – Repères chronologiques

Une étude de la chronologie des textes, en dépit des difficultés liées à l'entreprise,[172] est nécessaire pour commencer.

Les commentaires de Mt 26,38 les plus anciens appartiennent aux deux premiers groupes que j'ai définis.[173] Le premier texte sur la compassion du Christ est daté de 411-412.[174] Mais les textes datés avec une plus grande certitude sont postérieurs à 415,[175] si bien que la date charnière de 415 proposée déjà par T. Van Bavel peut être reprise.[176] Après cette date, en effet, la première interprétation disparaît des sermons.[177] En outre, la chronologie de l'exégèse de Jn 21,18 sur la peur de Pierre et de 2 Cor 5,4 sur le désir de Paul de faire l'économie de la mort physique concorde avec celle des commentaires de la tristesse du Christ.[178]

Cette chronologie permet-elle de déterminer les facteurs de l'évolution que j'ai décrite? La nouvelle interprétation de Mt 26,38 semble apparaître en effet au moment où Augustin commence à réfléchir aux enjeux des positions défendues par Pélage et Célestius.

---

[172] Voir *supra* n. 2 pour les problèmes liés à la datation des sermons.

[173] Pour le premier groupe, l'En in Ps 63 est datée d'avant 396 et l'En in Ps 32,ii,s.1 de 403 (voir A.-M. La Bonnardière, «Les Enarrations in Psalmos prêchées par saint Augustin à l'occasion de fête de martyrs», *Recherches Augustiniennes* 7 (1971), p. 104 : tableau récapitulatif). Pour le deuxième groupe, l'En in Ps 100 date des débuts de l'épiscopat (395-396 : voir A.-M. La Bonnardière, *Biblia Augustiniana, Livre de la Sagesse*, Paris, 1970, p. 39-42); le Sermon 296 date de juin 411.

[174] Il s'agit du sermon 335B, placé par A. Kunzelmann dans la fourchette 410-412. Le sermon 31 est daté par le même d'avant 405 (suivi par C. Lambot : CCL 41, 389) à cause de l'absence d'allusions anti-donatistes (MA 2, 452), mais cet argument négatif n'a pas valeur de preuve absolue.

[175] Le Tr in Io 60 est dicté en 419; le Sermon 299 a été prêché le 29 juin 418; le Sermon 344 vers 428.

[176] T.J. Van Bavel, *op. cit.*, p. 137, avec la prudente réserve de la note 59 à laquelle je ne peux que souscrire.

[177] L'En in Ps 144 semble toutefois faire exception : A.-M. La Bonnardière («Les Enarrationes in Psalmos prêchées par Augustin à l'occasion de fête de martyrs», *art.cit.*, p. 104) propose la date d'août 417. Mais la seule certitude est qu'elle est postérieure à 411, à cause d'une légère allusion anti-pélagienne sur la grâce au paragraphe 10 : c'est O. Perler, *op. cit.*, p. 338, qui propose les années 416 ou 417 comme possibles, d'après les déplacements et le reste de la production d'Augustin.

[178] L'interprétation de 2 Cor 5,4 apparaît au plus tôt vers 411 (En in Ps 30,ii,s.1 : 411-415?; sermon 277 : 412-413 ou 416-420; En in Ps 68 : 414; sermon 299 : 418; Tr in Io 123 : après 419; sermon 344 : vers 428). Le cas de Jn 21,18 est un peu différent, car il s'agit d'une lecture inscrite au calendrier liturgique (voir *supra* n. 35).

J'ai déjà montré comment la querelle pélagienne a déterminé le langage tenu par Augustin sur la mort. Conduit à accentuer son discours sur les effets du péché originel, Augustin trouve dans la peur de la mort un indice de la transformation subie par la nature humaine. En effet, la crainte de la mort, séparation de l'âme et du corps, montre que la disjonction de ces deux éléments, qui se manifeste aussi dans la concupiscence, est une anomalie.[179]

A n'en pas douter, plus Augustin réfléchit sur ces thèmes, plus sa conscience pastorale devient sensible au problème de la crainte de la mort. Néanmoins, comme Augustin le dit lui-même à propos du *De Gratia Novi Testamenti*, dans lequel les motifs exégétiques étudiés ici apparaissent pour la première fois,[180] ses réflexions ont des racines plus lointaines.[181] L'hérésie pélagienne a donc permis la cristallisation de thèmes plus anciens.

2 – LES MANICHÉENS ET LA MORT

Au cours de la longue polémique qu'il mène contre les Manichéens,[182] Augustin ne fait pas porter le débat sur l'idée qu'ils se faisaient de la mort.

Mort et anthropologie manichéenne

Dans un passage du *Contra Faustum*, Augustin donne toutefois une définition manichéenne de la mort :

> Vous présentez et louez la mort comme étant la séparation de l'âme, c'est-à-dire de la nature de votre dieu, et du corps de ses ennemis, c'est-à-dire de l'œuvre du diable.[183]

A la notion traditionnelle de la séparation du corps et de l'âme à la

---

[179] Voir chapitre 2.

[180] Le *De Gratia Novi Testamenti* est une lettre (Ep 140) qu'Augustin envoie au printemps 412 (voir O. Perler, *op. cit.*, p. 306) à Honoratus. 2 Cor 5,4 commenté au paragraphe 16 (CSEL 44, 167), Mt 26,39 et Jn 21,18 au paragraphe 27 (CSEL 44, 178).

[181] Voir Augustin, *Retractationes* II,36 (BA 12, 514-515) sur les circonstances et l'état d'esprit dans lesquels la réponse aux questions d'Honoratus est écrite.

[182] Sur la période manichéenne d'Augustin, voir P. Brown, *La vie de saint Augustin*, trad. franç., Paris, 1967, p. 51-68. Pour la lutte menée contre les Manichéens, voir F. Decret, *L'Afrique manichéenne (IVe-Ve siècle)*, Etudes Augustiniennes, Paris, 1978, 2 vol.

[183] Augustin, *Contra Faustum* 30,6 (CSEL 25/1, 755) : *Mortem quippe tamquam separationem animae, id est naturae dei uestri, a corpore inimicorum eius, hoc est a figmento diaboli, praedicatis atque laudatis*. Augustin ne commente pas cette définition qu'il formule au passage pour dénoncer la christologie manichéenne.

mort, les Manichéens superposent les éléments de leur anthropologie : l'âme est une parcelle du divin, le corps est une matière ténébreuse.[184]

La même définition apparaît dans la lettre qu'Augustin adresse au manichéen Félix :[185]

> Que tu comprennes que cette mort visible, que tous les hommes connaissent, soit la séparation du corps et de l'esprit, ce n'est pas une bien grande chose à comprendre. Mais tu ajoutes de votre doctrine que c'est la séparation d'un bien et d'un mal : si l'esprit est un bien et le corps un mal, celui qui les a mêlés n'est pas bon.[186]

Il n'est pas possible de suivre Augustin plus avant. Retenons que dans l'anthropologie manichéenne la mort est la séparation d'un bien, l'esprit, et d'un mal, le corps. Dès lors, la mort ne peut être que la plus haute aspiration de l'Elu.

Tel est bien l'enseignement reconstitué par Julien Ries à partir du Psautier et des Homélies, découverts à Médinet Mâdi (Fayoum) en 1930.[187] Dans l'optique manichéenne, la mort est «l'heureux dénouement d'une situation dramatique» : l'âme enfin libérée de la matière ténébreuse du corps peut retourner à son origine.[188] Toute la vie est orientée vers ce dénouement : «la mort n'est que l'accomplissement définitif et ardemment préparé, d'une eschatologie intérieure et personnelle réalisée dans la vie.»[189] Il est intéressant de relever encore que pour que cette issue soit heureuse l'homme doit la désirer avec force : «Si, à l'heure de la mort, l'homme ne se trouve pas dans cet état d'apocatastase, s'il ne brûle pas du désir de rejoindre le Royaume de la Lumière et si sa vie ne fut pas marquée par

---

[184] Voir H.-Ch. Puech, *Sur le Manichéisme et autres essais*, Paris, 1979, en particulier p. 98.

[185] Augustin, *Ep* 79 : CSEL 34/2, 345-6, adressée au Felix 1 de l'index prosopographique de F. Decret, *op. cit.*, vol.1, p. 363-4.

[186] *Ep.* 79 (CSEL 34/2, 345-6) : *Et quod intellegis mortem istam uisibilem, quam omnes homines norunt, separationem esse mentis a corpore, non est magnum intellegere; sed quod adiungis de uestro separationem esse boni a malo, si mens bonum est et corpus malum, qui ea commiscuit, non est bonus.* Les propositions introduites par *quod* rapportent les propos de Félix. Au début de la lettre, Augustin félicite ironiquement Félix de ne pas craindre la mort et s'étonne qu'il ne se rende pas à la convocation des autorités.

[187] Julien Ries, «Mort et survie selon les doctrines de Mani», dans *La mort selon la Bible dans l'Antiquité classique et selon le Manichéisme*, Collection Cerfaux-Lefort 5, Louvain-la-neuve, 1983, p. 137-157. Sources coptes éditées et traduites : C.R.C. Allberry, *A Manichean Psalm-Book*, Part II, Stuttgart, 1938; H.J. Polotsky, *Manichaïsche Homelien*, Stuttgart, 1940. Ces textes ont été traduits au IVe siècle : voir T. Orlandi, «Coptic Literature», dans *The Roots of Egyptian Christianity*, Philadelphie, 1986, p. 51-81, ici p. 56-57 avec la bibliographie antérieure.

[188] Julien Ries, *art. cit.*, p. 142-3.

[189] *Ibid.*, p. 146.

l'adhésion aux mystères dualistes, son âme restera enchaînée à la matière.»[190]

On souhaiterait avoir des documents plus nombreux sur cette catéchèse manichéenne. Dans l'état actuel de nos connaissances, il est difficile de savoir dans quelle mesure Augustin pouvait se sentir tenu de réagir contre les effets d'une telle prédication.

Crainte de la mort et bonté du corps (Eph 5, 27)

Il semble, en revanche, que la controverse manichéenne ait donné à Augustin l'occasion de ses premiers développements positifs sur la crainte de la mort. Il recourt en effet à ce sentiment pour défendre la bonté du corps. Dans le *Contra Faustum*, Augustin affirme ainsi que la loi naturelle balaye d'elle-même les opinions fausses de ses adversaires.[191]

La crainte de la mort lui paraît être la meilleure illustration d'Eph 5,27 : «Nul en effet ne hait jamais sa chair», dont il se sert pour réfuter le dualisme manichéen :

> Voyez comment, chez tout animal doté de l'instinct de conservation, cette union naturelle le destine à aimer sa chair. Ce n'est pas seulement le fait des hommes qui, s'ils vivent droitement, non seulement veillent au salut de leur chair, mais aussi domptent et maîtrisent les mouvements charnels à l'usage de la raison; les bêtes, elles aussi, fuient la douleur et redoutent la mort.[192].

La crainte de la mort est un sentiment naturel, que partagent hommes et bêtes, ce qui prouve que la chair ne peut pas être un mal radical, comme le voudraient les Manichéens.[193]

Le recours à cet argument, en des termes qui annoncent son utilisation dans la controverse pélagienne,[194] reste toutefois, à l'époque des traités antimanichéens, détaché de toute intention pastorale.[195]

---

[190] *Ibid.*, p. 143.

[191] Voir Augustin, *Contra Faustum* 21,5 (CSEL 25/1, 575) : *ita ostenditis praeualere naturae legem contra erroris uestri opinionem.*

[192] Augustin, *Contra Faustum* 21,7 (CSEL 25/1, 575-6) : *Videte quemadmodum in omne animal sibi ad salutem conciliatum portendat naturae ista communio, ut diligat carnem suam; neque enim hoc in hominibus tantum est, qui cum recte uiuunt, non solum consulunt saluti carnis suae, uerum etiam carnales motus ad usum rationis edomant et refrenant, sed etiam bestiae fugiunt dolorem, formidant interitum.*

[193] Cf. Augustin, *De libero arbitrio* III, vi,18-viii,23 (BA 6, 358-371) avec le commentaire de E. Zum Brunn, «Le dilemme de l'être et du néant chez saint Augustin. Des premiers dialogues aux Confessions», *Recherches Augustiniennes* 6 (1969), p. 3-102, ici p. 47-56.

[194] Voir *supra*, p. 44-45, la comparaison avec les animaux et la notion d'instinct de conservation.

[195] Il faut noter aussi que, quand il est amené à défendre la réalité de la mort

3 – Les donatistes ou l'Eglise des martyrs

La controverse d'Augustin avec les donatistes n'a pas pu ne pas le conduire à réfléchir sur la mort et le courage avec lequel les chrétiens se doivent de l'affronter.

Les donatistes se définissent en effet comme «l'Eglise des martyrs»[196] et les hérésiologues associent toujours leur nom au martyre volontaire.[197] Après 430, Pierre Chrysologue fait encore allusion aux *praecipitati* africains devant son auditoire ravennate.[198]

L'orgueil des donatistes à l'égard de leurs martyrs est aussi à l'origine de la réflexion d'Augustin sur le martyre.[199] C'est à la faveur de la controverse qu'il forge la maxime souvent répétée : «Ce n'est pas le châtiment, mais la cause qui fait le martyr.»[200] Le débat sur la mort volontaire ne concerne pas directement notre propos.[201] Mais les donatistes ont rédigé des Passions sur leurs martyrs, qui sont de véritables invitations à affronter la mort, voire à la rechercher.[202]

---

du Christ contre les Manichéens, Augustin affirme que l'efficacité de cette mort pour le salut de l'humanité est de permettre aux hommes de ne pas craindre la mort : voir *Div. quest.* 25 et *Contra Adimantum* 21. Or l'interprétation de la prière d'agonie du Christ au Jardin des Oliviers joue un rôle capital dans la mise en place des thèmes de sa pastorale des mourants après 415.

[196] Voir W.H.C. Frend, *The Donatist Church : A Movement of Protest in Roman North Africa*, Oxford, 1952; Id., *Martyrdom and Persecution in the Early Church*, Oxford, 1965; P. Brown, *La vie de saint Augustin, op. cit.*, p. 249-265 (*Ubi Ecclesia?*). J.-L. Maier, *Le dossier du donatisme*, 2 vol., Berlin, 1987-1989, est maintenant un précieux instrument de travail. Pour Augustin, voir les volumes 28-32 de la Bibliothèque Augustinienne et leurs nombreuses notes complémentaires.

[197] Voir le dossier réuni par J.-L. Maier, *op. cit.*, vol.2, de Filastre de Brescia au *Praedestinatus*. On peut y ajouter le témoignage du donatiste «dissident» Tychonius, cité par E. Lamirande dans la note complémentaire 53, BA 32, p. 748.

[198] Pierre Chrysologue, Sermon 13,5 (CCL 24,85) : traduit et commenté par Maier, *op. cit.*, vol.2, p. 293. La désignation *praecipitati* fait allusion aux donatistes qui se jettent du haut d'un rocher pour mourir. J.-L. Maier fait remarquer que le ton de Pierre implique que ses auditeurs savaient de quoi il parlait (n.7).

[199] Voir J. den Boeft, «Martyres sunt, sed homines fuerunt : Augustine on Martyrdom», dans *Fructus Centesimus. Mélanges Bartelink*, Instrumenta Patristica 19, Steenbrugis, 1989, p. 115-124, en particulier p. 117-118.

[200] *Christi martyrem non facit poena, sed causa* : voir la note complémentaire 52 d'E. Lamirande (BA 32, 747).

[201] Voir A.J. Droge et J.D. Tabor, *A Noble Death. Suicide and Martyrdom among Christians and Jews in Antiquity*, San Francisco, 1992, p. 167-183.

[202] Trois Passions donatistes nous sont parvenues : Passion d'Isaac et Maximianus, Passion de Donatus d'Avioccala, Passion de Marculus; auxquelles s'ajoutent des versions remaniées comme celles des Passions de Crispina de Thagora et de Cyprien (tous ces textes sont traduits par Maier, *op. cit.*, vol.1). Comme l'Eglise catholique d'Afrique (voir B. de Gaiffier, «La lecture des Actes de Martyrs dans la prière liturgique en Occident», *Analecta Bollandiana* 72 (1954), p. 134-

La Passio Marculi

La *Passio Marculi* est peut-être le plus fameux de ces documents.[203] Marculus est une des victimes les plus célèbres de la cause donatiste. Evêque en Numidie, il est mort en 347 lors de l'application du décret d'union promulgué par l'empereur Constant.[204]

Le rédacteur de la Passion ne manque pas de souligner la joie de Marculus devant l'imminence de sa mort :

> (Marculus), après les très dures entraves des tribulations de ce monde, était sur le point de faire, dans sa passion, route vers la liberté du royaume des cieux. Que nous soyons, en effet, dégagés de grands liens quand, délivrés de ce monde, nous nous hâtons vers le Seigneur, l'Apôtre le reconnaît en disant : «Mourir et être avec le Christ est de beaucoup préférable.»[205]

Sans surprise, nous voyons invoquée l'autorité de Paul : les versets de l'Epître aux Philippiens sur le désir de mourir sont accompagnés d'un commentaire fortement dualiste. La mort est une délivrance pour le chrétien retenu jusque-là par les liens du monde. A l'exemple de Paul est ajouté celui de Siméon qui, «enflammé par l'assurance d'une mort prochaine, se réjouissait de ce qu'il allait échapper aux peines de cette vie».[206] La lecture d'un tel texte permet de comprendre que l'auteur du *Praedestinatus*, associe dans une même rubrique le dualisme des Patriciens et l'aspiration au martyre des circoncellions.[207]

Augustin, qui conteste souvent le titre de martyr donné à Marculus, connaissait-il sa Passion?[208] L'association étroite d'un fort

---

166), l'Eglise donatiste faisait un usage liturgique des Actes des martyrs (voir le témoignage de la *Passion de Donatus d'Avioccala*,1 : Maier, *op. cit.*, vol.1, p. 201).

[203] La *Passio Marculi* est éditée et traduite par Maier, *op. cit.*, vol.1, p. 277-291.

[204] Sur ces circonstances, voir Maier, *op. cit.*, vol.1, p. 275-276.

[205] *Passio Marculi* 10 (Maier, 285-286) : *(Marculus) post grauissimos nexus saecularium pressurarum ad regnorum caelestium libertatem iter fuerat in passione facturus. Magnis enim nos uinculis relaxari, cum liberati de hoc mundo ad dominum properamus, apostolus probat dicens : «Dissolui et cum Christo esse multo melius est.»*

[206] *Ibid.* : *Quod simili ratione etiam Simeon ille iustissimus demonstrauit qui, securitate uicinae mortis accensus, euasurum uitae huius molestias laetabatur.*

[207] Julien d'Eclane (?), *Praedestinatus* 1,61, traduit par Maier, *op. cit.*, vol.2, p. 229.

[208] Voir *Contra litteras Petiliani* II,xiv,32 (BA 30, 256); xx,46 (BA 30, 278-280) et *Contra Crescomium* III,xlix,54 (BA 31, 382-384). L'hypothèse d'une connaissance de la *Passio Marculi* par Augustin est d'autant moins invraisemblable que

dualisme avec le désir de mourir jette en effet un éclairage intéressant sur le lien que j'ai analysé entre l'anthropologie d'Augustin, qui s'efforce de valoriser l'attachement de l'homme pour le corps, et le discours des sermons où il prêche sur la crainte de la mort.[209] Le contexte donatiste est peut-être aussi à l'arrière-plan de l'insistance avec laquelle Augustin mentionne dans ces sermons l'inclusion des faibles dans le Corps du Christ, c'est-à-dire l'Eglise.[210] L'influence de la controverse donatiste sur la doctrine ecclésiologique d'Augustin est en effet démontrée depuis longtemps.[211]

La prédication donatiste constitue donc un contexte très probable à l'effort déployé par Augustin pour rassurer les chrétiens inquiets pour leur salut à cause de leur manque de joie devant la mort. Le texte que je verse maintenant au dossier, renforce cette hypothèse, tout en montrant que l'horizon spirituel visé par Augustin est sans doute plus large.

3 – Un stoïcisme latent

Le seul sermon où Augustin tient une polémique ouverte est le Traité 60 du *Commentaire de l'Evangile de Jean*, où est commenté le trouble du Christ à l'annonce de la trahison de Judas en Jean 13,21.[212]

Dans la mesure où Jésus sait depuis longtemps qu'il doit être trahi par Judas, explique Augustin, seule l'imminence de sa mort peut être à l'origine de son trouble : la tristesse du Christ au Jardin des Oliviers le confirme pleinement.[213] Augustin montre ensuite, comme nous l'avons vu faire,[214] que le Christ ne ressent de crainte qu'en transfigurant la faiblesse de l'homme : «Par son trouble, celui qui ne pourrait ressentir de trouble sans le vouloir, console celui qui est troublé même malgré sa volonté.»[215] C'est ici qu'Augustin ouvre

---

les donatistes produisaient des Actes de martyrs dans les Conciles où ils étaient mis en accusation.

[209] Voir *supra* p. 63-66.

[210] Au sermon 305,4 (avec l'anaphore d'*infirmi*), ajouter Tr in Io 60,5 (BA 74A, 134-6) : *infirmos in suo corpore, hoc est in sua ecclesia, ...consolatus est.*

[211] Voir R.F. Evans, *One and Holy*, Londres, 1972 et R. Markus, *The End of Ancient Christianity*, Cambridge, 1991, p. 19-84. en particulier p. 51-53.

[212] Augustin, Tr in Io 60 : BA 74A, 126-139. Pour la nature et la date de ce traité, voir *supra* n. 000.

[213] Tr in Io 60,1 (BA 74A, 128) : *Sicut ergo tunc eius anima turbata est hora propinquante passionis, ita etiam nunc exituro Iuda atque uenturo, et propinquante tanto scelere traditoris, 'turbatus est spiritu'(Jn 13,21).*

[214] Voir *supra* p. 73-75.

[215] Tr in Io 60,2 (BA 74A, 130) : *Quando turbatur qui non turbaretur nisi uolens, eum consolatur qui turbatur et nolens.*

la polémique : «Finissons-en avec les arguments des philosophes!»[216] Et de dénoncer alors les stoïciens et leur théorie des passions : l'impassibilité n'est pas signe de sagesse, mais de stupeur.[217]

Ces attaques contre les philosophes sont bien connues grâce aux pages du livre XIV de la *Cité de Dieu*, où Augustin expose sa théorie de la valeur morale des passions.[218] Augustin adresse deux principales critiques aux stoïciens : d'une part, ce qu'ils appellent passion peut avoir une bonne cause et dès lors être admis chez les saints;[219] d'autre part, l'*apathéia* est soit pure insensibilité, soit un état exclu de cette vie et réservé pour l'autre.[220] Les «passions» ne sont donc pas mauvaises en soi : tout dépend de leur cause.

Quelques sermons font écho à ces critiques, où Augustin oppose aux chrétiens les épicuriens et les stoïciens.[221] Ces derniers sont en particulier décrits comme des orgueilleux qui prétendent atteindre le bonheur par leurs propres forces.[222] Le traité 60 est toutefois le seul texte où Augustin critique, dans l'idéal stoïcien de maîtrise des passions, la condamnation implicite de la crainte de la mort.

Augustin rappelle que les passions sont condamnées à tort par les philosophes, car ce sont les causes des passions qui peuvent être bonnes ou mauvaises.[223] Une objection intervient alors :

> Mais dira-t-on : l'âme d'un chrétien devrait-elle se troubler encore, lorsque la mort est imminente? Que deviennent en effet les paroles de l'apôtre : «J'ai le désir de me dissoudre et d'être avec le Christ», si, quand ce qu'il désire arrive, il peut en être troublé?[224]

---

[216] Tr in Io 60,3 (BA 74A, 130) : *Pereant argumenta philosophorum.*
[217] Opposition *stupor/sanitas* : Tr in Io 60,3.
[218] Augustin, *Cité de Dieu* XIV,vi-ix. Sur la doctrine des passions chez Augustin, aux notes complémentaires 40 et 42 de G. Bardy dans BA 35, Paris, 1959, ajouter maintenant M.L. Colish, *The Stoic Tradition from Antiquity to Middle Ages. II-Stoicism in Christian Latin Thought through the Sixth Century*, Leiden, 1985, p. 207-212.
[219] Augustin, *Cité de Dieu* XIV,ix,3 (BA 35, 382-91).
[220] *Ibid.*, 4 (BA 35, 390-5).
[221] Augustin, Sermon 150 (PL 38, 807-14) : un commentaire d'Actes 17,17-34 sur la rencontre de Paul et des philosophes; Sermons 156 (PL 38,849-59) et 348 (PL 39, 1526-9), où sont discutés les systèmes épicurien et stoïcien. Il est intéressant de voir Augustin rejeter le mépris de la mort des philosophes dans le *De Catechizandis rudibus* 22,40 (BA 11/1, 190) : *Sed et resurrexit (Christus) numquam moriturus, ne ab illo quisquam sic disceret mortem contemnere quasi numquam futurum.* Voir le commentaire de J.P. Christopher, *S. Aureli Augustini De catechizandis rudibus*, Patristic Studies 8, Washington, 1926, p. 280-281.
[222] Augustin, Sermon 156,7 (PL 38, 854) et 348,2.3 (PL 39, 1528-9) où l'opposition *stupor/sanitas* se retrouve.
[223] Augustin, Tr in Io 60,3.
[224] Tr in Io 60,4 (BA 74A, 132-4) : *Sed dicet aliquis : Numquid animus christiani debet etiam morte impendente turbari? Ubi est enim quod ait apostolus,*

L'objection conteste que la mort soit une bonne cause pour entraîner une passion comme la crainte et trouve un argument de poids dans l'autorité de Paul et le texte bien connu de l'Epître aux Philippiens.

La réponse d'Augustin consiste à opposer, non sans ironie, le courage de l'objecteur à la conduite du Christ :

> Il existe sans doute des chrétiens très forts, qui, s'il en est, ne sont aucunement troublés par l'imminence de la mort; mais sont-ils plus forts que le Christ? Qui serait assez insensé pour l'affirmer?[225]

De toute évidence, la polémique n'est pas seulement dirigée contre les philosophes. Augustin s'en prend ici aux *firmissimi christiani* qui se prétendent plus courageux que le Christ. Ce sont donc des chrétiens qui brandissent les paroles de Paul en Phil 1,21 pour s'étonner de la tristesse du Christ à l'approche de la mort.

Comment ne pas penser aux donatistes? Marculus, selon le rédacteur de sa Passion, répond au portrait des *fortissimi christiani*.[226] La suite de la réplique d'Augustin insiste aussi sur le thème clé de l'ecclésiologie opposée aux donatistes qu'est l'inclusion des faibles dans l'Eglise : «(Le Christ) consola, en prenant une faiblesse volontairement semblable à la leur, les faibles qui sont dans son corps, c'est-à-dire dans l'Eglise…»[227]

D'un autre côté, il est probable que la réaction d'Augustin contre «les arguments des philosophes» ait une cible plus générale. La spiritualité chrétienne a été en effet très largement perméable à l'idéal philosophique du sage impassible.[228] Augustin lui-même a pu poser comme condition ultime de la *tranquillitas animi* l'absence de peur.[229] Ambroise ne critique la théorie de l'*apathéia* que dans la mesure où elle ignore la nécessité de la grâce, et le juste du *De Jacob et beata vita* doit beaucoup au sage.[230] Enfin, la christianisation, la tra-

---

concupiscentiam se habere dissolui et esse cum Christo, si illud quod concupiscit, potest eum turbare cum uenerit?

[225] *Ibid.*, 5 (BA 74A, 134) : *Firmissimi quidem sunt christiani, si qui sunt, qui nequaquam morte imminente turbantur; sed numquid Christo firmiores? Quis hoc insanissimus dixerit?*

[226] Voir *supra* p. 88-89.

[227] *Ibid.* (BA 74A, 134) : *infirmos in suo corpore, hoc est in sua ecclesia, suae infirmitatis uoluntaria similitudine consolatus est.*

[228] Aux travaux de M. Spanneut, *Le Stoïcisme des Pères de l'Eglise de Clément de Rome à Clément d'Alexandrie*, Paris, 1969 et *Permanence du stoïcisme de Zénon à Malraux*, Gembloux, 1973, ajouter M. L. Colish, *op. cit., passim*.

[229] Augustin, *De diversis quaestionibus* 34 (BA 10, 98-9). La théorie stoïcienne de l'*apathéia* est un des thèmes sur lequel la pensée d'Augustin a le plus évolué : voir M.L. Colish, *op. cit.*, p. 221-5.

[230] M.L. Colish, *op. cit.*, p. 54-8, fait une bonne analyse de ce que la figure de Jacob doit au sage stoïcien. Sur l'*apathéia*, voir *ibid.*, p. 55.

duction par Rufin et la diffusion des *Sentences de Sextus* sont un bon indice du stoïcisme latent d'une certaine spiritualité chrétienne.[231]

Là aussi, il est permis de penser que la controverse pélagienne a servi de cristallisateur. Les attaques de Jérôme contre le stoïcisme des pélagiens relèvent peut-être de la polémique.[232] Mais ses accusations marquent surtout une rupture dans la continuité de la spiritualité chrétienne, qui, sans la controverse pélagienne, n'aurait peut-être pas été perçue comme telle.[233]

*   *
*

Augustin, dans sa prédication, manifeste un intérêt nouveau pour les réactions affectives de l'homme devant la mort. J'ai montré comment il avait cherché à donner, à travers les figures de Pierre et de Paul notamment, une légitimité à la crainte de la mort, en la présentant comme un sentiment naturel, dû à l'attachement au corps. Le travail d'exégèse, qu'il accomplit sur les versets de la prière du Christ à l'agonie, lui permet d'affirmer que le Christ a pris en compte la faiblesse constitutive de l'homme face à la mort, pour rassurer les chrétiens qui pourraient être troublés par la détresse qui s'empare d'eux.

Il ne faut peut-être pas trop forcer l'opposition entre le langage d'Augustin et celui d'un Ambroise, mais il est clair qu'Augustin procède, dans ses sermons, à une véritable redéfinition de l'attitude chrétienne face à la mort. L'étude du contexte de la prédication d'Augustin montre ce que cette redéfinition doit à une évolution intellectuelle personnelle[234] et à la situation spécifique dans laquelle il prêche. Il est donc important, maintenant, de voir s'il est possible de parler d'une évolution plus générale de la spiritualité chrétienne, en étudiant la prédication des évêques du Ve siècle.

[231] Voir H. Chadwick, *The Sentences of Sextus. A Contribution to the History of Early Christian Ethic*, Cambridge, 1959. La maxime 323 (éd. Chadwick, p. 49) mérite d'être relevée : *Hominem metus mortis contristat pro imperitia animae.*
[232] Sur le stoïcisme des pélagiens, voir S. Prete, *Pelagio e il Pelagianismo*, Rome, 1961, p. 49-53; J. Valero, «El Estoicismo de Pelagio», *Estudios Ecclesiasticos* 57 (1982), p. 39-63, qui étudie les accusations de Jérôme.
[233] Cf. P. Brown, *op. cit.*, p. 435-47.
[234] J'ai un peu négligé cet aspect qui est souvent le seul retenu par les savants.

CHAPITRE 4

MORI NOLLE EST TIMORIS HUMANI

LA CRAINTE DE LA MORT DANS LA PRÉDICATION
DE LA PREMIÈRE MOITIÉ DU Vᵉ SIÈCLE

L'œuvre d'Augustin pèse d'un poids écrasant à côté des collections de sermons de la première moitié du Vᵉ siècle. Pourtant, les sermons de Quotvultdeus, de Pierre Chrysologue et de Léon le Grand, dont il faut souligner l'hétérogénéité, permettent de vérifier dans quelle mesure la rupture de ton et de contenu de la prédication d'Augustin sur la mort s'inscrit dans une évolution plus large de la spiritualité chrétienne.

A – QUOTVULTDEUS

Quand Augustin meurt le 28 août 430, les Vandales ont envahi la Numidie depuis quelques mois et causé de nombreux ravages. P. Brown a souligné combien la réaction d'Augustin face à la catastrophe est très différente de celle qu'il a eue en 410 à la nouvelle de la prise de Rome.[1] Augustin n'invite plus à s'armer de patience devant une colère divine méritée, mais partage l'amour de la vie cruellement ressenti par les chrétiens, en ces circonstances où la mort est une menace permanente.[2]

Le contexte dans lequel prêche Quotvultdeus à Carthage entre 437 et 439 est très comparable : Genséric est aux portes de la ville, les campagnes sont ravagées.[3] Deux sermons, appelés par la tradition manuscrite *De tempore barbarico*, permettent de comparer la prédication du disciple à celle du maître.[4]

---

[1] P. Brown, *La vie de saint Augustin*, trad. franç., Paris, 1971, p. 518-519.
[2] Voir *supra* p. 66 et n. 72 la comparaison des sermons 344 et 296.
[3] Sur le contexte historique, voir P. Courcelle, *Histoire littéraire des grandes invasions germaniques*, Paris, 1968, 3ᵉ éd., p. 115-139.
[4] Pour le contexte plus large de la tradition homilétique, voir B. Eno, «Christian Reaction to the Barbarian Invasions and the Sermons of Quotvultdeus», dans *Preaching in the Patristic Age*, New York, 1989, p. 139-161.

Mors aeterna

Aux Carthaginois effrayés à l'idée de mourir aux mains des barbares, dont les exactions ont déjà fait de nombreuses victimes, Quotvultdeus tient un langage sans complaisance : les malheurs présents ne sont que la conséquence des péchés accumulés, car la colère de Dieu est juste. La pénitence s'impose donc avec urgence.[5]

Quotvultdeus n'a pas de mots assez durs pour dénoncer l'insouciance de ses auditeurs. Il voit en effet dans leur attachement aux plaisirs de ce monde la preuve de leur culpabilité. «Comment peut-on aller à l'amphithéâtre quand la fin du monde est proche?», demande-t-il avec indignation.[6] Voilà un ton bien différent de celui d'Augustin.

L'évocation de l'exemple des martyrs, elle aussi, diffère de celle rencontrée dans les sermons d'Augustin. Quand Quotvultdeus prononce le premier sermon *De tempore barbarico*, la fête de Perpétue et Félicité est proche.[7] Les martyrs, comme les héros de l'Ancien Testament, sont célébrés pour leur courage.[8] La féminité de Perpétue et Félicité est une invitation supplémentaire à mépriser le monde.[9] Le bonheur des chrétiens, en effet, ne doit pas être recherché en cette vie.[10] Aussi Quotvultdeus conclut-il le premier sermon *De tempore barbarico* en opposant mort éternelle et mort physique :

---

[5] Quotvultdeus, *De tempore barbarico I*,i,1 (CCL 60, 423) : *Admonet Dominus Deus noster, non nos debere negligere nostra peccata, quando talem demonstrat iram suam. Ipse quippe iuste punit nocentem, quia nullum inuenit poenitentem.* Cf. Quotvultdeus, *De tempore barbarico II*,i,2 (CCL 60, 473) : *Inter tantas strages, ruinas, captiuitates et mortes, quas meritis peccatorum nostrorum super nos uenire cognoscimus, quid nobis agendum est, dilectissimi, qui ex istis malis liberari cupimus, nisi ut ad creatorem nostrum conuersi eum digna satisfactione placemus?*

[6] Quotvultdeus, *De tempore barbarico I*,i,11 (CCL 60, 424) : *Ita in tantis angustiis et in ipso fine rerum posita est uniuersa prouincia, et cotidie frequentantur spectacula : sanguis hominum cotidie funditur in mundo, et insanientium uoces crepitant in circo!* Cf. *De accedentibus ad gratiam I*, v,4. Tout le sermon *De tempore barbarico II* critique l'attachement au monde, principal péché dont les malheurs présents sont le châtiment (vii). Il ne faut pas se plaindre des pertes temporelles (viii) : tout espoir fondé en ce monde ne peut qu'être ruiné (ix). Le jour de la récompense est proche : *Adest nobis perpetua felicitas : quid nos terret mundi infelicitas?* (xii,4 : CCL 60, 484).

[7] *De tempore barbarico I*,v,2 (CCL 60, 430) : *Ante paucos dies natalitia celebrauimus martyrum Perpetuae et Felicitatis, et comitum.*

[8] *Ibid.*, v,1 (CCL 60, 430) : *Habetis uirorum fortium magna exempla.* Voir *ibid.*, iv où Quotvultdeus énumère les exemples de Moïse, Samson, Daniel, les trois Hébreux, etc. Cf. *ibid.*, vi : exemple de Job.

[9] *Ibid.*, v,1 (CCL 60, 430) : *Vicerunt martyres mundum : inter quos martyres maribus etiam feminae repertae sunt fortiores.*

[10] Voir *De tempore barbarico II*,vii,4 (CCL 60, 479) : *Non propter felicitatem terrenam Christiani effecti sumus; non propter diuitias mundi uel propter istam uitam Christum colimus.*

> Qui fait preuve de raison, qui croit en la parole de Dieu, craint plus le feu éternel que le fer du barbare le plus cruel : il craint plus la mort éternelle que la pire des morts de ce monde-ci.[11]

Il associe, un peu comme Ambroise, sagesse et foi, pour souligner que la mort corporelle est de peu de poids face à la perspective de la mort éternelle. La peur de la mort est condamnée dans le même élan que l'amour de la vie terrestre.

Dans la catéchèse baptismale, Quotvultdeus tient un langage identique.[12] La victoire du Christ sur la mort et la promesse de la résurrection sont des articles de foi qui doivent inviter le chrétien à ne pas craindre la mort corporelle.[13] Le commentaire de l'article du symbole de foi sur la rémission des péchés donne ainsi à Quotvultdeus l'occasion d'expliquer quel peut être le sens du baptême en ces temps troublés.[14] Croire en la rémission des péchés doit conduire à se soumettre à la volonté de Dieu,[15] et ce jusqu'à la mort :

> Si Dieu a daigné l'appeler à Lui libre et pur de toute souillure, qu'il se hâte vers Lui sans hésiter et sans tristesse...[16]

Mourir aussitôt après avoir été baptisé est présenté comme une grâce : le chrétien, assuré du pardon, doit accepter sans tristesse une mort qui le libère d'un monde de tentations. Il est vrai qu'en raison des menaces vandales, Quotvultdeus baptise des hommes qui peuvent mourir à tout instant et qui, sans baptême, ne peuvent pas obtenir le salut.[17]

---

[11] *De tempore barbarico I*,iv,17-8 (CCL 60, 430) : *Qui sanam considerationem habet, qui credit Dei uerbis, plus metuit ignem aeternum, quam cuiuslibet truculentis barbari ferrum : plus metuit mortem perpetuam morte qualibet hic pessima.* Cf. *De tempore barbarico II*,v,16 (CCL 60, 478) : *Deficiunt flendo oculi eorum, qui considerant non mortes corporum, uerum etiam animarum.* Et *De Cataclysmo*, vi,17-18.

[12] Sur ces sermons, voir J. R. De Simone, «The Baptismal and Christological Catecheses of Quodvultdeus», *Augustinianum* 25 (1985), p. 265-282.

[13] Voir *De symbolo I*,x,16 (CCL 60, 331) : *Nec uehiculum mortis timeat, in quo prior ascendit ipse qui uocat.*

[14] *De Symbolo I*,x (CCL 60, 329-331).

[15] *De symbolo I*,x,14-16 (CCL 60, 331) : *Quisquis itaque, dilectissimi, fideliter credit, et hanc professionem fidei suae, in qua remittuntur omnia peccata, indubitanter tenet atque amplectitur, praeparet uoluntatem suam uoluntati dei.*

[16] *Ibid.* : *Si autem dignatus fuerit liberum atque ab omni faece peccati mundatum ad se uocare, incunctanter ac sine tristitia pergat ad eum, cum quo et per quem incipiat et ipse regnare.*

[17] Voir *De tempore barbarico II*,vi,2 (CCL 60, 478) : *Multos enim consideramus in ista uastatione sine sacramento baptismi ex ista uita ereptos, atque inter uasa irae inexpiatas animas fuisse relictas.*

Le *uehiculum mortis*

Dans un sermon sur le symbole de foi, Quotvultdeus trouve cependant des accents plus conformes au modèle d'Augustin pour expliquer que croire en la résurrection exige une grande foi.[18]

Il faut d'abord ne pas penser au sort du corps après la mort, mais à ce qui l'attend au jour de la résurrection : le chrétien ne doit donc pas être effrayé à l'idée de la décomposition des cadavres.[19] Quotvultdeus évoque ensuite une seconde source possible de crainte : la mort elle-même, ce qu'il appelle le *vehiculum mortis*.[20] L'évêque de Carthage reconnaît qu'en mourant l'homme fait une perte, quitte à souligner qu'elle n'est que temporelle :

> Oui, tu t'en iras et ta chair subira pour un temps une atteinte, mais tu reviendras pour régner avec le Roi suprême, et ta chair restera avec toi pour l'éternité.[21]

Par la mort, l'homme n'est séparé de son corps que pour y être uni à nouveau, mais éternellement, lors de la résurrection. Comme Augustin, Quotvultdeus explique que l'amour porté à ce corps doit faire aimer davantage la perspective de recevoir pour toujours un corps parfait.[22]

Quotvultdeus conclut alors en rappelant que toute l'espérance du chrétien repose dans la vie éternelle et que la mort du Christ a libéré l'homme de la mort :

> Il a pris sur lui de passer par la mort, pour te libérer par son passage. Toi aussi, prends sur toi de mourir, de sorte qu'en venant à la mort, tu sois pris par elle pour ne mourir jamais.[23]

---

[18] *De Symbolo III*,xi (CCL 60, 361-362). Voir *ibid.*, xi,1 : *Magna fides est necessaria, quoniam magnum praemium promittitur.*

[19] *Ibid.*, xi,1-3 : *Nec attendatis quid nunc fit, sed tunc quid sit : quod enim nunc fit, multos mouet. Quem enim non mouet, cum uidet tantam speciem, tantam pulchritudinem, tantumque decorem, hominem formatum resolui in pulueres, ossa despergi, terram terrae mandari? Non te ista, christiane, deterreant.*

[20] *Ibid.*, xi,5 (CCL 60, 362) : *Utquid formidas uehiculum mortis?* Le mot *uehiculum* est à rapprocher de l'emploi de *transitus* : en même temps qu'il nomme sans ambiguïté la mort physique, il rappelle qu'elle n'est pas une fin. Cf. *ibid.*, xii,5 (cité *infra* n. 23) et *De Symbolo I*,x,16 (cité *supra* n. 13).

[21] *De Symbolo III*,xi,5 : *Proficisceris quidem et iniuriam patietur ad tempus caro tua : reuerteris cum summo Rege regnans, et talis tibi reddetur quae nequeat corrumpi, et tecum maneat sempiterna.*

[22] *Ibid.*, xi,7-8 : *Si haec terrena, lutea, fragilis, tantam tibi exhibuit pulchritudinem, restaurata et caelestis effecta qualem tibi exhibebit decorem? Si hanc tantum diligis, quae paululum manet et transit in tempore, illam quantum amabis, quae decore suo numquam carebit, quoniam in aeterna uita manebit?* Cf. Augustin, Sermon 277 analysé *supra* p. 68-69.

[23] *Ibid.*, xii,5 (CCL 60, 362) : *Suscepit uehiculum mortis, ut transiens liberaret te : suscipe et tu mortem, ut cum ad illam ueneris, ita ab illa suscipiaris, ut numquam moriaris.*

Quotvuldeus joue sur les différents sens du verbe *suscipere* pour opérer le passage de la mort physique à la mort éternelle. Mais il insiste ici davantage sur le sens que prend la mort physique après avoir été assumée par le Christ. Le passage par la mort est devenu passage vers la vie.

Dans ce sermon, Quotvultdeus fait donc place à la crainte de la mort avant de présenter comme une consolation l'interprétation chrétienne de la mort. De cette note un peu isolée, il faut peut-être rapprocher la nuance que Quotvultdeus apporte à la sévérité de son langage dans le premier sermon *De tempore barbarico*, quand il promet à ses auditeurs que la miséricorde divine touchera même les repentants de la dernière heure.[24]

* * *

Au delà de ces nuances, le contenu des sermons de Quotvultdeus est donc peu semblable à celui des sermons qu'Augustin a prêchés dans des circonstances similaires. Quotvultdeus associe en effet l'invasion de l'Afrique par les Vandales à un climat apocalyptique de fin du monde.[25] Devant une manifestation aussi claire de la colère divine, la mort éternelle est plus à craindre que la pire des morts physiques. D'autre part, la plupart des sermons de Quotvultdeus sont prononcés en vue de la préparation au baptême. Le contexte liturgique, comme le contexte historique, invite donc à prêcher le renoncement au monde et l'amour de la vraie vie. Il faut en tenir compte pour apprécier le ton de Quotvultdeus, si différent de celui d'Augustin.

B – PIERRE CHRYSOLOGUE

«Mourir déplaît toujours, vivre plaît toujours.»[26] Cette sentence, qui pourrait être d'Augustin, sert d'entrée en matière à Pierre Chrysologue dans un sermon sur la résurrection.[27] Elle donne le ton

---

[24] Voir *De tempore barbarico I*,vii (CCL 60, 433-435). Cf. *De Symbolo I*,vi (CCL 60, 322).

[25] Voir *Liber promissionum* IV,13.22 sur l'assimilation des Vandales et des Goths à Gog et Magog et les commentaires de R. Landes, «Lest the millenium be fulfilled : apocalyptic expectations and the pattern of Western chronography 100-800 AD», dans *The use and abuse of eschatology in the Middle Ages*, Leuven, 1988, p. 158 et P. Fredriksen, «Tyconius and the end of the world», *Revue des Etudes Augustiniennes* 28 (1982), p. 67-68.

[26] Pierre Chrysologue, Sermon 118,2 (CCL 24A, 714) : *mori non libet semper, uiuere semper delectat.*

[27] Sermon 118 (CCL 24A, 714-8) : voir *infra*.

d'une prédication sur la mort, où l'archevêque de Ravenne critique les arguments des philosophes sur le bienfait de la mort et explique que la crainte de la mort définit la condition même de l'homme.

1 – L'erreur des philosophes :
critique des traités *de bono mortis*

Pierre Chrysologue critique à plusieurs reprises la philosophie et les philosophes dans ses sermons.[28] Il n'a pas de mots assez durs pour cette «vaine science» aux «trésors vides» et qui n'a jamais pu avancer dans la recherche de la vérité.[29] Deux sermons retiennent toutefois l'attention, car Pierre Chrysologue y dépasse les railleries adressées aux philosophes pour dénoncer le recours aux traités sur le bienfait de la mort.

Un absurde paradoxe

Le premier sermon est un commentaire paulinien, où Pierre Chrysologue prêche sur la mort et la résurrection du Christ à l'occasion de la lecture de 1 Cor 15,1-3.[30] Dans un long prologue, Pierre prend des accents apologétiques pour défendre la foi en la résurrection.

Seule la pensée de la résurrection, explique-t-il, peut chasser celle de la mort, «qui assiège toujours nos sens avec ses terreurs et ses plaintes».[31] Et de décrire longuement la «guerre» que la mort mène contre les hommes :[32]

> La mort, mes frères, est maîtresse du désespoir, mère de l'incroyance, sœur de la corruption, parente avec l'Enfer, épouse du diable, reine de tous les maux...[33].

[28] Voir F. Lanzoni, «I sermoni di S. Pier Crisologo», *Rivista di scienze storiche* 7 (1910), p. 121-186, en particulier p. 180-1.

[29] Voir Pierre Chrysologue, Sermon 110,5 (CCL 24A, 677) : *Non... philosophus ab opinionibus eius spinosis et inanibus detumescat*; Sermon 156,9 (CCL 24B, 974) : *totius philosophiae thesauri uacuati sunt*; Sermon 5,5 (CCL 24, 38) : *Hoc norunt Epicurei, qui cum Platonicas et Aristotelicas percurrerent scholas, nullamque illic aut diuinitatis aut scientiae inuenirent disciplinam, Epicureo se tradunt, ultimo desperationis et uoluptatis auctore.*

[30] Sermon 118 : CCL 24A, 714-8. Lecture de 1 Cor 15,1-3 signalée au chap. 7 : voir F. Sottocornola, *L'anno liturgico nei sermoni di Pietro Crisologo*, Cesena, 1973, p. 107-8.

[31] Sermon 118,2 (CCL 24A, 714) : *Resonet ergo in ore nostro resurrectio semper, semper resurrectio ad nostrae mentis transmittatur auditum, ut mors, quae nostros semper obsidet sensus cum terrore suo, cum lamentis suis, a nostris sensibus effugetur.*

[32] Voir, dans le Sermon 118,6 (CCL 24A, 716), l'expression *mortis bella*.

[33] Sermon 118,3 (CCL 24A, 715) : *Mors est, fratres, disperationis domina, in-*

Pierre Chrysologue développe les premiers termes de son énumération en imaginant ce que la mort dit à l'homme pour le perdre. La «maîtresse du désespoir» pousse à s'abandonner aux plaisirs d'une vie qui doit finir.[34] La «mère de l'incroyance» insinue que la jouissance immédiate est plus sure que l'attente de biens futurs.[35] La «sœur de la corruption», enfin, terrorise l'homme en lui rappelant sans cesse que l'attendent la putréfaction et les vers.[36]

A la fin de cette description, Pierre Chrysologue demande pourquoi les chrétiens ne cèdent ni au désespoir, ni à l'incrédulité, quand tous les hommes sont soumis à la «guerre» menée par la mort.[37] C'est ici qu'il passe à l'attaque :

> Ils sont dans l'erreur, mes frères, ceux qui ont essayé d'écrire sur le bien de la mort. En quoi est-ce étonnant? Les sages de ce monde pensent qu'ils sont grands et illustres s'ils persuadent les simples que le plus grand mal est le plus grand bien.[38]

Mettre fin à la peur de la mort en présentant celle-ci comme un bien : tel est le paradoxe des philosophes ici critiqué. Pierre Chrysologue reprend là une critique très traditionnelle contre la philosophie païenne, école de vains paradoxes, balayés par la simplicité de la foi chrétienne.[39] De fait, Pierre n'oppose aux auteurs des traités sur le bienfait de la mort qu'une vérité : le Christ, qui a restitué le bien qu'est la vie et démasqué le mal qu'est la mort.[40]

---

credulitatis mater, germana corruptionis, inferni parens, diaboli coniux, omnium malorum regina...

[34] Sermon 118,3 (CCL 24A, 715) où Pierre Chrysologue prête ces mots à la *susurratrix desperatio* : *Homo, cur tua perdis tempora? Ecce domina mors uenit, animam tuam in nihilum redigens...*

[35] Sermon 118,4 (CCL 24A, 715) avec le même jeu : *Homo, te decipit fides; tu fidei credis, quae ut tollat praesentia, futura promittit.*

[36] Sermon 118,5 (CCL 24A, 715), où le sort du cadavre est décrit dans tous ses détails. Cf. Sermon 19,5 (CCL 24, 113-4) où ce sort est comparé à celui de l'âme abandonnée par Dieu.

[37] Sermon 118,6 (CCL 24A, 716) : *Quare non desperationi, quare non incredulitati crederent christiani? Haec sunt mortis bella : his ducibus, his consiliis, tali conflictu captiuat, uastat, interficit omnes quos natura praesentem perducit ad uitam.*

[38] Ibid. : *Errauere, fratres, qui de bono mortis scribere sunt conati. Et quid mirum? Tunc se mundi sapientes magnos aestimant et praeclaros, si id quod est summum malum, hoc esse summum bonum simplicibus persuaserint.*

[39] Voir G. Madec, *Saint Ambroise et la philosophie*, Paris, 1974, p. 214-236 et la bibliographie indiquée.

[40] Pierre Chrysologue, Sermon 118,6 (CCL 24A, 716) : *Sed haec, fratres, ueritas submouet, lex fugat, impugnat fides, apostolus notat, Christus delet, qui dum bonum uitae reddit, malum mortis prodit, damnat, excludit.*

C'est là une défense de la résurrection peu commune. Tout le discours de Pierre Chrysologue consiste à montrer que la pensée de la résurrection est la seule arme contre la mort, dans la mesure où celle-ci est un mal si radical que seul son contraire peut la détruire : la vie, don du Christ mort et ressuscité pour les hommes. Il ne cherche pas à donner des preuves de la résurrection, mais met en valeur la puissance de la consolation qu'elle apporte aux hommes. C'est pourquoi il fait de la mort un tableau si sombre.

Vaines consolations

Dans le second sermon, Pierre Chrysologue se place sur le même plan, en faisant une critique plus précise des topiques consolatoires de la philosophie. Ce sermon est un commentaire de Mt 10,28 : «Ne craignez pas ceux qui tuent le corps.»[41] Il appartient à un groupe de sermons à tonalité eschatologique, vraisemblablement prêchés à la fin de l'année.[42] Le contexte liturgique n'est donc pas indifférent au thème traité.

Pierre Chrysologue explique d'abord que le Christ s'adresse à ses amis : ceux qui imitent son mépris de la mort, ceux pour qui la mort est une libération et non une fin, ceux qui, parce qu'ils meurent pour la foi, trouvent dans la mort un gain.[43] Les paroles de Paul dans l'Epître aux Philippiens affleurent ici sous chaque mot.[44] Pourtant, Pierre Chrysologue se refuse à parler de la mort comme un bien :

> «Ne craignez pas ceux qui tuent le corps». Qu'ils entendent bien ceux qui fréquentent les vieux ouvrages des Anciens sur le bien de la mort, sans cependant y puiser du courage ou y trouver quelque consolation. En effet, même si avec toutes les ressources de l'éloquence ils ont armé les esprits pour supporter la mort, séché les larmes, arrêté les soupirs, refusé les pleurs, enfermé les souffrances, ils n'ont cependant rien trouvé pour donner à leurs lecteurs un espoir fondé en la vie éternelle et le salut.[45]

[41] Sermon 101 (CCL 24A, 620-6). Pierre Chrysologue, comme il le dit dans le premier paragraphe du sermon, commente la lecture de Luc 12,4-5 (=Mt 10,28).

[42] Voir F. Sottocornola, *op. cit.*, p. 290-1.

[43] Pierre Chrysologue, Sermon 101,3 (CCL 24A, 620-1) : *'Vobis autem dico', id est, non omnibus, sed 'amicis'. 'Vobis autem dico', quos mors absoluit ista, non finit. 'Vobis dico', quos corporis resolutio promouet ad melius, non transducit ad poenam. 'Vobis dico', quibus morte uita incohatur, non finitur. 'Vobis dico', quorum mors pretiosa fit non sui qualitate, sed causa, dum uitae magis lucra inuenit, quam uitae perdit usuram.*

[44] Relever *absoluere, resolutio, ad melius, lucra*, etc.

[45] Sermon 101,4 (CCL 24A, 621) : *'Ne terreamini ab his qui occidunt corpus'. Audiant qui de bono mortis ueterum uolumina uetusta detriuerunt, nihil tamen*

L'éloquence des philosophes est vaine devant la mort. Ils parviennent à la faire accepter avec résolution, reconnaît Chrysologue, mais il ne voit pas là un grand mérite. Il dresse alors un catalogue de leurs arguments :

> Mourir est imposé par la nature; disparaître est nécessaire. Nos pères ont vécu pour nous, nous vivons pour nos fils, personne ne vit pour soi. Vouloir ce qu'on ne peut pas ne pas vouloir est une vertu. Accepte volontairement ce à quoi tu es contraint malgré toi. La mort n'est rien avant de venir; quand elle est venue, on ne le sait plus. Ne souffre pas à l'idée d'une perte : quand elle se sera produite, tu ne souffriras plus.[46]

Dans cette liste de lieux communs trois rubriques apparaissent : la mort est universelle; il faut accepter ce à quoi on ne peut pas échapper; la mort n'est rien. Il n'est pas possible de rattacher ces motifs à une école philosophique ou à une autre tant ils sont rebattus dans la littérature de consolation.[47] Leur énumération sous forme de sentences bien frappées n'est pas innocente :

> Mais de telles paroles ne sont que des maximes, sans rapport avec la vie, car ils ignorent d'où et quand, comment et par qui la mort est venue pour toi. A nous en revanche l'auteur de la vie révèle l'auteur de la mort : Dieu a fait la vie, le complot du diable la mort, comme le révèle la parole divine : «Dieu n'a pas fait la mort (Sap 1,13), mais par la jalousie du diable la mort est entrée dans le monde (Sap 2,24).»[48]

La philosophie est vaine devant les questions existentielles (*de vita*) que se pose l'homme. Elle ne peut produire que de belles maximes, auxquelles Pierre Chrysologue n'oppose qu'une vérité : la mort est l'œuvre du diable. En tant que telle, elle ne peut être qu'un mal qu'il est vain de vouloir faire passer pour un bien. Non seulement Pierre

---

inde aliquid capere uirtutis aut consolationis aliquid inuenire ualuerunt : quia si totis eloquentiae uiribus ad tolerantiam mortis armarunt animos, siccarunt lacrimas, suspiria sustulerunt, negauerunt gemitus, incluserunt dolores, nihil tamen aut de spe certa, aut de perpetua uita, aut de salute suis lectoribus conquisierunt.

[46] *Ibid.* : *Mori naturae est, necesse est deperire. Nobis uixerunt ueteres, uiuimus nos futuris, nemo sibi. Quod non potes nolle, est uelle uirtutis. Suscipe uoluntarius, ad quod urgueris inuitus. Mors, antequam ueniat, non est; cum autem uenerit, uenisse nescitur. Ne ergo amisisse te doleas, quod cum amiseris non dolebis.*

[47] Ces thèmes font en effet partie des catalogues dressés par A. Oltramare, *La diatribe romaine*, Paris, 1926. F. Lanzoni, *art. cit.*, y voit une allusion aux *Tusculanes*. Notons que la plupart de ces thèmes sont aussi présents dans la consolation chrétienne : voir en dernier lieu L.F. Pizzolato, «La consolatio cristiana per la morte nel sec. IV», *Civiltà Classica et Cristiana* 6 (1985), p. 441-74.

[48] Sermon 101,4 (CCL 24A, 621-2) : *Sed haec talia cum dixerint, dicunt totum de sententia, non de uita; quia unde et quando et quomodo tibi et per quem mors uenerit, nescierunt. Nobis autem uitae auctor prodidit mortis auctorem. Deus namque uitam fecit, diabolus machinatus est mortem, diuino eloquio sic prodente : «Deus mortem non fecit, inuidia autem diaboli mors introiuit in orbem terrarum».*

s'y refuse, mais il consacre la suite du sermon à expliquer 'pourquoi Dieu a laissé le diable faire entrer la mort dans le monde.[49]

C'est une leçon d'humilité pour l'homme, entouré par une création tout entière destinée à périr. Chrysologue décrit en effet longuement comment le ciel, la mer et les autres éléments sont périssables, car, dit-il, on ne comprend qu'une chose a été fabriquée que lorsqu'on voit qu'elle est réparée.[50] L'homme, étant mortel, prend donc conscience d'avoir été créé et peut rendre grâce au Dieu qui le fera ressusciter.[51] L'orgueil qui fait tomber l'homme dans les filets du diable trouve dans la mort une leçon d'humilité salutaire.

Le refus de tout discours sur le bien de la mort n'est donc pas seulement négatif. En acceptant la mort pour ce qu'elle est, à savoir un châtiment et donc un mal, l'homme dépasse les vaines consolations philosophiques pour comprendre le rôle de la mort dans l'économie du salut.

Ces deux sermons ont aussi l'intérêt de nous renseigner un peu sur le public devant lequel prêche Pierre Chrysologue. L'attaque des philosophes n'est pas en effet dirigée contre des païens. La répétition de *christianus* dans le premier sermon, où le mot sonne comme un rappel de ce qu'est un vrai chrétien,[52] et l'allusion aux lecteurs des traités des Anciens dans le second sermon,[53] ne laissent aucun doute. Chrysologue adresse ses critiques à l'intention de chrétiens qui puisent dans leur culture classique les éléments d'une méditation sur la mort.

Le fait n'a rien de surprenant.[54] Les citations du livre premier des *Tusculanes* de Cicéron ou des consolations de Sénèque sont monnaies courantes dans la littérature chrétienne.[55] Il existe aussi des recueils de maximes philosophiques à peine christianisées, comme les *Sentences de Sextus* ou les recueils du Pseudo-Sénèque, qui reprennent les thèmes fixés par la diatribe.[56] La présence, dans

---

[49] S 101,5 (CCL 24A, 622) : *Sed dicis : quare deus opere diaboli opus suum passus est deperire?*

[50] Sermon 101,8 (CCL 24A, 625) : *Necesse est ergo solui cuncta, nouari omnia, ut uel tunc facta credas, cum uideris esse reparata.* Pierre Chrysologue se défend à deux reprises de faire une digression inutile en décrivant comment la création tout entière est périssable (c. 7 et 8).

[51] Sermon 101,8 (CCL 24A, 625) : *Propterea deus per naturam redigit te, permisit ex nihilo in puluerem reuocari, ut quid fueris, sic uideas, et resurrecturus agas gratias, qui factus, qui erectus, ingratissimus extitisti.*

[52] Voir Sermon 118,1 et 6 *supra* n. 37.

[53] Voir Sermon 101,4 *supra* n. 45.

[54] Voir les remarques sur le stoïcisme latent, *supra* p. 89-92.

[55] Voir L.F. Pizzolato, *art. cit., passim.*

[56] Pour les *Sentences de Sextus*, traduites par Rufin, voir H. Chadwick, *The Sentences of Sextus. A Contribution to the History of Early Christian Ethic,*

l'auditoire de Chrysologue, des membres de l'aristocratie de cour qui s'est développée à Ravenne depuis qu'elle est capitale impériale,[57] donne à la critique d'une telle culture toute sa pertinence.

Il faudra, en revanche, se demander en conclusion pourquoi Pierre Chrysologue rejette cette culture, alors qu'Ambroise, confronté à des aspirations culturelles très proches, tente plutôt de les satisfaire.[58]

2 – CRAINTE DE LA MORT ET CONDITION HUMAINE

La critique d'un discours sur les bienfaits de la mort trop marqué par la philosophie païenne est accompagnée d'une prédication plus positive sur la crainte de la mort.

Le recul de Pierre (Jean 21,18)

Il semble que Pierre Chrysologue ait connu l'utilisation que faisait Augustin de Jn 21,18 où le Christ annonce à Pierre qu'il va subir le martyre.[59] Dans le sermon 110, en effet, il cite ce verset pour montrer que l'homme peut tout au plus accepter la nécessité de mourir.[60]

Pierre Chrysologue commente Rom 5,6-8 : «N'est-ce pas en effet quand nous étions encore faibles qu'au temps fixé le Christ est mort pour les impies? A peine en effet voudrait-on mourir pour un juste; oui, peut-être oserait-on mourir pour un homme de bien. Or Dieu manifeste son amour pour nous, puisque le Christ est mort pour nous alors que nous étions encore pécheurs.»[61] Le sacrifice du Christ est tel que l'homme ne peut rien lui donner en échange, même pas sa vie :

> Disons avec le psalmiste : «Que donnerai-je en échange au Seigneur pour tout ce qu'il m'a donné? Je recevrai la coupe du salut» (Ps 115,12-13). C'est-à-dire, à mon tour je mourrai pour lui. En quoi se-

---

Cambridge, 1959. Deux recueils de maximes attribuées à Sénèque circulaient à l'époque chrétienne : le *De moribus liber* et le *De remediis fortuitorum liber* (éd. F. Haase, *Senecae Opera*, t. 3, Leipzig, 1886). Toute la première section du *De remediis* est consacrée à la mort.

[57] Sur l'aristocratie de cour à Ravenne, voir Ch. Pietri, «Les aristocraties de Ravenne», *Studi Romagnoli* 34 (1983), p. 643-673.

[58] Voir J. Matthews, *Western Aristocracies and Imperial Court AD 364-425*, Oxford, 1975, p. 183-222, qui note en particulier : «In exploiting the philosophy of Plotinus for his sermons, Ambrose may well have been trying to live up to the learned tastes of some members of his congregation.» (p. 216).

[59] Voir *supra* p. 55-58.

[60] Pierre Chrysologue, Sermon 110 (CCL 24A, 676-679). Sur sa place dans le «corpus paulinien», voir F. Sottocornola, *op. cit.*, p. 104-108.

[61] Sermon 110,7 (CCL 24A, 678).

rait-ce comparable? Lui est mort de lui-même pour l'impie et le pécheur, moi je meurs avec peine pour un juste et un homme de bien.[62]

Chrysologue paraphrase Rom 5,7 pour souligner la différence entre le sacrifice du Christ mort pour des pécheurs, et celui que l'homme ferait de sa vie pour le Christ. Le *vix* employé par Paul reçoit une attention particulière :

> A peine, parce que ce n'est pas tant la volonté que la nécessité qui me conduit, moi, à la mort. Ecoute ce qu'il dit à Pierre : «Lorsque tu seras vieux, un autre te ceindra et te conduira où tu ne veux pas aller». Dans l'adversité, mes frères, la nécessité ne peut pas se comparer à la volonté.[63]

Dans le commentaire, «à peine» ne porte pas sur la qualité de la personne à qui est sacrifiée la vie, comme dans le verset paulinien, mais exprime la réticence de tout homme à mourir. Comme Augustin, l'évêque de Ravenne cite les paroles où le Christ annonce le recul de Pierre devant la mort.[64] L'homme, laisse-t-il entendre, n'affronte jamais la mort de son plein gré : même le martyre de Pierre obéit à la nécessité plutôt qu'il n'est un choix volontaire.

Necessitas / voluntas

Pierre Chrysologue revient plusieurs fois sur l'opposition de la nécessité et de la volonté à propos de la mort du Christ. Dans le prologue d'un sermon de Carême,[65] Chrysologue compare le silence du Christ conduit à la Passion à celui de l'agneau qui va être tondu, selon Is 53,7 où la Passion est ainsi préfigurée.

---

[62] Sermon 110,7 (CCL 24A, 679) : *Dicamus ergo cum propheta : 'Quid retribuam domino pro omnibus quae retribuit mihi? Calicem salutaris accipiam.' Hoc est, ego moriar pro illo. Et quid simile? Ille sponte pro impio et peccatore, ego uix pro iusto et bono.*

[63] *Ibid.* : *Ego uix, quia me ad mortem non tam uoluntas quam necessitas ducit. Audi ipsum dicentem ad Petrum : «Cum autem senueris, praecinget te alius, et ducet quo tu non uis.» In aduersis, fratres, necessitas uoluntati non potest comparari.*

[64] Il est difficile d'établir toutefois une stricte dépendance de Pierre Chrysologue vis-à-vis d'Augustin. Dans le seul autre sermon où Jn 21,18 est commenté, Pierre ajoute un commentaire absent chez Augustin : *Petrum dominus, ut iret ad martyrium quo nolebat, auxilii sui uirtute praecinxit dicens : «Praecinget te alius, et deducet te quo non uis.»* (Sermon 10,5 : CCL 24, 70-71). Le texte n'a pas de rapport toutefois avec la mort : il s'agit d'un commentaire du Ps 28, 1 : *Afferte domino filios arietum* à propos du baptême, auquel Pierre invite ses ouailles à conduire même les récalcitrants.

[65] Pierre Chrysologue, Sermon 23 (CCL 24, 134-138). Voir F. Sottocornola, *op. cit.*, p. 70, pour le contexte liturgique.

Qui se tait souffre volontairement, celui qui crie est tondu malgré lui. Il ne peut pas émettre de plainte sur la mort, Lui qui a daigné embrasser la mort sans y être contraint. C'est une marque de puissance que de vouloir mourir pour les autres; être conduit à la mort sans le vouloir est la marque de la dernière nécessité. Dans un cas, en effet, cela vient du mépris de la mort, dans l'autre de la condition naturelle.[66]

Le Christ va à la mort en silence, c'est-à-dire sans plainte, car il a choisi délibérément de mourir. Il n'obéit pas, comme l'homme, à la nécessité de sa condition. Seul le Christ méprise donc la mort : quand la mort est imposée, il n'est question que de nécessité.[67]

Le même commentaire se retrouve dans un sermon sur l'annonce que le Christ fait de sa Passion à ses disciples.[68] Pierre Chrysologue voit dans cette annonce le signe même de la puissance (*potestas*) du Christ. «Qui a pu prédire le futur aurait pu aussi prendre ses précautions», énonce en effet le prédicateur.[69] Et de louer la puissance du Christ qui meurt volontairement, selon les mots de Jn 10,18 : «J'ai la puissance de donner ma vie et de la reprendre à nouveau.»[70] Dans la suite, à propos de l'annonce de la résurrection, Pierre ajoute cette formule conclusive : «Ne pas vouloir mourir relève d'une crainte humaine, mourir et ressusciter est la marque de la divinité seule.»[71]

Tous les commentateurs sont d'accord pour dire que l'archevêque de Ravenne a tendance à privilégier la divinité du Christ aux dépens de son humanité.[72] Son «orthodoxie» en matière de christologie a été attaquée et réhabilitée, sans que toutes les difficultés

---

[66] Sermon 23,1 (CCL 24, 135) : *Qui tacet, uolens patitur; clamat, qui laniatur inuitus; nec potest de morte conqueri, qui mortem dignatus, non coactus adsumit. Potestatis insigne est, cum pro multis uolens quis moritur; nolens cum ducitur, est necessitatis extremae; quia uenit de contemptu mortis alterum, alterum de conditione naturae.*

[67] Or la différence entre une mort acceptée et une mort volontaire est grande, voir Sermon 110,7 (CCL 24A, 679) : *Adquiescere necessitatis est, uelle uirtutis. Volenti mors ipsa subiecta est, quia semper dominata est mors nolenti.*

[68] Sermon 72bis (CCL 24A,435-439), commentaire de Mc 10,33-4 en temps de Carême, selon F. Sottocornola, *op. cit.*, p. 132-6.

[69] Sermon 72bis,1 (CCL 24A, 435) : *Qui futura praedicare potuit, potuit et cauere.*

[70] Voir *ibid.* : *Ergo cum uolens moritur, non casus est, sed potestas. 'Potestatem habeo, inquit, ponendi animam meam, et potestatem habeo, inquit, sumendi eam; nemo tollit eam a me.' Ubi animam ponendi potestas est et sumendi, ibi moriendi non est necessitas, sed uoluntas.*

[71] Sermon 72bis,4 (CCL 24A, 438) : *Nolle mori est timoris humani; mori et resurgere est solius deitatis insigne.* Cf. dans un commentaire du Symbole, Sermon 61,6 (CCL 24, 343) : *Mori nolle est timoris humani; diuinae uirtutis est surrexisse de morte.*

[72] Voir C. Jenkins, «Aspects of the Theology of St. Peter Chrysologus», *The Church Quarterly Review* 103 (1927), p. 233-259, plus spécialement p. 244-251 et

aient pu être résolues.[73] Il faut se garder toutefois d'extraire les for-
mules christologiques de leur contexte pastoral. Or nombre de sermons dénoncent les attaques ariennes contre la divinité du Christ.[74]
Y a-t-il là le reflet des inquiétudes suscitées par les invasions vandales chez un pasteur qui ne pouvait qu'être bien informé des persécutions menées par les ariens en Afrique?[75] Selon Agnellus, auteur
au IXe siècle d'un *Liber Pontificalis* de Ravenne, Pierre Chrysologue
est mort en recommandant à son clergé de se garder des erreurs
ariennes.[76]

Mors amara

La distance, que Pierre Chrysologue maintient, contre toute attaque, entre le Christ et la nature humaine qu'il a assumée, n'a pas
pour corrolaire, contrairement à ce que nous avons vu chez certains
Pères du IVe siècle,[77] une critique de la faiblesse humaine.

Le commentaire des larmes du Christ sur la mort de Lazare est
particulièrement révélateur.[78] Pierre Chrysologue commence par expliquer le sens des larmes versées par Marie. Elle pleure non seulement à cause de la séparation, fût-elle de courte durée, qui lui est
imposée par la mort de son frère Lazare,[79] mais aussi :

> parce que l'image de la mort, si féroce, si fatale, si cruelle, ne peut que
> toucher et émouvoir une âme, si croyante soit-elle.[80]

R.H. McGlynn, *The Incarnation in the Sermons of Saint Peter Chrysologus*, Mundelein, 1956, p. 22, sur la célébration de la Majesté du Christ pour la Nativité.

[73] R.H. McGlynn tente de réhabiliter la christologie de Pierre Chrysologue
contre les attaques protestantes de C. Jenkins, mais reconnaît l'existence de «passages difficiles» (p. 88-91). Voir A. Grillmeier, *Le Christ dans la tradition chrétienne. De l'âge apostolique à Chalcédoine (451)*, Paris, 1973, p. 529, n. 30 et en
dernier lieu : A. Olivar, «Sobre la cristologia de san Pedro Crisologo», dans *Bessarione*, Rome, 1985, p. 95-106.

[74] En particulier, le sermon 23,2 (CCL 24, 136) : *Veniant huc, ueniant qui dis-
cutiunt potestatem eius, et tunc de eius aequitate contendant*, où cette attaque suit
le passage analysé *supra* p. 105 et n. 66. Cf. Sermons 24,3; 60,4; 88,5 et les remarques de F. Lanzoni, *art. cit.*, p. 182-183.

[75] Bien informé par ses contacts avec la cour, mais aussi par les ecclésias-
tiques persécutés et les divers réfugiés. Sur les réfugiés et les persécutions des catholiques par les Vandales ariens, voir E. Stein, *Histoire du Bas-Empire*, t. 1, Paris, 1959, p. 327-8 et Ch. Courtois, *Les Vandales et l'Afrique*, Paris, 1955, p. 275-
324.

[76] Cité par F. Lanzoni, *art. cit.*, p. 183.

[77] Voir *supra* p. 75-78.

[78] Pierre Chrysologue, Sermon 64 (CCL 24A, 379-383), prêché pendant Carême. Voir F. Sottocornola, *op. cit.*, p. 78-81.

[79] Sermon 64,3 (CCL 24A, 381) : *Esto quod Maria soror fleret, quia nec fratrem
retinere potuit, nec morti potuit obuiare.*

[80] *Ibid.* : *quia tam trux, tam funerea, tam crudelissima imago mortis, quamuis
fidelem, mentem non potuit non tangere, non mouere.*

Pierre Chrysologue souligne explicitement qu'il n'y a pas de contradiction entre la foi de Marie et ses larmes.[81] Marie croit en la résurrection de son frère Lazare, mais la mort suscite une émotion qui l'emporte sur l'espérance.

Les juifs, qui n'attendent pas la résurrection, ne peuvent que pleurer sur leur condition mortelle.[82] Mais peu de place est faite à cette raison plus spécifique dans le commentaire de Pierre Chrysologue. C'est à nouveau le traumatisme causé par la mort qui est invoqué pour expliquer leurs larmes :

> Alors que la mort est déjà amère pour les vivants, alors qu'elle trouble déjà à cause du décès lui- même, elle bouleverse plus encore à cause de l'exemple. Chaque fois que l'on voit mourir quelqu'un, chaque fois on pleure de se savoir promis à la mort. Ainsi un mortel ne peut pas ne pas souffrir à l'idée de la mort.[83]

La mort de l'autre est un rappel de la mort qui attend tout homme : à la douleur de perdre un être cher s'ajoute la douleur de se savoir mortel. L'horreur de la mort s'impose vraiment comme une caractéristique de la condition humaine.

Quant au Christ, ses larmes sont des larmes de joie, à l'idée de faire ressusciter les hommes,[84] et si son «esprit se troubla» (Jn 11,33) c'est «parce qu'à présent il ne faisait ressusciter que le seul Lazare et non encore tous les mortels.»[85] Nulle condamnation des larmes humaines n'accompagne toutefois une exégèse, qui, une fois de plus, souligne la divinité du Christ. Si la crainte et l'horreur de la mort font partie de la condition mortelle, comment seraient-elles condamnables?

La digression que fait Pierre Chrysologue dans un commentaire de la guérison de la fille de Jaïre confirme les analyses précédentes.[86] Pierre Chrysologue consacre en effet le prologue de ce sermon à l'affection et à l'amour que les parents ont pour leurs enfants.[87] Il ne

---

[81] Le *quamuis fidelem* est complété par *licet esset de resurrectione secura* (*ibid.*).

[82] Sermon 64,3 (CCL 24A, 381) : *Flebant Iudaei et conditionis suae memores et futurae uitae disperatione possessi.*

[83] *Ibid.* (CCL 24A, 381-382) : *Mors cum satis uiuentibus sit amara, satis turbet ipso exitu, plus conturbat exemplo. Mortuum quotiens quis uiderit, totiens se morti eiulat destinatum. Sic de morte non potest non dolere mortalis.*

[84] *Ibid.* : *Hinc est quod Christus non dolore mortis, sed illius laetitiae recordatione lacrimauit, qua uoce sua, uoce una, omnes est mortuos perpetuam suscitaturus ad uitam.*

[85] *Ibid.* : *'Fremuit spiritum', et tota se uiscerum commotione conturbat, quia adhuc solum Lazarum et non iam omnes mortuos suscitabat.*

[86] Sermon 33 (CCL 24, 186-190), voir F. Sottocornola, *op. cit.*, p. 72-3.

[87] Sermon 33,2 (CCL 24, 186) : *Antequam sermo euangelici sensus aperiat sa-*

trouve de meilleur exemple que la douleur d'un père assistant aux derniers instants de sa fille :

> Toute la maison réunie autour d'elle, au milieu du deuil tendre et doux de ses proches, la fille repose sur un lit confortable, tandis que son père git, prostré, penché sur une terre sèche de larmes. Son corps à elle défaille; lui se consume cœur et âme.[88]

L'idée de ce tableau vivant est inspirée par l'histoire de la fille de Jaïre, qui est mourante quand son père vient trouver Jésus. Mais le récit évangélique ne contient aucun élément descriptif. Pierre Chrysologue saisit en fait l'occasion d'adresser une leçon de morale aux enfants ingrats.[89]

Le choix d'un tel motif montre que Pierre Chrysologue ne voit rien de condamnable dans la douleur ressentie devant la mort d'un enfant. Il fait même écho à une des plaintes les plus fréquentes des épitaphes : «Pire est le jour de la mort quand les enfants précèdent les parents.»[90] Dans la mesure où l'horreur de la mort pèse sur la condition humaine, elle peut s'exprimer dans le deuil ou dans la peur de mourir sans entrer en contradiction avec la foi.

* * *

Pierre Chrysologue emprunte des voies diférentes de celles d'Augustin pour prêcher sur la mort. L'amour de la vie et l'attachement au corps trouvent en effet peu de place dans sa prédication. De même, l'attitude du Christ face à la mort n'est pas présentée comme une source de consolation pour le chrétien.[91] Mais les deux prédicateurs ont en commun de voir dans la crainte de la mort un élément constitutif de la condition humaine. Chez Pierre Chrysologue, la mort est toujours si étroitement associée au mal que la craindre est naturel. Le mépris de la mort est donc le fait du Christ seul, car sa nature divine l'élève si au-dessus des hommes que son attitude ne saurait être un exemple à imiter.

La critique des lieux communs de la consolation philosophique

---

cramentum, libet in hoc loco paululum parentum prodere passiones, quas sumunt et perferunt de affectibus et amore filiorum.

[88] *Ibid.* : *Circumstante familia inter tenera et blanda obsequia propinquorum molli filia decumbit in lectulo, pater pronus sicca iacet et uersatur in terra : illa deficit corpore, hic mente et animo contabescit…*

[89] Voir *ibid.* : *Cur tanta filii nesciunt, cur ista non sentiunt, cur uicem parentibus reddere non desudant?*

[90] *Ibid.* (CCL 24, 187) : *Peior dies mortis, cum pignora praecedunt.*

[91] Sa collection de sermons ne contient pas de sermons *De passione domini*, si bien que nous ignorons quand était lu le récit de la Passion dans la liturgie de Ravenne. Voir F. Sottocornola, *op. cit.*, p. 132-6.

est donc accompagnée d'une condamnation implicite de l'idéal de sagesse qui les sous-tend. La faiblesse de l'homme devant la mort de soi ou de l'autre est une donnée anthropologique et ne présente par conséquent, aux yeux de Pierre Chrysologue, aucune contradiction avec la foi chrétienne.

C – LÉON LE GRAND

Les sermons de Léon le Grand sont des sermons liturgiques,[92] prononcés pour les grandes fêtes du calendrier chrétien : Carême, Pâques, Noël, etc. Léon y commente les lectures prescrites et explique le sens de la cérémonie célébrée. La nature de cette prédication fait qu'il ne faut pas s'attendre à trouver dans les sermons de Léon des développements pastoraux semblables à ceux qu'offrent les sermons d'Augustin.

1 – LA TRISTESSE DU CHRIST (Mt 26, 38-39)

Un premier groupe de sermons doit néanmoins retenir notre attention, car Léon y commente l'agonie du Christ. La prière de Jésus au jardin des Oliviers est en effet lue lors du dimanche, dit de la Passion, le dimanche des Rameaux de la liturgie catholique actuelle.[93] Il s'agit du dernier dimanche avant Pâques, qui marque le début du cycle pascal romain et donc celui des lectures du récit de la Passion. L'explication commencée le dimanche était poursuivie le mercredi suivant : la scène du jardin des Oliviers et l'arrestation du Christ étaient commentées le dimanche, la crucifixion le mercredi.[94]

La liturgie n'explique pas seule l'intérêt de Léon pour cette scène de l'agonie. Comme l'écrit en effet René Dolle, « Pour ce défenseur inlassable du dogme des deux natures du Christ en l'unique personne du Verbe, la passion du Seigneur, manifestation de faiblesse humaine et de force divine, est un sujet d'élection. »[95] Il faut rappeler

---

[92] Voir les remarques d'A. Olivar, *op. cit.*, p. 511-4 sur les principes d'une classification des sermons.

[93] Voir A. Chavasse, « La préparation de Pâques à Rome avant le Ve siècle, jeûne et organisation liturgique », dans *Mémorial J. Chaîne*, Lyon, 1950, p. 61-80. Cf. *L'Eglise en prière*, t. IV, Paris, 1983, p. 83.

[94] Voir par exemple Sermons 52(39),5 et 53(40),1. Pour la référence aux sermons de Léon, le premier numéro est celui de l'édition A. Chavasse (CCL); entre parenthèses, j'indique celui de l'édition R. Dolle (SC).

[95] R. Dolle, introduction à Léon le Grand, *Sermons*, t. 3, SC 74bis, Paris, 1976, p. 11.

en effet que Léon le Grand a dû intervenir à plusieurs reprises dans les querelles christologiques de son temps.[96] Il défend l'orthodoxie à la fois contre Nestorius, qui, en contestant le titre traditionel de «Mère de Dieu» à la Vierge, tend à voir dans le Christ deux personnes, et contre Eutychès, qui, lui, nie la nature humaine du Christ.[97] Léon I a joué aussi un rôle important à la fois dans la définition et dans la défense de la formule christologique du Concile de Chalcédoine.[98]

Or Léon I accorde une place importante aux développements doctrinaux dans ses sermons, n'hésitant pas à expliquer le pourquoi d'une formulation. Comme le suggère A. Olivar, le pape trouvait un public réceptif ou du moins savait le rendre tel.[99] De fait, la christologie n'est pas qu'affaire de dogme : elle peut recouvrir des enjeux pastoraux, comme le montre de façon privilégiée la question de la crainte exprimée par le Christ à l'approche de la mort.

Commercium salutare

Le sermon 54, où Léon s'attache à expliquer le bénéfice que les fidèles peuvent attendre de l'humiliation du Christ, montre en effet combien la christologie est liée à une sotériologie.[100]

Léon explique en commençant, comme il le fait souvent, que les deux natures du Christ se manifestent par des actions différentes, mais sans que leur union dans une même personne ne soit brisée.[101] Il faut y être particulièrement attentif dans le récit de la Passion, rappelle-t-il, car le Christ connaît son abaissement suprême dans le temps même où il assure le salut de l'humanité.[102]

---

[96] Sur l'action pontificale de Léon, voir T. Jalland, *The Life and Times of St. Leo the Great*, Londres, 1941.

[97] Voir A. Grillmeier, *Le Christ dans la tradition chrétienne*, t. 1, trad. franç., Paris, 1973, p. 534-546 pour la christologie de Léon avant Chalcédoine, et plus spécialement p. 537 et note 41 sur l'interprétation des erreurs de Nestorius et Eutychès.

[98] Voir A. Grillmeier, *Le Christ dans la tradition chrétienne*, t. 2/1, trad. franç., Paris, 1990, p. 219-241.

[99] A. Olivar, *op. cit.*, p. 312.

[100] Sur cet aspect de la christologie de Léon, voir A. Grillmeier, *op. cit.*, t.2/1, p. 224 et H. Arens, *Die christologische Sprache Leos des Grossen. Analyses des Tomus an den Patriarchen Flavian*, Fribourg, 1982, p. 25-36 sur les sermons.

[101] Léon, Sermon 54(41),1 (CCL 138A, 317-8) : *In omnibus igitur, dilectissimi, quae ad Domini nostri Iesu Christi pertinent passionem, hoc catholica fides tradit, hoc exigit, ut in redemptorem nostrum duas nouerimus conuenisse naturas. (...) Exprimit quidem sub distinctis actionibus ueritatem suam utraque natura, sed neutra ab se alterius connexione disiungit. Nihil ibi ab inuicem uacat, tota est in maiestate humilitas, tota in humilitate maiestas.* Cf. Sermons 56(43),1; 62(49),2; etc. Tout le sermon 64(51) est consacré à ce sujet.

[102] Sermon 54(41),2-3. Cf. *ibid.*, 1 (CCL 138A, 316) : *Inter omnia, dilectissimi,*

La prière du jardin des Oliviers, dont Léon ne retient ici que la première partie où le Christ exprime sa tristesse, est expliquée dans cette perspective.

> Ces paroles révélaient une certaine crainte : en partageant les sentiments de notre faiblesse, il les guérissait; en s'exposant à la crainte du châtiment à subir, il la chassait. C'est donc en nous et de notre frayeur que le Seigneur tremblait, en sorte qu'il se chargeait de notre faiblesse pour la revêtir et qu'il habillait notre manque de courage avec la fermeté de sa propre force.[103]

Léon ne cherche pas à nier le lien entre la tristesse du Christ et l'imminence de sa mort. Il y a deux causes à cette crainte : la faiblesse qui lie l'homme à la vie, la menace des châtiments. Le Christ éprouve les sentiments de l'homme dont il a assumé la condition, mais en les transformant. L'image vestimentaire de Léon est plus explicite que le verbe *transfigurare* dont se sert Augustin. L'homme dans le Christ prend la faiblesse humaine, mais Dieu en lui l'habille de sa force.

Cet échange se fait de plus au bénéfice des hommes. Léon parle, à la suite d'Augustin, d'un «marché salutaire», dans lequel le Christ n'a assumé les faiblesses de l'homme que pour lui donner en échange ce qui relève de sa puissance.[104] Pour illustrer ce second point, Léon évoque par allusions le reniement de Pierre, suivant l'Évangile de Luc qui seul place cet épisode avant la comparution du Christ devant le Sanhédrin.[105] Léon veut montrer en Pierre le premier bénéficiaire de l'échange salutaire opéré par le Christ. Après avoir cédé à la faiblesse, explique Léon, Pierre est revenu à lui : il a croisé le regard du Christ (Lc 22,61) et compris pourquoi celui-ci s'est abaissé.[106] Ce regard est traduit par les paroles suivantes :

opera misericordiae Dei quae ab initio saluti sunt impensa mortalium, nihil est mirabilius, nihilque sublimius, quam quod pro mundo crucifixus est.
[103] Sermon 54(41),4 (CCL 138A, 320) : *Quibus uerbis quamdam formidinem profitentibus, nostrae infirmitatis affectus participando curabat, et poenalis experientiae metum subeundo pellebat. In nobis ergo Dominus nostro pauore trepidabat, ut susceptionem nostrae infirmitatis indueret, et nostram inconstantiam suae uirtutis soliditate uestiret.*
[104] *Ibid.* : *Venerat enim in hunc mundum diues et misericors negotiator e caelis, et commutatione mirabili inierat salutare commercium, nostra accipiens et sua tribuens…* L'image du *salutare commercium* est empruntée par Léon à Augustin, En in Ps 30,ii,3. Voir B. Studer, «Die Einflüsse der Exegese Augustins auf die Predigten Leos des Grossen», dans *Forma Futuri. Studi in onore del Cardinale M. Pellegrino*, Turin, 1975, p. 915-930 et «Una Persona in Christo. Ein augustinisches Thema bei Leon dem Grossen», *Augustiniamum* 25 (1985), p. 453-487, sur la prédication p. 462-466.
[105] Intercaler ici cet épisode est d'autant plus révélateur que Léon commente pourtant dans ce sermon le récit de la Passion selon Matthieu.
[106] Léon, Sermon 54(41),5.

Pourquoi crains-tu ce que toi-même tu surmonteras aussi ? Que la faiblesse que j'ai prise ne te déconcerte pas. Moi, j'ai tremblé en raison
de ce que je tiens de toi ; toi, sois sans crainte en raison de ce que tu
tiens de moi.[107]

Voir le Christ humilié, le voir éprouver les faiblesses humaines, doit
être source d'assurance et non d'inquiétude. Le Christ transforme ce
qu'il prend de l'homme. Sa tristesse face à la mort est en quelque
sorte une preuve de la réalité de l'échange. C'est pourquoi Pierre ne
doit éprouver aucune crainte : le Christ lui donne sa propre force
quand il assume la faiblesse qui est la sienne.

Dans ce sermon, Léon tente donc d'expliquer tout le bénéfice de
l'Incarnation, bénéfice qui n'est jamais plus manifeste que lors de la
Passion. Ce bénéfice, les fidèles peuvent l'éprouver, comme Pierre
l'éprouva : dans les moments de faiblesse, le chrétien doit penser
que le Christ a transformé en puissance l'infirmité humaine qu'il a
assumée.

Si possibile est

Dans le sermon 56, Léon commente les deux temps de la prière
du Christ : «Père, s'il est possible que cette coupe passe loin de moi.
Cependant non pas comme je veux, mais comme tu veux» (Mt
26,39). Il y voit une manifestation de la distinction entre les deux natures du Christ et une leçon pour les fidèles.

La première demande vient de sa faiblesse, la seconde de sa force : il
formula ce souhait selon la condition qui est la nôtre, il fit ce choix
selon la condition qui lui est propre.[108]

Faiblesse et force s'opposent comme ce qui relève de l'homme et ce
qui relève de Dieu. Mais Léon ajoute aussitôt que le Christ n'éprouve
pas un «conflit de sentiments contraires» :[109] ce serait une mauvaise
interprétation de l'union des deux natures en une personne.

Mais, afin que la distinction entre la nature assumée et la nature qui
assumait fût manifeste, ce qui relevait de l'homme fit appel à la puissance divine, ce qui relevait de Dieu porta son attention sur la cause
humaine.[110]

---

[107] *Ibid.* (CCL 138A, 321) : *Quid metuis, quod etiam ipse superabis? Non te
confundat infirmitas quam recepi. Ego de tuo fui trepidus, tu de meo esto securus.*
[108] Léon, Sermon 56(43),2 (CCL 138A, 330) : *Prima petitio infirmitatis est, secunda uirtutis, illud optauit ex nostro, hoc elegit ex proprio.*
[109] *Ibid.* : *...nec enim aequalis Patri Filius omnia esse Deo possibilia nesciebat,
aut ad suscipiendam crucem sine sua in hunc mundum uoluntate descenderat, ut
hanc diuersarum affectionum compugnantiam perturbata quodammodo ratione
pateretur.*
[110] *Ibid.* : *Sed ut suscipientis susceptaeque naturae esset manifesta distinctio,*

Pour expliquer les manifestations distinctes des deux natures dans la prière du Christ, Léon souligne la finalité des manifestations de la nature assumée : répondre aux besoins de l'homme.

> La volonté inférieure céda donc à la volonté supérieure, et aussitôt apparut la prière que peut former celui qui a peur et quelle concession ne doit pas être faite par celui qui guérit.[111]

La leçon de la scène du jardin des Oliviers est donc double aux yeux de Léon. D'une part, le Christ enseigne une prière, dont les deux temps sont à retenir. Le «s'il est possible» prend ainsi tout son poids à la lumière du second enseignement tiré de Mt 26,39. En effet, l'exemple du Christ apprend d'autre part à l'homme que Dieu n'exauce pas toutes les prières : certaines ne sont pas dans l'intérêt de l'homme, si bien que Dieu les refuse dans sa miséricorde.[112]

Le Christ n'enseigne donc pas une prière modèle réduite au «Que ta volonté soit faite». Il montre à l'homme qu'il peut prier dans la détresse pour que Dieu le soulage, mais en laissant à la miséricorde de Dieu le souci de répondre ou non à la demande formulée.

Causa fragilitatis et trepidationis humanae

Cette interprétation est confortée par le sermon 58,[113] où Léon présente le Christ comme un avocat de la cause humaine auprès de Dieu. La crainte de la mort est ici plus directement l'objet du commentaire de Léon.

A plusieurs reprises, en effet, le prédicateur met l'accent sur l'absence de peur manifestée par le Christ dans l'accomplissement de sa mission : lors de l'annonce de la trahison de Judas, lors des entretiens qui précèdent sa passion.[114] Aussi, lorsqu'il en arrive à la prière du jardin des Oliviers, Léon explique d'abord que le Christ n'a pas pu chercher à repousser la mort.[115] Comment comprendre alors sa prière?

---

quod erat hominis, diuinam desiderauit potentiam, quod erat Dei, ad causam respexit humanam.

[111] Ibid. : Superiori igitur uoluntati uoluntas cessit inferior, et cito demonstratum est quid possit a trepidante orari, et quid non debeat a medente concedi.

[112] Léon, ibid., cite Rom 8,26 : «nous ne savons pas que demander pour prier comme il faut» et conclut : Deus iustus et bonus, quando ea quae nocitura sunt petitur, negando miseretur.

[113] C'est la première version du sermon 58 que je commente.

[114] Léon, Sermon 58(45),3 (CCL 138A, 342) : in opere paternae dispositionis intrepidus; 4 (CCL 138A, 344) : nullo Dominus pauore turbatus.

[115] Sermon 58(45),4 (CCL 138A, 345) : Ubi non aestimandum est quod Domi-

Quand le Fils de Dieu, mes très chers frères, dit : «Père, s'il est possible, que cette coupe s'éloigne de moi», il parle avec la voix de notre
nature et plaide la cause de la fragilité et de la crainte humaines, pour
que dans les souffrances qu'il faut endurer la patience fût fortifiée et
la peur chassée.[116]

Léon recourt à la distinction que nous avons déjà rencontrée entre
ce que dit le Christ selon la nature humaine et ce qu'il dit selon la nature divine.[117] La prière du jardin des Oliviers est la voix de la nature
humaine, puisqu'elle ne convient pas à celle de la nature divine.[118]

Si le Christ prend la voix des hommes à l'approche de la mort,
c'est pour adresser à Dieu un plaidoyer. En demandant que la mort
s'éloigne, il agit comme tout homme, dont la nature infirme et pusil-
lanime a peur de mourir. Sans condamner ce sentiment, l'intercession du Christ obtient que Dieu rende forte la faible nature humaine. C'est grâce à cette force que l'homme pourra dire la seconde
partie de la prière du Christ.

> Enfin, cessant de demander cela, après avoir en quelque sorte excusé
> la peur de notre infirmité, dans laquelle il ne nous est pas bon de res-
> ter, il passe à un autre sentiment et dit : «Cependant non pas comme
> je veux, mais comme tu veux.»[119]

S'en remettre à la volonté divine doit être la conduite de tout bon
chrétien. La crainte qu'il peut éprouver ne doit être qu'un sentiment
temporaire. Il n'est pas bon d'y rester, dit Léon, sans condamner
toutefois un sentiment que le Christ a excusé. Comment le surmon-
ter?

> Que tous les fils de l'Eglise apprennent donc cette parole, eux qui ont
> été rachetés à grand prix et justifiés gratuitement (cf.Rom 4,24), et,
> lorsque s'abattra sur eux l'attaque de quelque violente tentation, qu'ils
> recourent à la protection de la plus puissante des prières, de sorte
> qu'ils surmontent la peur qui les fait trembler et reçoivent la force de
> supporter la souffrance.[120]

---

nus Iesus passionem et mortem, cuius iam discipulis sacramenta tradiderat, uolue-
rit declinare...

[116] *Ibid.*, 5 (CCL 138A, 347) : *Cum itaque, dilectissimi, Dei filius dicit : «Pater,*
si fieri potest, transeat a me calix iste», nostrae utitur uoce naturae, et causam agit
fragilitatis et trepidationis humanae, ut in his quae toleranda sunt, et patientia ro-
boretur, et formido pellatur.

[117] Voir *supra* p. 73.

[118] Cf. Léon, Tome II (Ep. 165),4 où il explique que Mt 26,38 relève de la *for-*
ma serui.

[119] Sermon 58(45),5 (CCL 138A, 347) : *Denique cessans hoc ipsum petere, ex-*
cusato quodammodo nostrae infirmitatis metu, in quo nobis remanere non expedit,
in alium affectum transit, et dicit : «Uerumtamen, non sicut ego uolo, sed sicut tu.»

[120] *Ibid.* (CCL 138A, 348) : *Discant igitur hanc uocem omnes Ecclesiae filii,*
'magno pretio redempti, gratis iustificati', et cum aduersitas uiolentae alicuius ten-

Le rappel de l'échange salutaire opéré par le Christ, qui a payé cher le salut dispensé gratuitement aux hommes, invite à être attentif à l'emploi du verbe *accipere*. La patience est le don qui résulte de l'échange inégal dans lequel le Christ a pris sur lui la peur humaine de la mort. L'attitude du Christ n'est pas présentée comme un modèle à suivre, mais comme la source à laquelle le chrétien doit puiser l'assurance de recevoir la force de vaincre sa peur.

La crainte de la mort est une faiblesse, aux yeux de Léon, mais une faiblesse constitutive de la nature humaine. Seule son assomption par le Christ peut en guérir l'homme, parce qu'en échange l'homme reçoit la force qui relève de la nature divine du Christ.

A l'occasion du commentaire du récit de la Passion, Léon le Grand a donc pu expliquer comment les chrétiens devaient comprendre la prière du jardin des Oliviers. Il est impossible de séparer l'exégèse christologique du message pastoral dont elle est le support.

La distinction des deux natures dans une seule personne est en effet le fondement de l'échange inégal que se plaît à décrire Léon entre le Christ et les hommes. Les deux temps de la prière que le Christ adresse à Dieu à l'approche de sa Passion correspondent aux deux termes de cet échange : le Christ prend la faiblesse humaine en éprouvant la peur qui saisit tout homme face à la mort; l'homme reçoit en don la force et la puissance divines, qui lui permettent de dépasser sa peur.

Le chrétien ne peut donc manquer en tant qu'homme de craindre la mort, mais il doit, selon Léon, s'en rapporter au Christ. Le Christ a éprouvé pour l'homme la tristesse de l'homme : ce dernier doit croire qu'il recevra la force divine dont il a besoin quand il est dans la détresse.

2 – L'IMITATION DES MARTYRS

Dans le petit nombre de sermons *de sanctis* que nous connaissons,[121] Léon loue la gloire des martyrs, en soulignant qu'ils sont des exemples de patience et que leur «mort précieuse» enseigne que le mépris de cette vie passagère est récompensé par une vie éternelle.[122]

---

tationis incumbet, praesidio potentissimae orationis utantur, accipiant tolerantiam passionis.
   [121] Deux sermons pour le *natalis* des apôtres, un pour les Macchabées et un pour Laurent.
   [122] Voir par exemple Sermon 82(69),6 (CCL 138A, 516) : *cuius (gratiae Dei) hoc ipsum erat maximum lucrum ut contemptus uitae huius occiduae perceptio*

Quand toutefois il propose leur exemple à l'imitation des fidèles, ce ne sont pas ces thèmes qu'il retient.

Pie vivere

Dans le sermon 84bis, prêché pour la fête des Macchabées, Léon définit en effet le «martyre du temps de paix» comme un combat intérieur qui n'a qu'un rapport analogique avec le martyre sanglant. Léon rappelle pour commencer les grandes lignes du récit qui a été lu et fort apprécié par les fidèles. Puis il apostrophe son public : «Mais il ne sert de rien de rappeler ces choses pour le seul plaisir de l'oreille!»[123] et commence une véritable transposition des thèmes du martyre sur le registre de la vie chrétienne.

Léon trouve un point d'appui dans un verset de l'Epître à Timothée : «Tous ceux qui veulent vivre pieusement dans le Christ sont persécutés» (2 Tim 3,12). L'expression «Vivre pieusement» invite en effet à définir les exigences d'une vie chrétienne. C'est pourquoi Léon appelle ses auditeurs à un examen de conscience :

> Toi donc qui penses que la persécution s'est endormie et qu'il n'y a pas de combat à soutenir contre des ennemis, scrute l'intime secret de ton cœur, et pénètre en explorateur attentif dans tous les replis de ton âme.[124]

C'est un combat intérieur que doit mener tous les jours le chrétien contre les vices. Léon énumère l'avarice, la superbe, la colère, etc.[125]

Dans la conclusion de ce développement, la transposition que j'ai annoncée est achevée :

> Aussi souvent, en effet, que nous mourons aux péchés, aussi souvent les péchés meurent en nous; et elle aussi, elle est précieuse aux yeux du Seigneur, cette mort de ses saints, où l'homme est tué pour le monde, non par l'extinction des sens, mais par la fin des vices.[126]

Léon transpose le Ps 115,5 : «La mort des saints est précieuse aux yeux du Seigneur» au martyre quotidien du chrétien, qui remporte la victoire sur ses vices. La mort au péché est donc aussi précieuse au regard de Dieu que le martyre sanglant.

---

fieret felicitatis aeternae. 'Pretiosa ergo est in conspectu Domini mors sanctorum eius.'
    [123] Léon, Sermon 84bis(97),2 (CCL 138A, 530) : *Sed haec ad infructuosam recolenda sunt aurium uoluptatem!*
    [124] *Ibid.* : *Qui ergo putas quieuisse persecutionem et nullum tibi cum hostibus esse conflictum, intimum cordis tui scrutare secretum, et omnes recursus animae tuae diligens explorator ingredere...*
    [125] *Ibid.*
    [126] *Ibid.* (CCL 138A, 531) : *Totiens enim peccatis morimur, quotiens in nobis peccata moriuntur, et pretiosa in conspectu Domini etiam ista mors sanctorum eius, ubi homo occiditur mundo, non interitu sensuum, sed fine uitiorum.*

L'opposition entre l'extinction du sentiment (*interitu sensuum*) et la fin des vices (*fine vitiorum*) marque bien qu'il ne s'agit plus d'affronter la mort. L'assimilation de la vie chrétienne au martyre est aussi étroite que possible,[127] et signale peut-être que l'attitude face à la mort a perdu en quelque sorte de sa valeur de pierre de touche.

Crainte de la mort et martyre du temps de paix

L'extension de la gloire des martyrs au combat du chrétien contre les vices et les tentations est opérée dès l'époque des persécutions.[128] Le thème du martyre non sanglant semble en effet apparaître pour la première fois dans une lettre de Cyprien, adressée à des confesseurs qui craignent d'être relâchés sans avoir à subir le martyre : leur volonté d'affronter la mort aura valeur de martyre aux yeux du Seigneur.[129]

Si Cyprien semble, dans d'autres textes, faire des œuvres du temps de paix un équivalent du martyre, il faut relever toutefois qu'une stricte hiérarchie est maintenue.[130] D'ailleurs, la gloire du martyre non sanglant est étendue avant tout à une élite constituée des ascètes et des vierges,[131] et la vie de renoncement et de mortification est ainsi souvent présentée comme la meilleure préparation qui soit pour affronter la mort pour le Christ.[132]

L'obtention de la couronne du martyre non sanglant reste donc plus ou moins liée à un «martyre de désir», c'est-à-dire à la résolution de faire face à la mort si le cas se présente. Dans les sermons d'Augustin, l'attitude face à la mort reste aussi l'enjeu des martyres de substitution. Plusieurs sermons exposent, par exemple, le cas d'un martyre au lit.[133] Il s'agit de la situation à laquelle est affronté un chrétien gravement malade, quand ses proches ou ses voisins lui proposent de recourir à des pratiques médicales magiques : appel aux *mathematici*, suspension d'amulettes, etc.[134] *Melius est mihi mori*

---

[127] Voir aussi pour la fête de Laurent le sermon 85,4 et un sermon de Carême 47,1.

[128] Voir A.J. Vermeulen, *The Semantic Development of Gloria in Early-Christian Latin*, Nimègue, 1956, p. 96.

[129] Cyprien, *Ep. 10*, 5, 1-2 : éd. Bayard, t. 1, p. 26-27.

[130] Textes cités et analysés par A. J. Vermeulen, *op. cit.*, p. 96-98. Voir S. Déléani, *Christum sequi. Etude d'un thème dans l'œuvre de saint Cyprien*, Paris, 1979, en particulier p. 67-111.

[131] Voir l'ouvrage classique de E.E. Malone, *The Monk and the Martyr*, Washington, 1952 et les compléments qu'il a donnés sous le même titre dans *Antonius Magnus Eremita*, Rome, 1956, p. 201-228.

[132] Voir, par exemple, Martin, qui, selon Sulpice Sévère (Ep. 2, 9-11), aurait affronté le martyre s'il l'avait pu, parce qu'il le voulait.

[133] Augustin, Sermons 4,36; 286,7; 328,9 et 335D,3.

[134] Sur ces pratiques magiques, voir N. Benseddik, «La pratique médicale en

quam hoc facere : telle est la réponse qu'Augustin attend d'un bon chrétien.[135] Dans un sermon sur Jean-Baptiste, martyr pour la vérité, mais sans avoir subi de martyre sanglant, Augustin énumère les situations dans lesquelles, au péril de sa vie, le chrétien peut, en temps de paix, rester fidèle à la vérité.[136]

La façon dont Léon le Grand traite ce thème dans ses sermons me semble donc amorcer une évolution, dont on peut vérifier la portée chez Césaire d'Arles, d'autant mieux qu'il dépend étroitement d'Augustin. Le motif du martyre du temps de paix est un leitmotiv chez Césaire, qui le souligne lui-même en tête du sermon 52 : «Comme je vous y ai fréquemment exhorté, mes frères, je vous conseille de nouveau qu'aucun de vous ne croie que de notre temps il ne peut y avoir des martyrs.»[137] Le «martyre quotidien»[138] est clairement distinct du martyre sanglant et n'en constitue pas seulement une préparation.[139] Le problème de la crainte de la mort est délibérément laissé de côté quand il est question d'imiter les martyrs.[140]

Je suis bien conscient de m'attacher là à des nuances, mais il me semble important de les mettre en valeur quand on suit le filon d'un «motif littéraire». Quand la crainte de la mort est de plus en plus présentée comme un sentiment naturel, faut-il s'étonner que l'atti-

---

Afrique au temps d'Augustin», dans *L'Africa romana. Atti del VI convegno di studio Sassari, 16-18 dicembre 1988*, Sassari, 1989, t. 2, p. 663-682, en particulier p. 675-680.

[135] Augustin, Sermon 328,9 : RB 51, 20.

[136] Augustin, Sermon 94A.

[137] Césaire, Sermon 52,1 (SC 243, 434) : *Sicut frequenter ammonui, fratres carissimi, iterum suggero, ut nemo ex uobis credat temporibus nostris martyres esse non posse.* Voir les sermons 41, 47, 114, 115, 184, 218, 225 sur le même thème.

[138] Cf. Césaire, Sermon 41,3 (SC 243, 286) : *Christianis cotidia martyria deesse non possunt.*

[139] Voir en particulier Sermon 114,1 (CCL 104, 854) : *Indubitanter credimus eum implesse etiam non impleta passione martyrium. Non enim martyrium sola sanguinis consummat effusio, nec sola dat palmam exustio illa flammarum; peruenitur, non solum occasu, sed etiam contemptu corporis ad coronam.* Cf. Sermon 115, 2 et 225,2.

[140] Le thème du martyre du temps de paix est familier aussi à Grégoire le Grand : voir A. C. Rush, «Spiritual Martyrdom in St. Gregory the Great», *Theological Studies* 23 (1962), p. 569-589 et A. de Vogüé, «Martyrium in occulto. Le martyre du temps de paix chez Grégoire le Grand, Isidore de Séville et Valérius du Bierzo», dans *Fructus Centesimus. Mélanges Bartelink*, Instrumenta Patristica 19, Steenbrugis, 1989, p. 125-140. Cinq des *Homélies sur l'Evangile* le traitent : Hom.Ev 3, 11, 27, 32 et 35. Dans les *Dialogues*, III, 26, 7-9, la question est de savoir si celui qui subit avec patience un martyre caché, pourrait mourir en martyr dans une persécution. Dans les *Homélies*, cette question perd, semble-t-il, de son intérêt (mais sans disparaître complètement : voir Hom.Ev 27,3) en faveur d'une description plus détaillée de ce qu'est le martyre quotidien de la conscience.

tude face à la mort ne soit plus la pierre de touche par excellence du bon chrétien?

* * *

Dans la prédication de la première moitié du Vᵉ siècle, la mort n'est plus présentée comme un bien ou un remède, à l'exception des sermons de Quotvultdeus qui, en raison des circonstances, tient un langage qui rappelle à bien des égards celui des persécutions.[141] La mort est au contraire toujours étroitement associée au péché originel qui a entraîné ce châtiment pour l'humanité. C'est là la raison le plus souvent invoquée pour expliquer la crainte de l'homme face à la mort.

Les arguments anthropologiques d'Augustin ont en effet trouvé peu d'écho dans la prédication postérieure. L'anthropologie équilibrée, qu'il contribue à définir, ne se heurte pourtant pas à une tradition résolument dualiste.[142] Mais les prédicateurs ne trouve pas là un langage adapté à leurs objectifs. La promotion des valeurs éternelles semble en effet inséparable d'une exclusion des valeurs terrestres.[143] La «théologie des valeurs humaines» chez Augustin n'est-elle pas elle-même fortement articulée à l'attente de la résurrection?[144]

Si la prédication postérieure à Augustin ne condamne plus la crainte de la mort comme une faiblesse et un manque de foi, force est de constater qu'elle ne déploie pas non plus les mêmes efforts pour dédramatiser cette crainte. En même temps qu'Augustin rompt consciemment avec un idéal de maîtrise de soi, dont la pierre angulaire est d'accepter la mort sans crainte, peut-être en reste-t-il tributaire pour le choix des thèmes de sa prédication.

Le développement du thème du martyre spirituel dans la prédication de Léon le Grand laisse entrevoir comment la crainte de la mort, une fois acceptée comme un sentiment tout humain, voit peu à peu sa pertinence disparaître.

---

[141] Cf. la remarque de R. Markus, *The End of Ancient Christianity*, Cambridge, 1991, p. 215 : «The admonition to steadfast fidelity brought the example of the martyrs back to life with a brutal literalness of meaning which had long ago slipped into a remote past.»

[142] Voir M.R. Miles, *Fulness of Life. Historical Foundations for a New Asceticism*, Philadelphie, 1981, p. 79-111 (East and West after Augustine).

[143] Cette remarque m'a été suggérée par la lecture de P. Daubercies, «La théologie de la condition charnelle chez les Maîtres du Haut Moyen Age», *Recherches de théologie ancienne et médiévale* 30 (1963), p. 5-54, en particulier p. 32.

[144] Voir H.-I. Marrou, «Le dogme de la résurrection des corps et la théologie des valeurs humaines selon l'enseignement d'Augustin», *Revue des Etudes Augustiniennes* 12 (1966), p. 111-136.

CONCLUSION

Au tournant des IVᵉ et Vᵉ siècles, le discours tenu sur la crainte de la mort dans la prédication chrétienne connaît une mutation importante. Faiblesse condamnable et indigne du sage chez Ambroise et ses contemporains, la crainte de la mort est présentée, par Augustin et par les prédicateurs de la première moitié du Vᵉ siècle, comme un sentiment naturel, intrinsèquement lié à l'*infirmitas humana*. Ce changement d'analyse de la crainte de la mort est aussi accompagné par une nouvelle pastorale.

Cela est vrai surtout de la prédication d'Augustin. J'ai souligné, en effet, que Pierre Chrysologue et Léon le Grand ne cherchent pas, comme le fait Augustin, à expliquer et à justifier la détresse qui peut s'emparer des mourants. Cela tient sans aucun doute au contexte particulier de l'Afrique d'Augustin : Manichéens et Donatistes, par leur enseignement, font que la question de la crainte de la mort a une plus grande pertinence.

Il faut maintenant s'interroger sur la signification historique de ce changement. La question s'est déplacée par rapport à la tradition historiographique. Il ne s'agit pas, en effet, de se demander en quoi le christianisme a changé les attitudes face à la mort, en opposant l'un à l'autre paganisme et christianisme comme deux entités absolues.[1] Mais la question est de savoir pourquoi le christianisme de la fin du IVᵉ siècle change de discours sur la crainte de la mort.

La première explication qui vient à l'esprit est la fin des persécutions. Etre chrétien cesse d'être synonyme d'être prêt à subir le martyre pour le Christ : ce ne peut être sans conséquence sur la définition de l'attitude que doit avoir un chrétien face à la mort. Néanmoins, le contexte des persécutions ne saurait expliquer le langage tenu par un Ambroise ou par un Zénon de Vérone, aussi présent soit-il dans l'idéal héroïque qu'ils proposent dans leurs sermons. Le

---

[1] Il est clair pour tout le monde qu'il n'y a pas «un» paganisme. Mais il y a peut-être beaucoup à gagner pour l'historien à bien faire la différence entre le christianisme en tant que foi révélée et les christianismes qu'il peut étudier dans l'histoire.

décalage temporel, entre l'avénement de ce qu'il est convenu d'appeler un Empire chrétien et le phénomène que j'ai décrit, conduit à affiner l'analyse.

La critique et le rejet du discours philosophique sur le bienfait de la mort, par Augustin et par Pierre Chrysologue, est peut-être le point dont il faut partir. P. Brown, dans les différents essais réunis dans *Religion and Society in the Age of Saint Augustine*,[2] et plus récemment R. Markus dans *The End of Ancient Christianity*,[3] ont montré en effet comment la question de savoir ce qu'est être véritablement un chrétien se pose avec plus d'acuité au tournant des IVe et Ve siècles. La différence entre l'attitude d'Ambroise et celle de Pierre Chrysologue vis-à-vis des topiques consolatoires de la philosophie illustre bien la «crise d'identité» décrite par R. Markus,[4] et peut être comparée à l'opposition, marquée par P. Brown, entre la critique par Augustin des fondements de l'éthique stoïcienne et l'utilisation des *Sentences de Sextus* par Pélage.[5] Le refus d'un discours sur la crainte de la mort, qui est en consonance avec celui de l'éthique stoïcienne du sage, n'est pas plus chrétien en soi que l'effort d'un Ambroise pour donner une coloration chrétienne à ce discours. Ce rejet est le symptome de la difficulté accrue à définir l'essence du christianisme dans une société où être chrétien est de plus en plus facile.

La crise d'identité du christianisme du Ve siècle est donc indéniablement liée à la multiplication du nombre des chrétiens. Il faut toutefois avoir bien présentes à l'esprit les remarques critiques de P. Brown sur la tendance historiographique qui veut voir, dans la «démocratisation» du christianisme, l'explication de son évolution.[6] Il serait réducteur, en effet, de rendre responsable du changement de la prédication sur la mort, les réactions trop affectives de l'homme du commun qui envahit l'Eglise au IVe siècle. Mais cela ne doit pas conduire non plus à exclure toute interaction plus positive entre les responsables de l'Eglise et les fidèles. Or l'épigraphie funéraire permet de comparer le langage des fidèles et celui des porte-parole officiels de l'Eglise face à l'événement de la mort.

Selon les mots de G. Sanders, en effet, «l'épitaphe exprime la réaction instantanée de la vie devant la mort»,[7] en particulier le *car-*

---

[2] P. Brown, *Religion and Society in the Age of Saint Augustine*, Londres, 1972.

[3] R. Markus, *The End of Ancient Christianity*, Cambridge, 1990.

[4] R. Markus, *op. cit.*, p. 27-43.

[5] Voir P. Brown, *La vie de saint Augustin*, trad. franç., Paris, 1971, p. 438, et n. 23 pour les *Sentences de Sextus*.

[6] Voir P. Brown, *Le culte des saints. Son essor et sa fonction dans la chrétienté latine*, trad. franç., Paris, 1984, p. 24-35, sur la critique d'un modèle à deux niveaux.

[7] G. Sanders, «L'épitaphe latine païenne et chrétienne : la synchronie des discours sur la mort», *Acta of the VIIIth International Congress on Greek and La-*

men epigraphicum. Pas plus qu'à travers les sermons, il ne faut toutefois imaginer toucher la masse des fidèles à travers les épitaphes versifiées. G. Sanders et D. Pikhaus ont bien montré que, si les *carmina epigraphica* païens proviennent essentiellement des couches populaires de la société romaine, ce sont en revanche les chrétiens des classes supérieures qui, aux côtés du clergé, ont recouru au *carmen epigraphicum.*[8] L'homogénéité sociologique entre le haut clergé et les chrétiens qui ont laissé des épitaphes en vers rend la comparaison avec le langage des prédicateurs d'autant plus intéressante.

Or, à côté d'un irréductible changement de perspective sur les valeurs respectives de la mort et de la vie,[9] les épitaphes chrétiennes décrivent souvent l'action de la mort dans les mêmes termes que les épitaphes païennes. Le verbe *rapere* marque la violence avec laquelle est perçue la mort; les épithètes négatives : *acerba, dura, invida,* etc., soulignent l'émotion engendrée par le décès.[10] De rares épitaphes avouent même que le chagrin n'est pas atténué par la foi.[11] G. Sanders a bien montré que «le taux des ingrédients non chrétiens n'est pas dû forcément aux croyances païennes, aux atavismes culturels», mais qu'«il relève aussi du refus instinctif que la vie oppose à la mort.»[12] Le langage d'un Augustin ou d'un Pierre Chrysologue apparaît de toute évidence plus proche de celui de ces épitaphes que ne l'est le discours d'un Ambroise.

G. Sanders n'oppose «logique de la foi» et «émotion du cœur» que parce qu'il partage la tendance générale qui considère abstraitement la conception chrétienne de la mort, sans prendre en compte la pastorale qui l'interprète.[13] A la lumière de ce que j'ai essayé de

---

tin Epigraphy, Athènes, 1984, t. 1, p. 181-218 (= *Lapides Memores*, Faenza, 1991, p. 345-391), ici p. 194.

[8] Voir G. Sanders, *art. cit.*, p. 195-196 et D. Pikhaus, «Les Carmina Latina Epigraphica Païens et Chrétiens : Renouvellement Thématique et Contexte Socio-culturel», *Miscellenae Historiae Ecclesiasticae*, VI, Bruxelles, 1983, p. 325-327.

[9] Voir, sur la symbolique de la lumière et des ténèbres, G. Sanders, *Licht en duisternis in de christelijke grafschriften*, Bruxelles, 1965, et, sur la valeur de la vie terrestre, D. Pikhaus, *Levensbeschouwing en milieu in de Latijnse metrische inscripties. Een onderzoek naar de invloed van plaats, tijd, sociale kerkomst en affectief klimaat*, Bruxelles, 1978.

[10] Voir les exemples rassemblés par G. Sanders, *Licht en duisternis...*, *op. cit.*, p. 191-237, ainsi que les remarques du même auteur dans «L'épitaphe latine...», *art. cit.*, p. 211-213.

[11] Voir G. Sanders, «L'épitaphe latine...», *art. cit.*, p. 216, n. 126. A titre d'exemple, cette épitaphe romaine (*ILCV* 1560, 1-4) :

sis licet in numero, suboles, suscepta piorum,
munda quod ex omni crimine vita fuit
ista tamen miseros nequeunt solare parentes
nec dolor orbati fit ratione minor.

[12] G. Sanders, *art. cit.*, p. 212.

[13] *Ibid.*

montrer concernant la prédication sur la mort, il est possible de changer de perspective. Il apparaît en effet que l'écart entre le langage des fidèles et celui des prédicateurs se réduit au tournant des IVe et Ve siècles. Je suggère donc que l'évolution de la pastorale des mourants obéit en partie à la volonté de donner une réponse aux attentes des fidèles. Les prédicateurs du Ve siècle adaptent leur langage à celui des fidèles, tout en lui donnant peut-être une forme plus acceptable dans une perspective chrétienne plus rigoureuse.[14]

L'interaction entre sentiments des fidèles et enseignement des évêques, dans le contexte historique du tournant des IVe et Ve siècles, tel qu'il a été décrit par P. Brown et R. Markus, me semble donc être une hypothèse très vraisemblable. La mort est une question trop existentielle pour relever des seuls débats théologiques.

---

[14] Plus rigoureuse à leurs yeux. Je pense au jugement porté par Augustin sur la page des *Confessions* où il fait part de l'horreur de la mort qui l'habite après le décès de son ami : voir *supra* p. 69-70. Noter, par exemple, que, pour qualifier la mort, l'épithète biblique *amara* (Sir 41,3) est préférée, par les prédicateurs, aux épithètes rencontrées dans les épitaphes.

SECONDE PARTIE

DIES IUDICII

Sentiment naturel, quand elle vient de l'attachement de l'homme à la vie, la crainte de la mort devient sentiment religieux, quand elle est le fruit d'une conscience inquiète au sujet du jugement. Or le discours sur la peur du jugement connaît un changement aussi radical que le discours sur la crainte de la mort au tournant des IVᵉ et Vᵉ siècles. Aux yeux d'Ambroise, la peur du jugement à l'heure de la mort est un indice de culpabilité. Pour Augustin, le bon chrétien ne peut pas ne pas être inquiet à l'idée du jugement.

La controverse pélagienne, à nouveau, n'est pas étrangère à ce renversement, qui, bien que devant être nuancé, aboutit à donner une légitimité nouvelle à la peur du jugement et à en faire une étape nécessaire dans la voie du salut. La réflexion sur la nature pécheresse de l'homme et sur l'absolue nécessité de la grâce et de la miséricorde de Dieu a pour conséquence immédiate une tension, difficile à résoudre pour le chrétien, entre la conscience de ne mériter aucunement le salut et la confiance la plus grande, la foi la plus sûre, de le recevoir de Dieu. Les débats sur la grâce et la perfection sont bien connus, même si leurs conséquences pour la pastorale des mourants n'ont pas été envisagées en tant que telles. Aussi n'en reprendrai-je que les éléments indispensables à la clarté de mon propos, en particulier dans le chapitre consacré à Augustin.

En revanche, je crois que trop peu d'attention a été prêtée à la redéfinition, dans le même temps, de la pénitence. Alors qu'elle a été conçue dans le cadre de la discipline ecclésiastique, la pénitence cesse peu à peu d'être un recours exceptionnel offert aux coupables de péchés graves pour devenir une attitude spirituelle de tous les jours. Les évêques, dont j'étudie la prédication, ont, chacun à leur façon, proposé aux chrétiens, dont ils ont la responsabilité pastorale, les moyens de vivre selon les principes d'une telle spiritualité. Pour anticiper un peu, je pense que cette évolution est capitale pour la genèse d'un rituel des mourants.

L'organisation de cette seconde partie est comparable à celle de la première. Le chapitre 1 étudie le discours tenu sur la peur du jugement par Ambroise et les évêques contemporains. Les deux suivants sont consacrés respectivement à Augustin, qui, une fois de plus, est le théologien qui a la conscience la plus claire de rompre avec la spiritualité dont il hérite (chapitre 2), puis à Pierre Chrysologue et à Léon le Grand, qui élaborent à leur tour des réponses aux inquiétudes nouvelles suscitées par la perspective du jugement (chapitre 3). Enfin, le chapitre 4 abandonne la prédication, mais non la pastorale, pour étudier quel ministère l'Eglise accomplit auprès des mourants, à travers les documents législatifs, canons conciliaires et décrétales pontificales.

Deux mises en garde sont toutefois nécessaires avant de commencer l'étude du langage tenu par les prédicateurs sur la peur du jugement. La première tient à la distance qu'a prise la sensibilité moderne face à un tel sentiment. Des siècles d'une prédication encline à culpabiliser ont contribué sans doute à rendre suspect le maniement de ce thème. Il ne saurait pourtant être seulement l'instrument d'une «rhétorique de la peur».[1] La seconde précaution concerne la distinction entre jugement particulier et jugement dernier, qui, pour être familière aujourd'hui, fausse un peu les perspectives. L'historiographie récente a corrigé en effet le schéma communément admis selon lequel les chrétiens auraient peu à peu élaboré la notion d'un jugement particulier ou personnel, immédiatement après la mort, repoussant ainsi à l'horizon mythique de la fin des temps le jugement dernier.[2]

Dans la période considérée ici, seul Augustin élabore un système qui fait place à un jugement particulier distinct du jugement dernier, avec la notion d'un feu purificateur.[3] Mais, comme l'a bien montré E. Lamirande, «quel que soit le temps du jugement, c'est l'état de l'homme à son dernier jour qui compte».[4] Une remarque de C. Carozzi peut ainsi servir de guide pour bien interpréter la place faite au jugement dans la prédication : le but des Pères latins, dit-il, «est visiblement de maintenir au jugement dernier son caractère unique tout en rendant immédiat l'effet de la sentence.»[5]

---

[1] Voir les analyses de J. Delumeau, *La peur et le péché. La culpabilisation en Occident XIII-XVIII siècles*, Paris, 1983.

[2] Voir B.E. Daley, *The Hope of the Early Church. A Handbook of Patristic Eschatology*, Cambridge, 1991 et C. Carozzi, *Le voyage de l'âme dans l'au-delà d'après la littérature latine (Ve-XIIIe siècle)*, Rome, 1994.

[3] Voir J. Ntédika, *L'évolution de la doctrine du purgatoire chez saint Augustin*, Paris, 1966.

[4] E. Lamirande, *L'Eglise céleste selon saint Augustin*, Paris, 1963, p. 216-217. Cf. C. Carozzi, *op. cit.*, p. 20. Le dossier de textes rassemblés par J. Ntédika, *op. cit.*, ne contient que trois sermons. Voir C. Carozzi, *op. cit.*, p. 43, sur l'absence d'un schéma facile à exploiter dans la prédication.

[5] C. Carozzi, *op. cit.*, p. 39.

CHAPITRE 1

UTQUID TIMEBO IN DIE MALA?

ÉTHIQUE DE LA DISCONTINUITÉ ET PRÉDICATION
SUR LA PEUR DU JUGEMENT À LA FIN DU IVe SIÈCLE

La notion de «discontinuité», qu'utilise P. Brown pour caractériser l'éthique pré-augustinienne,[1] est éclairante. A la fin du IVe
siècle, le baptême est en effet conçu comme une rupture fondamentale : il n'efface pas seulement les péchés passés, mais transforme l'homme tout entier. Le baptisé, conformément aux engagements qu'il a pris, peut donc s'abstenir de tout péché. Quand vient la
mort, pourquoi craindre le jugement à moins de se savoir coupable?
Les prédicateurs toutefois s'en tiennent rarement à la simplicité
de ce raisonnement. Le problème pastoral soulevé par les *lapsi* pendant les persécutions a entraîné en effet une large réflexion sur la
pénitence et sur la miséricorde divine. Seuls des rigoristes, dénoncés
comme hérétiques, abandonnent le pécheur à la damnation. L'Eglise
catholique défend contre eux l'infinie miséricorde divine et le principe de la pénitence.[2]
Toute tension ne disparaît pas néanmoins entre un idéal de pureté post-baptismale et la nécessité pastorale de secourir les pécheurs. Dans la prédication de la fin du IVe siècle, le langage tenu
sur la peur du jugement présente un reflet fidèle de cette tension.

1 – LA GRÂCE DU BAPTÊME

La catéchèse baptismale de la fin du IVe siècle met au cœur de
son enseignement à la fois la transformation radicale opérée dans le
baptême et les engagements pris par le baptisé. Ce sont des thèmes

---

[1] P.Brown, «Pelagius and his supporters : Aims and Environment», dans *Religion and Society in the Age of Saint Augustine*, Londres, 1972, p. 183-207, ici
p. 200.
[2] Pour une présentation d'ensemble des courants rigoristes et de la réponse
de l'Eglise catholique, voir la première partie d'A. Fitzgerald, *Conversion through
Penance in the Italian Church of the Fourth and Fifth Centuries. New Approaches
to the Experience of Conversion from Sin*, Lewiston, 1988.

très familiers et bien connus.[3] Aussi ne citerai-je, à titre d'exemple, que le sermon 14 de Chromace d'Aquilée, prêché aux néophytes pendant l'octave pascal.[4] Ce sermon, moins connu, est parallèle à la série des sermons *De sacramentis* d'Ambroise.[5]

Tu es désormais guéri (Jn 5, 14)

Chromace y donne une interprétation baptismale de la guérison du paralytique de Bézatha (Jean 5), et commente tout particulièrement le verset 14 : «Voici désormais que tu es guéri; ne pèche plus, pour que rien de pire ne t'arrive.» L'articulation des trois éléments de ce verset – guérison, interdiction, menace – offre en effet à Chromace un support pour rappeler aux néophytes à la fois la transformation qu'ils viennent de subir, les interdits auxquels ils ont souscrit en prononçant la formule de renonciation, et le sort qui les attend s'ils perdent la grâce baptismale.

> «Voici que tu es désormais guéri; ne pèche plus, pour que rien de pire ne t'arrive» (Jn 5,14). Tous les péchés que tu avais t'ont été remis; tu es guéri de toute maladie du péché, de la langueur de l'âme, de la faiblesse du corps, de l'affection de la concupiscence illicite; tu es ressuscité, homme nouveau, du bain de la nouvelle naissance. Prends garde de ne pas revenir à tes anciens péchés, ne te mets pas en danger de mort, car la grâce du baptême n'est donnée qu'une seule fois. Si on la perd par sa négligence, ou plûtôt par son infidélité, on est soi-même coupable de sa propre mort, puisqu'on a pas voulu conserver une grâce si grande. (...) Ayant donc affaire au (Dieu) fort, gardons la foi jurée et conservons la grâce que nous avons reçue, nous éviterons ainsi d'être couverts de confusion au jour du jugement...[6]

---

[3] Voir J. Daniélou, *La catéchèse aux premiers siècles*, Paris, 1968; H.M. Riley, *Christian Initiation*, Washington, 1974; G. Hellemo, *Aduentus Domini. Eschatological Thought in 4th-Century Apses and Cateches*, Leiden, 1989; *Catechesi battesimale e Reconciliazione nei Padri del IV secolo*, a cura di S. Felici, Rome, 1984; C. Truzzi, *Zeno, Gaudenzio e Cromazio. Testi e contenuti della predicazione cristiana per le Chiese di Verona, Brescia e Aquileia (360-410 ca.)*, Brescia, 1985.

[4] Chromace, Sermon 14 (SC 154, 238-247). Pour le contexte liturgique, voir J. Lemarié, introduction, p. 74.

[5] Cf. en particulier Ambroise, *De sacramentis*, I, 5-6.

[6] Chromace, Sermon 14,4 (SC 154, 242-5) : '*Ecce iam sanus factus es. Noli peccare, ne deterius tibi aliquid contingat*' (*Jn 5,14*). *Quaecumque peccata habuisti remissa sunt tibi; sanus factus es ab omni infirmitate peccati, a languore animae, a ualitudine corporis, ab aegritudine illicitae concupiscentiae; surrexisti nouus homo de lauacro regenerationis. Vide ne ad peccata pristina reuertaris, et periculum mortis incurras, quia semel gratia baptismi datur. Quam si quis negligentia sua uel potius infidelitate perdiderit, ipse mortis suae reus efficitur, quia tantam gratiam noluit custodire. (...) Quia ergo cum Forte nobis ratio est, seruare promissam fidem debemus, seruare gratiam quam accepimus, ne nimiam confusionem in die iudicii incurramus...* Cf. les Sermons 2,5; 6,1; etc. où Chromace évoque la «confusion au

Il faut relever l'accumulation des maladies dont sortent guéris les nouveaux baptisés. Elle justifie, pour Chromace, le choix d'*infidelitas* pour désigner la faute du pécheur : l'infidélité à la parole donnée est aussi abandon de la foi.

Ce sermon de Chromace, très représentatif de la catéchèse baptismale de son temps, dessine un idéal dans lequel le baptême semble être non seulement une condition nécessaire pour échapper à la mort éternelle, mais peut-être aussi une condition suffisante pour ne pas s'écarter de la voie qui conduit au salut. Il est significatif que le recours à l'*actio paenitentiae* ne soit pas évoquée dans ce sermon.[7]

Baptême et jugement

La tendance, qui caractérise la catéchèse baptismale du IVe siècle, à faire du baptême une solution définitive au péché apparaît plus nettement encore quand échapper à la mort éternelle, et donc à la crainte du jugement, est présenté comme un des gains apportés par le baptême.

C'est ce qu'explique par exemple Maxime de Turin dans un sermon adressé aux catéchumènes à l'ouverture du Carême.[8] Il invite les catéchumènes à se préparer à recevoir le baptême et recourt à Deut 32,39 : *Ego occidam et ego uiuificabo. Ego percutiam et sanabo*, pour leur en présenter les enjeux. La première partie du verset évoque la mort et la résurrection accomplies dans le baptême : Maxime développe ici l'interprétation paulinienne (Rom 6,4) du baptême, qu'il a pu lire chez Ambroise.[9] Pour expliquer la seconde partie du verset, il compare le Christ à un médecin dont le traitement ne fait mal que pour mieux guérir. Or le traitement du Christ est justement la menace du jugement :

> Il menace du jugement et, suscitant la funeste crainte de la Géhenne, il administre le remède, de sorte que pendant que nous craignons l'avenir nous corrigeons le présent.[10]

---

jour du jugement» ou la «mort éternelle» pour engager les fidèles à vivre en bons chrétiens.

[7] Sur la pénitence, voir *Tractatus in Mattheum* 58 où est commenté Mt 18, 15-18 sur le pouvoir de lier et délier de l'Eglise.

[8] Maxime, Sermon 35 (SCAmb 4, 164-71). Pour le contexte liturgique, voir F. Sottocornola, *L'anno liturgico nei sermoni di Pietro Crisologo*, Cesena, 1973, p. 400.

[9] Voir les textes réunis par G. Madec, *Saint Ambroise et la philosophie*, Paris, 1974, p. 284-7.

[10] Maxime, Sermon 35,2 (SCAmb 4, 166) : ...*comminatur et tristem gehennae metum incutiens adhibet medicinam, ut dum futura pertimescimus, praesentia corrigamus*. Pour l'idée du Christ agitant la menace du jugement, cf. Sermon 6,1 (SCAmb 4, 42), où est commenté Jn 1,23 : *Ego sum uox clamantis in deserto*.

C'est donc sur le non-baptisé que pèse la menace des châtiments. En conclusion du sermon, Maxime revient sur ce point :

> Jeûnons donc nous aussi, chers frères, avec constance et dévotion pendant cette période, pour que le Seigneur nous soit propice, que s'ouvrent pour nous les portes du ciel, que celles de l'enfer ne prévalent pas.[11]

La grâce du baptême libère donc de l'enfer; le gain du salut est présenté comme immédiat.[12]

G. Hellemo a bien posé les termes du problème dans une étude qui compare les programmes iconographiques et les images et symboles utilisés par les prédicateurs dans la catéchèse.[13] Il parle de «tension eschatologique» à propos de la tendance qu'ont les prédicateurs du IVᵉ siècle – et qui se retrouve dans l'iconographie contemporaine – à maintenir une frontière ambiguë entre ce que le fidèle reçoit sur terre et ce qu'il percevra au ciel.[14] Cette ambiguïté n'est jamais aussi apparente que dans le langage de Zénon de Vérone qui présente le baptême comme un jugement.

C'est un motif récurrent des allocutions adressées aux néophytes :

> Jusqu'à présent, vous étiez sous le coup d'une grave accusation, mais votre cas a été examiné avec rigueur et, afin de vous gagner l'indulgence, dans votre propre intérêt, vous avez fait une bonne veille : votre cause a été jugée de la meilleure des façons. C'est un nouveau type de jugement que celui où l'accusé, s'il cherche à excuser sa faute, est condamné, mais absous, s'il la confesse![15]

Si le chrétien est jugé au moment du baptême, le sera-t-il par la suite? La question devait être posée, si l'on en croit un sermon où Zénon, luttant en quelque sorte contre les effets de sa propre prédi-

---

[11] Maxime, Sermon 35,4 (SCAmb 4, 170) : *Igitur et nos, fratres dilecti, ieiunemus continue et deuote hoc spatio temporis, ut propitietur nobis dominus pateant nobis caeli inferna non ualeant.*

[12] Cf. S 62,3 avec la sortie de la Mer Rouge comme typologie baptismale; S 22A,3.

[13] G. Hellemo, *Aduentus Domini. Eschatological Thought in 4th-Century Apses and Catecheses*, Leiden, 1989.

[14] *Ibid.*, en particulier p. 269-280 pour Ambroise. Pour la notion de «tension eschatologique», voir déjà J.N.D. Kelly, *Early Christian Doctrines*, 2ᵉ éd., Londres, 1960, p. 459-462.

[15] Zénon, Tr I,42.1 (SCAmb 1, 176) : *Securi gaudete : nihil saeculo iam debetis. In magno quidem reatu nunc usque fuistis, sed fortiter examinati estis et, ut indulgentiam perciperetis, pro uobis ipsis bene uigilastis; optime estis auditi. Nouum iudicii genus est, in quo reus, si excusauerit crimen, damnatur, absoluitur, si fatetur.* Cf. Tr II,10; II,24.

cation, est obligé de rappeler que le baptême ne dispense pas automatiquement du jugement.[16]

Il semble en effet que le verset de Jean 3,8 : «Qui croit en moi ne sera pas jugé, qui ne croit pas est déjà jugé», ait été mal interprété.[17] Zénon défend donc le principe d'une juste rémunération,[18] en faisant appel au Ps 1, 5 où, entre la catégorie des justes, admis au ciel sans jugement, et celle des impies, condamnés avant tout jugement, est introduite la catégorie des pécheurs.[19] Ces derniers sont des chrétiens baptisés qui ont manqué à leurs engagements et dont la situation ambiguë rend nécessaire un jugement pour décider de leur sort.[20] Cependant ce rappel sonne moins comme une menace que comme une mise au point, car Zénon insiste bien sur la différence entre jugement et condamnation.[21]

Peur du jugement et mauvaise conscience

En dernier ressort, toutefois, les baptisés qui ne respectent pas leurs engagements sont bien promis au jugement. Ambroise est très clair sur ce point : pour les pécheurs, le jugement est redoutable.

Dans le second sermon du *De bono mortis*, il déclare bien qu'«il est mieux de savoir comment les innocents seront sauvés que comment les coupables seront tourmentés.»[22] Mais, après avoir raillé l'imagination des poètes et la crédulité des sots, il prend au sérieux la crainte des châtiments.[23] La crainte des sots n'est pas sans fondement, mais la vie, et non la mort, en porte la responsabilité :

---

[16] Zénon, Tr I,35 (SCAmb 1, 138-143) sur le Ps 100,1 : *Misericordiam et iudicium cantabo tibi, Domine.*

[17] Voir Zénon, Tr I,35,2 (SCAmb 1, 138) : *Non ergo sic accipiendum est, quemadmodum ab imprudentibus aestimatur.*

[18] Zénon, Tr I,35,1 (SCAmb 1, 138) : *At si utraeque partes iudicio uacant, quomodo unicuique merces pro suo actu reddetur?*

[19] Zénon emprunte à Hilaire de Poitiers, *In Ps 1*, 21-23, l'exégèse du Ps 1,5 : *Non resurgunt impii in iudicio neque peccatores in concilio iustorum.* Voir B. Daley, *The Hope of the Early Church, op. cit.*, p. 96-97 et C. Truzzi, *op. cit.*, p. 124-125. Pour une étude de l'exégèse de ce verset chez les Pères latins, voir H. de Lavalette, «L'interprétation du Ps 1, 5 chez les Pères miséricordieux latins», *Recherches de science religieuse* 48 (1960), p. 544-563.

[20] Zénon, Tr I,35,4 (SCAmb 1, 140) : *Ambiguos utique christianos designauit ac lubricos... et 6 (ibid.) : Ambiguitas enim nisi fuerit discussa, iure non potest mereri sententiam.*

[21] Zénon, Tr I,35,8-9.

[22] Ambroise, *De bono mortis* 11,48 (BAmb 3, 196-8) : *melius est cognoscere quomodo innocentes saluentur quam quomodo crucientur flagitiosi.* Voir toutefois en 12,56 l'évocation du châtiment des coupables.

[23] Ambroise, *De bono mortis* 8,33 (BAmb 3, 176) : *Duabus autem ex causis mortem insipientes uerentur. Una quod eam interitum appellent. (...) Altera autem causa, quod poenas reformident, poetarum uidelicet fabulis territi. (...) Haec plena sunt fabularum : nec tamen negauerim poenas esse post mortem.*

> Que chacun accuse la blessure de sa conscience et non l'amertume de la mort. Pour les justes, la mort est un port de tranquillité, tandis que les coupables l'envisagent comme un naufrage.[24]

La crainte du jugement est donc le fruit de la mauvaise conscience, et plus précisément d'une conscience qui se sait coupable.

En commentant le Psaume 118,52 : «Je me suis souvenu de tes jugements qui sont d'éternité et j'en ai été consolé», Ambroise oppose de la même façon le juste et le pécheur.[25] Le juste a bonne conscience et ne redoute donc en rien le jugement divin. Le pécheur en revanche sait que ses fautes vont être châtiées.[26] Ambroise compare leurs attitudes devant la justice divine à celles de l'innocent et du coupable devant la justice humaine. L'innocent se hâte au devant du juge et se réjouit à l'idée que son innocence va être établie, tandis que le coupable tremble et cherche à différer le jour de son procès.[27] Seul le juste voit donc, selon les mots du Psaume, une consolation dans le jugement. La mauvaise conscience, elle, engendre la peur.[28]

La catéchèse baptismale d'Ambroise et de ses contemporains exige clairement du baptisé l'impeccabilité, et j'ai souligné l'ambiguïté avec laquelle elle en aborde la possibilité.[29] La vie chrétienne tout entière semble se ramener à garder intact un acte passé. C'est la conception du mécanisme du péché qui permet de mieux comprendre cette ambiguïté.

---

[24] *Ibid.*, 31 (BAmb 3, 174) : *Suae igitur unusquisque conscientiae uulnus accuset, non mortis acerbitatem. Denique iustis mors quietis est portus, nocentibus naufragium putatur.*

[25] Ambroise, *Exp in Ps 118*.7,15-17 (BAmb 9, 286-289).

[26] *Ibid.*, 16 (BAmb 9, 288) : *Custodienti igitur dulcia sunt diuina iudicia, neglegenti autem ea amara esse non dubium est, quia aduertit in obprobrii turpitudine peccatorum propositum sibi diuinae euentum esse sententiae.*

[27] *Ibid.*, 17 : *Videmus in hoc saeculo innocentes laetos ad iudicium festinare, odisse moras, celeritatem affectare iudicii, reos autem refugere et pauere, differre, uitare, maestificari denique, cum diem iudicii audierint constitutum.*

[28] Cf. *In Lucam VII*,152 (SC 52, 64) : *omnis denique mala est conscientia, quae nos et hic adficit et in futurum accusabit et prodet...* Il s'agit d'un commentaire de Lc 12,58-59 sur la nécessité de s'amender avant d'arriver devant le juge.

[29] C'est ainsi qu'Ambroise, en commentant Luc 1, 6 : *Erant ambo iusti...*, affirme qu'il est possible de ne plus pécher, citant comme autorité Eph 5, 25-27 sur l'Eglise «sans tache ni ride» : voir *In Lucam* I,17 (SC 45, 55). Ce texte, inspiré d'Origène (In Luc. Hom. II,1 : SC 87, 110-113), était cité par Pélage contre Augustin, qui tente, sans convaincre, de le récupérer. Voir Augustin, *De natura et gratia* LXIII,74-75 et la note complémentaire de G. de Plinval, BA 21, p. 624-625 : «Explication de saint Ambroise.»

2 – Péché et responsabilité

Ambroise ne stigmatise la mauvaise conscience que parce qu'il conçoit le péché comme un choix délibéré. Il n'a de cesse en effet de prêcher la pleine responsabilité de l'homme face au péché.[30]

Tu as péché, tais-toi! (Gen 4, 7)

La réponse que Dieu fait à Caïn après son crime : «Tu as péché, tais-toi!» (Gen 4,7),[31] lui sert souvent de point de départ.[32] Le chrétien, dit Ambroise dans le *De Caïn*, doit condamner son péché et non le défendre, car il n'a nulle excuse :

> Tu es donc responsable de tes œuvres, auteur de ton crime. La faute ne t'a pas entraîné malgré toi ou à cause de ton imprudence, mais, te faisant volontairement coupable, tu as commis délibérément, et non par mégarde, le tort pour lequel tu te convaincs toi-même d'être coupable d'une offense envers Dieu.[33]

Ni une imprudence, ni un égarement passager, ni une défaillance ne peuvent donc être accusés par le pécheur. En inventant pour ainsi dire une procédure d'accusation spontanée, Ambroise souligne bien que le péché est un choix délibéré.

Il tient le même langage dans le *De Noe*, pour commenter Gen 8, 21 : «La pensée de l'homme poursuit le mal avec application depuis sa jeunesse.»[34] Philon, dont s'inspire directement Ambroise, en conclut que le péché est co-naturel à l'homme : depuis sa jeunesse est même glosé par «depuis qu'il est dans les langes».[35] Ambroise, lui, évoque le verset de Job 14, 5 : «Nul n'est sans péché, pas même l'enfant d'un jour», mais il ne le cite que pour mieux marquer que, si l'enfant pèche par suite de la faiblesse de son corps, l'adulte commet toujours le péché délibérément.[36]

---

[30] Voir F.H. Dudden, *The Life and Times of St. Ambrose*, Oxford, 1935, t.2, p. 509-510 et surtout E. Dassmann, *Die Frömmigkeit des Kirchenvaters Ambrosius von Mailand*, Münster, 1965, p. 50-53.

[31] Gen 4,7 : *Peccasti, quiesce*. Voir *Vetus Latina 2*, Fribourg, 1951/54, p. 83, sur le texte adopté ici par Ambroise.

[32] *De Caïn* II,7,25; *De Paenitentia* II,11,194; *Apologia Dauid* 46.

[33] *De Caïn* II,7,25 (BAmb 2/1, 286) : *Tu ergo princeps operis tui, tu dux criminis. Non te inuitum, non imprudentem error adtraxit, sed uoluntarius reus iudicio, non lapsu fecisti dolum, quo te diuinae iniuriae reum ipse conuincis.* Cf. *ibid.* 9,27 contre le fatalisme des païens et *De Paradiso* 11,51 avec le commentaire d'H. Savon, *Saint Ambroise devant l'exégèse de Philon le Juif*, Paris, 1977, t. 1, p. 39-42.

[34] Ambroise, *De Noe* 22,80-81 (BAmb 2/1, 462-7) commenté par H.Savon, *op. cit.*, t.1, p. 93-4.

[35] Philon, *QGen* II,54 cité par H. Savon, *op. cit.*, p. 93 (texte latin : t. 2, n. 39, p. 49-50).

[36] Ambroise, *De Noe* 22,81 (BAmb 2/1, 464) : *Ex illa enim aetate (iuuentute)*

Pourtant le thème de l'universalité du péché est familier à Ambroise dès ses premiers écrits.[37] Le premier sermon du *De Interpellatione Job et David* est ainsi tout entier une plainte sur l'infirmité de l'homme.[38] Un sermon du *Commentaire sur l'Evangile de Luc* explique aussi que la prière doit être d'autant plus fréquente que la *fragilitas humana* entraîne au péché.[39] Mais il n'y a là, aux yeux d'Ambroise, aucune contradiction avec ses affirmations sur la responsabilité du pécheur.

Raison et ébriété naturelle

Dans une homélie du *De Noe*, Ambroise distingue en effet péché volontaire et inclination naturelle au péché :

> Il existe en effet comme une ébriété naturelle due à notre infirmité, si bien que nous sommes conduits au vice par l'élan du plaisir.[40]

Cette «ébriété naturelle» relève de la notion d'*hormè*, *impetus* en latin, qu'Ambroise emprunte au stoïcisme.[41] Il s'agit d'un instinct, d'une tendance innée, qui pousse au péché.[42]

Dans le manuel destiné au clergé qu'est le *De Officiis*, Ambroise décrit ces mouvements de l'âme :

> Il existe en effet des mouvements de l'âme, dans lesquels il y a ce désir qui, comme une sorte d'élan, jaillit; d'où son nom grec *hormè*, parce que, par cette sorte de force qui s'insinue, il se jette en avant.[43]

---

crescit malitia, licet alibi legerimus quod non sit sine peccato nec unius diei infans (Iob 14,5), sed et infantia sine peccato non sit propter corporis infirmitatem, diligentia autem et studium peccandi incipiat a iuuentute, ut puer quasi infirmus peccet, iuuenis tamquam improbus...

[37] Voir E. Dassmann, *op. cit.*, p. 12-18.

[38] Ce sermon, qu'Ambroise consacre à l'*infirmitas hominis* (*De Interp* II,1,1 : BAmb 4, 170), est résumé dans cette exclamation : *Quam misera hominis conditio!* (*ibid.* I,3,6 : BAmb 4, 140).

[39] Ambroise, *In Lucam* VII,88 sur Lc 11,5-13 où la parabole de l'ami importun est interprétée comme un appel à une prière fréquente (SC 52, 38) : *Et ideo scriptorum memores noctibus ac diebus orationibus insistentes peccatis nostris ueniam postulemus (...) qui eo amplius rogare debemus quo frequentius carnis ac mentis fragilitate delinquimus.* Sur l'expression *fragilitas humana* chez Ambroise, voir G. Bartelink, «Fragilitas humana chez saint Ambroise», dans *Ambrosius Episcopus*, Milan, 1974, t.2, p. 130-142.

[40] Ambroise, *De Noe* 29,112 (BAmb 2/1, 504) : *Est enim naturalis quaedam etiam nostrae infirmitatis ebrietas, ut impetu delectationis feramur in uitium...*

[41] Sur les emprunts d'Ambroise au stoïcisme en matière éthique, voir M.L. Colish, *The Stoic Tradition from Antiquity to the Early Middle Ages. II-Stoicism in Christian Latin Thought through the Sixth Century*, Leiden, 1985, p. 48-70.

[42] Voir B. Maes, *La loi naturelle selon Ambroise de Milan*, Analecta Gregoriana 52, Rome, 1967, p. 33-37 sur la nature comme instinct chez Ambroise.

[43] Ambroise, *De Officiis* I,47,228 (éd. et trad. M. Testard, Paris, Les Belles Lettres, 1984, t.1, p. 205) : *Sunt enim motus in quibus est appetitus ille qui quasi*

Tel est donc l'origine de la «fragilité humaine». Mais Ambroise ajoute cette précision essentielle pour sa prédication :

> Cette force toutefois est double, se trouvant d'une part dans le désir, d'autre part dans la raison dont le rôle est de retenir le désir...[44]

Ce qui relève de la nature n'est pas une faute, mais, si la raison ne met pas un frein aux passions, alors l'homme se rend coupable d'un péché.

La colère est un exemple privilégié de cette distinction, qu'Ambroise trouve présente dans le Ps 4,5 : *Irascimini, nolite peccare*.[45] Le psalmiste accorde à l'homme que l'irascibilité est un mouvement spontané (tel est le sens de l'impératif *irascimini*), mais refuse toute indulgence pour les péchés que la colère peut entraîner. «Il accorde ce qui relève de la nature, mais refuse ce qui relève de la faute», conclut Ambroise en employant une opposition clé de sa prédication.[46]

Un commentaire sur le Ps 118,101 : «J'ai interdit à mes pieds de suivre toute voie mauvaise pour garder tes préceptes» offre une synthèse du mécanisme du péché, tel que le conçoit Ambroise.[47] La *via maligna* du Psaume évoque la pente de la fragilité humaine au péché.[48] Le verbe *prohibere* indique quel doit être le comportement de l'homme : retenir ses pas au bord de la pente glissante des vices.[49] Le chrétien reçoit donc une double mise en garde : contre une nature aux instincts mauvais, contre le manquement au devoir de sa raison.

Le mécanisme du péché est donc sans ambiguïté : l'homme pèche chaque fois que sa raison ne refrène pas son mauvais instinct. Le thème de l'universalité du péché, nous le voyons déjà, n'a pas chez Ambroise le sens qu'il prend chez Augustin avec la doctrine du

---

quodam prorumpit impetu, unde graece hormè dicitur quod ui quadam serpente proripiat.

[44] *Ibid.* : *Quae tamen uis gemina est, una in appetitu, altera in ratione posita quae appetitum refrenet...*

[45] Cf. B. Maes, *op. cit.*, p. 35-6.

[46] Ambroise, *De Iacob et beata uita* I,1,1 (BAmb 3, 230) : *Concessit quod naturae est, negauit quod culpae est.* Cf. *In Ps 36*,18; *Ep 51*,4 (adressée à Théodose). Sur l'opposition *natura/uoluntas*, voir B. Maes, *op. cit.*, p. 36-7.

[47] Ambroise, *Exp. Ps 118.13*,16 (BAmb 10, 74-75).

[48] *Ibid.* : *Itaque cum fragilitas humana prona sit, ut ad imum affectibus et currente uestigio feratur in uitium, docet quemadmodum uiae istius lubricum, itineris huius anfractus uiantem implicare non possit.*

[49] *Ibid.* : *Reuoca ergo ab istius mundi lubrico pedes animi tui et mentis incessum. Prohibe, inquam, resiste cupiditatibus, obsiste motibus qui uidentur inruere sicut bestiae atque iumenta, ut teneros fructus et noua ruris huius nostri culta depascant.* Cf. les chevaux du *Phèdre* de Platon.

péché originel. Ambroise n'ignore pas cependant les conséquences négatives du péché d'Adam, ni sa transmission à l'humanité. Mais ce qui est transmis est une culpabilité, non une nature viciée et encline au péché.[50] En effet, l'homme, après la chute, ne perd ni le libre-arbitre, ni par conséquent la responsabilité face au péché.[51] Quant à la culpabilité, elle disparaît avec les rites baptismaux.[52]

Il ne m'appartient pas de discuter le rôle d'Ambroise dans l'élaboration de la doctrine augustinienne du péché originel.[53] Mais il faut s'arrêter à un sermon où Ambroise aborde le problème des séquelles du péché d'Adam en fonction de ce dont l'homme est redevable au jour du jugement.

L'iniquité de mon talon me cernera (Ps 48, 6)

Il s'agit d'un commentaire du Ps 48,6 : «De quoi aurai-je donc peur au jour mauvais? L'iniquité de mon talon me cernera.»[54] Comme Ambroise met cette inquiétude dans la bouche du juste qu'ont décrit les versets précédents, la seule crainte possible au jour du jugement est de porter encore la trace de l'«iniquité du talon».[55] C'est donc cette iniquité qu'il s'attache à définir.

Pour cela, Ambroise rappelle l'enseignement de sa catéchèse baptismale sur le lavement des pieds.[56] Adam a été mordu au talon par le serpent, dont le venin a été transmis à tout le genre humain.[57] C'est pourquoi le lavement des pieds succède au baptême : dans le baptême sont remis les péchés personnels; par le lavement des pieds

---

[50] Voir P.F. Beatrice, *Tradux Peccati. Alle fonti della dottrina agostiniana del peccato originale*, Milan, 1978, p. 174-180, qui présente et commente les textes principaux, en indiquant la bibliographie antérieure.

[51] Voir B. Maes, *op. cit.*, p. 81-89. Cf. Gaudence de Brescia qui lie libre arbitre et responsabilité face au jugement, en particulier *Tractatus* 3,16 (SCAmb 2, 276) : *...nec homini concessa semel uoluntatis libertas aufertur, ne nihil de eo iudicari possit, qui liber non fuerit in agendo.* Cf. aussi *Tractatus* 13,16 (SCAmb 2, 390) : *Vult enim Dominus uere iustus iudex, ut meriti proprii sibi sit causa unusquisque : uult et iustum pro sola iustitia pati; uult et iniquum, si in malitia perdurauerit, reum mortis proprio arbitrio iudicari.*

[52] Voir P.F. Beatrice, *La lavanda dei Piedi. Contributo alla storia delle antiche liturgie cristiane*, Rome, 1983, p. 103-127 et *infra* p. 139.

[53] Voir P.F. Beatrice, *Tradux peccati, op. cit.*, p. 174-180.

[54] Ambroise, *In Ps* 48,8-9 : BAmb 8, 258-261. Cf. *In Ps* 40,7 (BAmb 8, 42) sur le qualificatif *mala* appliqué au *dies iudicii*.

[55] *Ibid.*, 8 (BAmb 8, 258) : *Cum os meum loquatur sapientiam et meditatio cordis mei prudentiam (cf. Ps 48,4), in die iudicii timere quid possum, nisi forte calcanei mei iniquitas mihi sit abluenda?*

[56] Voir Ambroise, *De Mysteriis* 6,31-2 et *De Sacramentis* III,4-7, avec l'étude de P.F. Beatrice, *La lavanda dei piedi, op. cit.*, p. 103-127.

[57] Ambroise, *In Ps* 48,8 (BAmb 8, 258) : *Alia est iniquitas nostra, alia calcanei nostri, in quo Adam dente serpentis est uulneratus et obnoxiam hereditatem successionis humanae suo uulnere dereliquit, ut omnes illo uulnere claudicemus.*

est effacée la culpabilité héritée du péché d'Adam.[58] Ambroise donne une autre preuve de l'identification de l'«iniquité du talon» avec le péché d'Adam. Il rapproche du Ps 48,6 le Ps 37,5 : «Mes iniquités reposèrent sur ma tête.» C'est David chargé du poids de ses péchés personnels (*iniquitates meae*) qui prononce ce dernier verset, tandis que le Christ, qui est sans péché, parle dans le Ps 48,6 de l'«iniquité de son talon», désignant par là la faute commise par Adam.[59]

Ambroise peut revenir alors à la question des péchés redevables au jugement. L'iniquité d'Adam ne peut pas faire peur, car au jour du jugement, seuls les péchés personnels sont pris en compte.[60] Pour ne pas contredire le Ps 48,6, Ambroise doit donc introduire une distinction : l'iniquité du talon est «plus une inclination au péché qu'un péché qui nous est imputable.»[61] Dans ce cas, l'iniquité du talon pourrait être un motif de crainte au jour du jugement, dans la mesure où, étant une inclination au péché, elle laisse au pécheur son entière responsabilité. Mais le lavement des pieds post-baptismal efface cette «inclination héréditaire», de sorte que celui qui le veut peut se tenir ferme dans la voie des vertus.[62]

La difficulté que nous avons à suivre la pensée d'Ambroise n'est autre que le signe de son embarras. Il lui faut en effet concilier avec le Ps 48,6 deux affirmations clés de son enseignement : d'une part, l'iniquité du talon est la culpabilité héritée du péché d'Adam (ce qu'il explique aux néophytes chaque année); d'autre part, l'homme n'est redevable que de ses propres fautes au jugement (ce qui est le fondement de sa prédication sur la responsabilité du pécheur). Il risque donc une hypothèse (*unde reor*, dit-il) : l'iniquité du talon désignerait la séquelle de la faute d'Adam, une inclination au péché, et il se hâte de dire que cette inclination est effacée par le lavement des

---

[58] Ambroise, *De Mysteriis* 6,32 (SC 25, 118) : *Ideo planta eius abluitur, ut hereditaria peccata tollantur; nostra enim propria per baptismum relaxantur.* Voir textes parallèles dans P.F. Beatrice, *loc. cit.*

[59] *In Ps 48,9* (BAmb 8, 260) : *Ergo Dauid dicit : 'Iniquitates meae superposuerunt caput meum' (Ps 37,5), qui se nouerat in iniquitate esse conceptum et in delictis a matre generatum. Dominus autem, qui sua peccata non habuit nec cognouit proprias iniquitates, ait : 'Iniquitas calcanei mei circumdabit me' (Ps 48,6), hoc est iniquitas Adae, non mea.*

[60] *Ibid.* : *Sed ea non potest mihi esse terrori; in die enim iudicii nostra in nobis, non alienae iniquitatis flagitia puniuntur.*

[61] *Ibid.* : *Unde reor iniquitatem calcanei magis lubricum delinquendi quam reatum aliquem nostri esse delicti.*

[62] *Ibid.* : *Meritoque dominus, qui pro nobis uniuersa suscepit, lauemus, inquit, et pedes, ut calcanei lubricum possimus auferre, quo fida statio possit esse uirtutum nec paterno quis errore labatur, qui suo paratus est stare proposito, non metuat lubricum hereditatis, qui cupit uestigium tenere uirtutis.*

pieds. Son intention dernière est bien d'affirmer la responsabilité du pécheur, baptisé ou non.[63]

Quelle que soit la nature exacte des conséquences de la faute d'Adam, l'homme en est libéré dans le baptême et les rites qui l'accompagnent. En plus de la rémission des péchés, le baptême opère une transformation radicale de l'homme, restauré dans une condition supérieure même à celle d'Adam.[64] Au jour du jugement, le pécheur ne sera donc redevable que de ses seules fautes personnelles et la seule crainte qu'il puisse avoir tient à sa mauvaise conscience.

3 – Fragilité humaine et pénitence

Dans la controverse avec les rigoristes, héritiers spirituels de Novatien,[65] Ambroise affirme sans relâche que nul n'est sans péché.[66] Refuser la pénitence, comme Novatien, ou le pardon au pénitent, comme ses héritiers, est faire en effet preuve de présomption. A leur idéal de pureté, Ambroise oppose Job 14,5 : « Personne n'est pur de péché, pas même l'enfant d'un jour. »[67] Il est conduit aussi à citer Rom 7,23 où Paul décrit la lutte de la chair contre l'esprit pour

---

[63] Non-baptisé, le pécheur garde la responsabilité d'avoir cédé à une inclination, qui pour être héréditaire n'est pas contraignante; baptisé, le pécheur n'a plus aucune excuse. *Statio, stare, propositum tenere* (voir texte de la note précédente) : ces expressions ne laissent pas de doute sur les intentions d'Ambroise. P.F. Beatrice, *Tradux peccati, op. cit.*, p. 183-184 (cf. *La Lavanda dei piedi, op. cit.*, p. 112-114), en conclut qu'Ambroise s'oppose ici aux conséquences prédestinationistes d'une doctrine du péché originel. C'est peut-être donner beaucoup de poids à l'*unde reor*, avec lequel Ambroise tente de résoudre le problème soulevé par le Ps 48,6 et ne pas tenir compte du fait qu'Ambroise ajoute que le lavement des pieds efface l'inclination héréditaire (*lubricum hereditatis*). Ambroise explique dans deux autres textes que le Christ, en bon médecin, n'a pas seulement remis le péché d'Adam, mais en a effacé toute trace en l'homme : *In Ps 61,4* et *De Fide* II,92.

[64] Voir G. Toscani, *Teologia della Chiesa in Sant'Ambrogio*, Milan, 1974, p. 209-246. Le fragment 2 du *De sacramento regenerationis*, édité par G. Madec, *Saint Ambroise et la philosophie*, Paris, 1974, p. 256-7, d'après Augustin, *Contra Julianum*,II,5,14, où Ambroise explique qu'à la mort du baptême doit succéder la « sépulture des vices » en citant le combat de la chair et de l'esprit décrit par Paul en Rom 7,23, est exceptionnel dans l'œuvre d'Ambroise. Voir le commentaire de G. Madec, *op. cit.*, p. 287-93 : Ambroise pourrait répondre ici aux critiques antichrétiennes sur le baptême.

[65] Sur les Novatiens et leur réfutation par Ambroise dans le *De Paenitentia*, voir R. Gryson, introduction, SC 179, Paris, 1979 et sur les courants rigoristes au IVe siècle, voir le premier chapitre d'A. Fitzgerald, *op. cit.*, p. 5-62.

[66] *Nemo sine peccato.* Quelques exemples : *De Cain* I,3,10; *De Noe* 22,81; *De Paenitentia* I,4; *Apologia David* 54; *Exp in Ps* 118,8,30; 16,32; 22,27; etc.

[67] Ambroise, *De Paenitentia* I,1,3-4. Les Novatiens se donnaient le titre de « purs ». Voir autres attestations dans R. Gryson, *op. cit.*, p. 54, n. 1.

caractériser la condition pécheresse de l'homme.[68] Augustin n'a pas manqué de collecter ces passages pour les opposer à Pélage ou à Julien.[69] En portant la discussion sur le terrain de la pénitence, les Novatiens ont donné ainsi à Ambroise l'occasion de tenter de concilier le thème de la responsabilité du pécheur et celui d'une nature pécheresse.[70]

Le juste pénitent

Dans l'*Explanatio in Psalmum 1*, Ambroise explique ce dont le pécheur est redevable au jugement. Le verset 1 : *Beatus vir qui non abiit in consilio impiorum et in via peccatorum non stetit et in cathedra pestilentiae non sedit* lui en donne l'occasion. Le terme *beatus* désigne en effet celui qui, ayant échappé à toute condamnation, jouit de la récompense accordée aux justes.[71] Les trois conditions de ce bonheur fournissent d'autre part à Ambroise le point de départ d'une distinction de trois types de péché : *cogitatio* (*abire in consilio*), *operatio* (*in via peccatorum stare*), *permansio* (*in cathedra pestilentiae sedere*).[72]

Seul celui qui n'a pas de pensées à se reprocher au jour du jugement est bienheureux, commence par affirmer Ambroise.[73] Puis il applique la même classification aux seuls péchés en pensée : faire naître une pensée mauvaise, s'y attarder, s'y obstiner.[74] Le premier péché est pardonnable, car «personne ne peut dire qu'il a un cœur pur», rappelle Ambroise en citant Prov 20,9. L'essentiel est donc de

---

[68] *Ibid.* II,7,74 (SC 179, 180) : *Peccamus seniores, repugnat in nobis lex huius carnis legi mentis nostrae et captiuos nos in peccatum trahit, ut faciamus quod nolumus.*

[69] Pour Job 14,5 : voir *supra*. Pour Rom 7,23 : voir le relevé de G. Madec, *op. cit.*, p. 289, n.85.

[70] Ambroise pose le problème très explicitement dans le *De Interpellatione Iob et Dauid* I,7,22 (BAmb 4, 156-7) : *Vere miserabilis condicio, ut peccati sui, quod uitare non possit, rationem praestare cogatur : iudicium intrare, in conspectum subire domini omnipotentis compellitur, edere causas gestorum suorum, quae tot uitae suae aetatibus percurrerit, cum mundus a peccato quiuis esse non possit, ut ab ipsis incunabilis prius obrepat infantiae culpa quam sit ullus sensus erroris.* Ambroise commente ici Job 14,5 et des textes clés, comme le Ps 142,2 et Prov 20,9, affleurent dans cette plainte de Job.

[71] Ambroise, *In Ps 1,20* (BAmb 7, 56) : *Nam quo modo potest beatus esse, qui suis cogitationibus die iudicii reuincendus est?*

[72] *Ibid.* : *Possumus dicere tres esse speciales peccatorum, quas hic putamus expressas, cogitationis, operationis, permansionis.*

[73] Voir texte cité *supra* note 71.

[74] *Ibid.* (BAmb 7, 58) : *Vel sic : qui et non cogitauerit quod esset erroris uel in ea cogitatione non steterit uel certe non perseuerauerit in his cogitationibus, quas plenas erroris aduerterit.*

ne pas s'enfermer dans une mauvaise pensée.[75] Il revient alors à la première classification :

> Avec quel soin les mots des Saintes Ecritures sont-ils disposés! En effet, puisque nous sommes tous sous le joug du péché (cf. Gal 3,22), il ne t'est pas demandé de ne pas commettre le péché, ce qui dépasse la nature, puisque même l'enfant d'un jour n'est pas sans péché (cf. Job 14,5), mais il t'est demandé de ne pas rester en état de péché permanent.[76]

Dans la mesure où il n'est pas possible à l'homme de se tenir à l'écart de tout péché, il ne lui pas demandé au jugement d'être sans péché : ce serait «dépasser la nature». Mais l'homme peut du moins ne pas rester en état de péché, car le remède de la pénitence est toujours à sa portée. Au jour du jugement, la miséricorde intervient donc en faveur du pécheur repenti.

La miséricorde se substitue alors à la justice, comme se plaît à le répéter Ambroise quand il rencontre l'un ou l'autre mot dans un verset psalmique.[77] Le verset 124 du Psaume 118 : *Fac cum servo tuo secundum misericordiam tuam et justitias tuas edoce me* est ainsi rapproché aussitôt du Ps 142,2 : *Non intres in judicium cum servo tuo*.[78] Il faut être conscient de ses péchés et implorer la miséricorde de Dieu plutôt que sa justice : «Quel espoir peut avoir l'homme de gagner son procès devant lui, que ne trompe pas ce qui est secret et à qui les péchés ne peuvent pas être cachés?»[79] Nul n'étant sans péché, nul ne pouvant prétendre satisfaire à toutes les exigences de la justice divine, tout procès est perdu d'avance sans le secours de la miséricorde. Pour en bénéficier, il suf-

---

[75] *Ibid.* : *Nam qui semel male cogitauit, nec stare in eo debuit nec perseuerare. Sed etsi non perseuerauerit, beatus esse non potuit, quia stetit in eo quod improbe cogitauit; etsi non stetit, tamen eo ipso, quod cogitauit male, utrum habeat beatitudinis fructum, clementem aliquem quaerere debet interpretem. Postremo quia nemo potest dicere mundum se habere cor (Cf. Prou 20,9), esto ut ueniabilis cogitatio sit.*

[76] *Ibid.* 22 (BAmb 7, 60) : *Quanto examine scripturae diuinae uerba ponuntur! Etenim quia omnes sub peccato sumus, non a te exigit quod ultra naturam est, ut non peccatum facias, quia nec unius diei infans sine peccato, sed ut non maneas in peccato quadam statione diuturna.*

[77] *Exp in Ps 118*,8,28-30; 16,31-33; 20,22-42; *In Ps 1*,53; *In Ps 35*,23; *In Ps 36*,70-5.

[78] Ambroise, *Exp in Ps 118*,16,31-33 (BAmb 10, 198-201).

[79] *Ibid.* 32 (BAmb 10, 198) : *Etenim nostrorum conscii peccatorum misericordiam magis petere dei nostri quam iustitiam implorare debemus; alia ueniam largitur, alia examen impertit. Quae spes hominibus certandi apud eum, quem occulta non fallunt, quem latere peccata non possunt?*

fit d'en reconnaître le besoin.[80] David est, par excellence, le modèle du juste pénitent.[81]

Pénitence et contrôle de la raison

Confronté aux Novatianistes, Ambroise refuse clairement tout lien trop étroit entre baptême et impeccabilité,[82] ce qui impliquerait le rejet du pécheur hors de l'Eglise. Il défend la possibilité pour le pécheur de faire pénitence, mais la responsabilité de ce dernier n'est diminuée en rien par la faiblesse humaine face au péché. La pénitence est en quelque sorte une façon de remédier à l'échec du contrôle exercé par la raison sur les tendances qui poussent l'homme au péché, et, par là-même, elle est une autre forme de ce contrôle.

Cela apparaît bien dans un petit dialogue, imaginé par Ambroise, entre un pécheur et Dieu, au jour du jugement :

> Quelle excuse trouveras-tu pour avoir commis tant de péchés? Avanceras-tu l'infirmité de la nature humaine, puisque nul n'est sans péché? Il te sera répondu : «Tu aurais donc dû faire pénitence : je t'avais donné un remède, pourquoi l'as-tu refusé?»[83]

Ambroise refuse au pécheur le droit d'user de l'argument de la faiblesse humaine qu'il oppose lui-même au rigorisme des Novatiens. Le pécheur peut en effet toujours faire pénitence : y manquer est une faute sans excuse. Que le pécheur puisse «refuser» de faire pénitence suppose bien la claire conscience d'avoir pécher : le recours à la pénitence est le résultat du contrôle de la raison.

A cela n'est pas étranger le fait que la pénitence soit avant tout conçue dans le cadre de la discipline ecclésiastique. J'ai parlé jusque-là de «pénitence» sans autre précision, comme le fait Ambroise lui-même, chez qui le mot désigne soit le repentir, ou retour sur soi, qui conduit à faire publiquement pénitence, soit *l'actio pae-*

---

[80] *Ibid.* 33 (BAmb 10, 200) : *Ideoque sciens omnia misericordiam petit (Dauid) potius quam audientiam, 'quoniam non iustificabitur, inquit, in conspectu tuo omnis homo uiuens' (Ps 142,2).*

[81] Voir en particulier l'*Apologia Dauid* et le commentaire de P. Hadot, SC 239, Paris, 1977. L'exemple de David, qui est sans cesse répété dans les textes sur la pénitence de Théodose, me laisse penser qu'Ambroise a ici en tête la pénitence canonique, en dépit de l'imprécision du vocabulaire.

[82] Cf. Ambroise, *De Paenitentia*,I,8,39 (SC 179, 86) : *Vos quis ferat, qui putatis non esse uobis opus mundari per paenitentiam, quia mundatos dicitis uos esse per gratiam, quasi iam peccare uobis impossibile sit?*

[83] Ambroise, *In Ps* 37,51 (BAmb 7, 318-319) : *Quomodo excusabis, cum tanta commiseris? Praetendes condicionis infirmitatem, quia nemo sine peccato. Respondebitur tibi : Debuisti ergo agere paenitentiam; dederam remedium, cur refutasti?*

nitentiae elle-même. Dans le *De paenitentia*, Ambroise évoque une autre forme de pénitence, quotidienne celle-ci et réservée aux fautes légères.[84] C'est toutefois le seul texte où il en soit question explicitement.[85]

* * *

L'«éthique de la discontinuité», qui caractérise la prédication chrétienne à la fin du IVe siècle, a tendance à ignorer les péchés post-baptismaux. Le rigorisme anachronique de chrétiens qui envisagent l'Eglise comme une secte – le *coetus sanctorum* des partisans de Novatien – est combattu. Mais ce combat prend la forme d'un refus de l'exclusion du pécheur, qui porterait atteinte à la miséricorde de Dieu, plutôt que celle d'une réflexion sur la place du pécheur dans l'Eglise.

A la question : «Comment se présenter sans crainte au jugement?» un auditeur d'Ambroise répondrait : être baptisé; respecter la grâce baptismale; le cas échéant, faire pénitence. En dernière analyse, la crainte du jugement reste le lot du pécheur endurci. L'étroite imbrication de tous les thèmes abordés dans ce chapitre (condition post-baptismale, mécanisme du péché, pénitence) laisse deviner quels bouleversements de la spiritualité chrétienne implique l'idée que la peur du jugement est au contraire signe de lucidité.

---

[84] Ambroise, *De Paenitentia*, II,10,95 (SC 179, 192) : ... *sicut unum baptisma, ita una paenitentia, quae tamen publice agitur; nam cottidie nos debet paenitere peccati, sed haec delictorum leuiorum, illa grauiorum.*

[85] Je ne peux donc suivre les analyses de P. De Clerck, «Pénitence seconde et conversion quotidienne aux IIIe et IVe siècles», *Studia Patristica*, vol. 20, Leuven, 1989, p. 352-374, plus particulièrement p. 365-367, où il prête à Ambroise une pastorale de conversion quotidienne. Voir *infra* p. 162.

CHAPITRE 2

UTQUID TRISTIS ES, ANIMA MEA?

LA PEUR DU JUGEMENT DANS LES SERMONS D'AUGUSTIN

Augustin a indubitablement rompu avec la longue tradition occidentale qui faisait du baptême l'événement fondamental après lequel le chrétien pouvait vivre innocent de tout péché. Ce sont la formulation par Pélage des conséquences logiques d'une éthique de la discontinuité,[1] et la polémique d'Augustin contre une telle spiritualité, qui permettent à l'historien de voir et de comprendre la rupture. Les analyses de Peter Brown et les travaux récents sur le pélagianisme me dispensent de revenir sur le rôle de la polémique avec les pélagiens.[2] Je voudrais plutôt m'attacher aux conséquences pastorales de la spiritualité promue par Augustin.

La postérité a souvent retenu d'Augustin une conception pessimiste de la condition humaine, et son enseignement, de la priorité absolue de la grâce à la doctrine de la prédestination, n'a pas été sans soulever de difficultés.[3] La lecture des sermons offre une image un peu différente, dans la mesure où elle permet de saisir les enjeux pastoraux qui nourrissent les débats théologiques.[4] Cela est particulièrement vrai du langage d'Augustin sur la peur du jugement. La doctrine du péché originel a en effet pour conséquence de faire du jugement un moment redoutable pour tout chrétien conscient de ne

[1] Voir P. Brown, «Pelagius and his Supporters : Aims and Environment», dans *Religion and Society in the Age of Saint Augustine*, Londres, 1972, p. 183-207, en particulier p. 199-201.
[2] Outre l'article cité à la note précédente, voir *La vie de saint Augustin*, trad. franç., Paris, 1971. Sur le pélagianisme, je renvoie à la synthèse récente de F. G. Nuvolone et A. Solignac, «Pélage et le Pélagianisme» dans *Dictionnaire de Spiritualité*, t.12, Paris, 1986, c.2889-2942, avec la bibliographie antérieure et aux articles de G. Bonner, «Pelagianism and Augustine», *Augustinian Studies* 23 (1992), p. 33-51 et «Augustine and Pelagianism», *Augustinian Studies* 24 (1993), p. 27-47, qui mettent à jour *Augustine and Modern Research on Pelagianism*, Saint Augustine Lecture 1970, Villanova, 1972.
[3] Voir le résumé proposé par H. Chadwick, *Augustin*, trad. franç., Paris, 1987, p. 155-160.
[4] Cf. C. Straw, «Augustine as a Pastoral Theologian : the Exegesis of the Parables of the Field and Threshing Floor», *Augustinian Studies* 14 (1983), p. 129-151.

pouvoir être sans péché. Augustin toutefois nourrit moins cette peur qu'il ne la prend en compte et tente de la transformer en un sentiment salutaire. La pastorale des mourants s'en trouve une fois encore renouvelée.

1 – L'ENARRATIO IN PSALMUM 42

Il n'est de meilleure introduction à ce thème de la pastorale augustinienne que la lecture de l'*Enarratio in Psalmum* 42,[5] où est analysée longuement la détresse du mourant saisi de crainte à l'idée du jugement.

Le verset 5 du Psaume 42 : «Pourquoi es-tu affligée mon âme, et pourquoi me troubles-tu? Espère en le Seigneur», est, selon Augustin, l'expression d'un «conflit» entre *anima* et *mens*, siège de l'*intellectus*.[6] Il peut s'agir du conflit dont parle Paul en Rom 7, 22-23 : «Je me réjouis de la loi de Dieu selon l'homme intérieur, mais je vois dans mes membres une autre loi»,[7] ou encore de celui que

[5] Augustin, En in Ps 42 (CCL 38, 474-481). Ce sermon a été prononcé à Carthage. La date n'en est pas établie avec certitude. S. Zarb, *Chronologia Enarrationum S. Augustini in Psalmos*, Malta, 1948, p. 58-95, ici 93-95, pense que l'En in Ps 32,ii,s.1,5, datée de septembre 403 et qui renvoie à un sermon récemment prononcé, fait allusion à l'En in Ps 42. H. Rondet, «Notes d'exégèse augustinienne : Psalterium et Cithara», *Recherches de science religieuse* 46 (1958), p. 408-415, souligne la difficulté de déterminer à quel texte renvoie l'En in Ps 32 et penche plutôt pour l'En in Ps 56, qui contient des allusions anti-donatistes, comme l'En in Ps 32, ce qui n'est pas le cas de l'En in Ps 42. Dans une autre étude («Notes d'exégèse augustinienne», *Recherches de science religieuse* 39 (1951/52), p. 472-477), H. Rondet propose de regrouper les En in Ps 42, 80 et 88 en septembre 411 à Carthage. O. Perler, *Les Voyages de saint Augustin*, Paris, 1969, p. 248 et 297, adopte la chronologie de H. Rondet. A.-M. La Bonnardière, «Les *Enarrationes in Psalmos* prêchées par Augustin à l'occasion des fêtes de martyrs», *Recherches Augustiniennes* 7 (1971), p. 73-104, ici p. 78-9, adopte l'hypothèse de S. Zarb sans discuter celle de H. Rondet. Dans son étude sur «Les *Enarrationes in Psalmos* prêchées par saint Augustin à Carthage en décembre 409», *Recherches Augustiniennes* 11 (1975), p. 52-90, elle «défait» le groupement proposé par H. Rondet, mais ne dit rien de l'En in Ps 42. L'interprétation qui y est donnée de Mt 26,38 semble la situer plutôt après 411 : voir *supra* p. 83.

[6] Augustin, En in Ps 42,6 (CCL 38, 478-479) : *Quis dicit? cui dicit? Intellectus ergo noster alloquitur animam nostram.* Sur le sens de ces différents mots dans l'analyse du composé humain par Augustin, voir H.-I. Marrou, «Le dogme de la résurrection des corps et la théologie des valeurs humaines selon l'enseignement de saint Augustin», *Revue des Etudes Augustiniennes* 12 (1966), p. 111-136, ici p. 121-122.

[7] En in Ps 42, 7.

préfigure le Christ au Jardin des Oliviers, quand il dit : «Mon âme est triste jusqu'à la mort» (Mt 26, 38).[8] Mais c'est une dernière possibilité que retient Augustin : l'âme est troublée par la perspective du jugement.[9]

Il apporte une première précision en expliquant que l'âme n'est pas inquiète parce qu'elle se saurait coupable de péchés graves, mais

> parce que, même si une vie est déjà objet d'approbation parmi les hommes, de sorte que les hommes ne trouvent en toute justice rien à lui reprocher, il s'agit d'un examen conduit par Ses yeux, d'une règle qui mesure toutes choses infailliblement et qui trouve dans l'homme quelque chose à reprendre aux yeux de Dieu, quand ni les hommes, ni même celui qui doit être jugé, ne voyaient rien à reprendre.[10]

L'âme craint donc la comparution devant un juge à qui rien n'échappe, y compris les péchés qu'elle-même ignore. La culpabilité, seul motif de la crainte du jugement aux yeux d'Ambroise, est donc rejetée d'emblée.

Pourtant, la crainte du jugement n'est pas vaine et tout plaidoyer avec Dieu est perdu d'avance, poursuit Augustin, en citant le Ps 142,2 : «N'entre pas en jugement avec ton serviteur, puisque nul homme vivant ne sera justifié devant tes yeux.» L'esprit dicte à l'âme la conduite qu'il faut adopter :

> Pourquoi crains-tu à cause de tes péchés, puisque tu ne peux pas tous les éviter? «Espère en Dieu, puisque je lui confesserai mes péchés» (Ps 42,5).[11]

Augustin précise ce que Dieu attend du chrétien :

> Ne dispute pas contre le jugement : fais en sorte d'être juste et, quel que tu sois, avoue que tu es pécheur, espère toujours en la miséricorde.[12]

---

[8] *Ibid.*

[9] *Ibid.* (CCL 38, 479) : *An forte ideo quia difficile purgata uita inuenitur, cum ille iudicat qui nouit ad purum et liquidum iudicare?*

[10] *Ibid.*, 7 (CCL 38, 479-80) : *Quia etsi probabilis iam uita est inter homines, ita ut homines quid iam reprehendant iuste non habeant; procedit examen ab illius oculis, procedit regula exaequans non fallaciter, et inuenit in homine quaedam quae reprehendat Deus, quae homines reprehendenda non uidebant, nec ille ipse intus qui iudicandus est.*

[11] *Ibid.*, 7 (CCL 38, 480) : *Haec timens anima forte conturbatur; alloquitur eam mens, quasi dicens : Quid times de peccatis, quia non potes omnia deuitare? 'Spera in Dominum, quoniam confitebor illi'.*

[12] *Ibid.*, 7 (CCL 38, 480) : *Plane time, si iustum te dicis; si non habes illam uocem ex alio psalmo : 'Ne intres in iudicium cum seruo tuo'* (Ps 142,2).

L'important est donc de se reconnaître pécheur, de n'avoir d'autre assurance que la miséricorde divine,[13] et de se garder surtout de placer en soi son espérance.[14]

Ce sermon permet déjà de mesurer la distance avec le langage analysé au chapitre précédent. Pour Augustin, le péché est une menace permanente, dont le chrétien ne peut pas se protéger en toute certitude. Craindre le jugement est donc un signe de lucidité, qui conduit moins à éviter de pécher qu'à veiller à être en état de pardon grâce à une pénitence quotidienne. Chacun de ces points peut être abondamment illustré dans la prédication d'Augustin.

2 – La crainte des châtiments

Il faut relever tout d'abord que, dans l'*Enarratio in Psalmum 42*, Augustin n'attribue pas la crainte de l'âme à l'évocation des châtiments qui peuvent résulter du jugement. Le point de vue auquel il se place est en effet celui d'un chrétien qui n'est coupable d'aucun «crime» ou péché grave.[15] Mais, de façon générale, Augustin ne semble recourir que rarement à l'évocation des châtiments éternels dans ses sermons.[16]

Au commencement

A ses yeux, pourtant, la crainte peut jouer un rôle pédagogique et même être à l'origine de la conversion.[17] Dans les *Confessions*, il évoque ainsi sa propre crainte de la mort et du jugement au moment où il se sépare de sa compagne.[18] Cette expérience très commune est

---

[13] Voir *ibid.*,7 (CCL 38, 480) : *Noli ergo contendere; da operam esse iustus; et quantumcumque fueris, confitere te peccatorem; semper spera misericordiam.*

[14] *Ibid.*, 7 (CCL 38, 480) : *Forte in te uolebas sperare : 'Spera in Dominum', noli in te.*

[15] Sur l'emploi de *crimen* pour désigner les péchés graves qui rendent nécessaire le recours à la pénitence canonique, voir A.-M. La Bonnardière, «Pénitence et réconciliation des pénitents d'après saint Augustin, II», *Revue des Etudes Augustiniennes* 13 (1967), p. 249-83, ici p. 255-8.

[16] S. Poque, *Le langage symbolique dans la prédication d'Augustin d'Hippone*, Paris, 1984, consacre son chapitre 5 aux images du jugement (p. 117-149) et montre que, si le thème est très présent dans la prédication, sa «mise en œuvre atténue par divers moyens (ambivalence des rôles, renversements, images utilisées dans un sens négatif) le caractère rigoureux de la figure du Juge» (p. 148). Cf. J.-L. Frahier, «L'interprétation du récit du jugement dernier (Mt 25,31-46) dans l'œuvre d'Augustin», *Revue des Etudes Augustiniennes* 33 (1987), p. 70-84.

[17] Voir le dossier de textes et la bibliographie indiqués par M.-F. Berrouard, «Le rôle pédagogique de la crainte», BA 73A, note complémentaire 26, p. 497-501.

[18] Augustin, *Confessions* 6,16,26 (BA 13, 570-1).

reprise dans le *De catechizandis rudibus*, où Augustin affirme qu'«il n'arrive que fort rarement, ou plutôt jamais, que quelqu'un se présente avec l'intention de se faire chrétien, sans avoir été frappé de quelque crainte de Dieu».[19] Ceci explique que la description des châtiments soit un élément à part entière de l'exhortation adressée aux futurs catéchumènes.[20]

La tradition offre de fait un appui scripturaire à Augustin : «Le commencement de la sagesse est la crainte du Seigneur» (Eccl 1, 16; Ps 110, 10).[21] Les parallèles cités renforcent l'idée que la crainte n'est qu'une étape sur la voie de la sagesse : la première des Béatitudes (Mt 5, 3), où les pauvres en esprit sont ceux qui craignent Dieu, et le dernier des sept dons du Saint-Esprit (Is 11, 2-3). En effet, la crainte, aussi utile soit-elle, doit être chassée par l'amour, comme le dit encore Jean dans la Première Epître : «La charité parfaite jette dehors la crainte» (1 Jn 4, 18). La cinquantaine de citations de ce verset dans l'œuvre d'Augustin atteste son importance, comme l'a bien montré D. Dideberg dans son étude sur l'exégèse augustinienne de la *Prima Iohannis*.[22]

Crainte et volontas peccandi

La lutte contre le pélagianisme conduit aussi Augustin à insister sur l'imperfection de la crainte des châtiments.[23] Le thème du jugement revient en effet avec insistance dans les écrits de Pélage et des «pélagiens».[24] La menace du châtiment éternel sert à motiver le chrétien, qui, par peur, peut se garder du péché. C'est là une attitude dont le volontarisme n'a pas échappé à Augustin. Il n'a de cesse d'affirmer au contraire que la crainte du châtiment n'affranchit pas de la volonté de pécher.[25] Celui qui agit par crainte n'attend en effet que

---

[19] Augustin, *De catechizandis rudibus* 5,9 (BA 11/1, 72-3) : *Rarissime quippe accidit, immo uero numquam, ut quisquam ueniat uolens fieri christianus qui non sit aliquo Dei timore perculsus.*

[20] *Ibid.* 7,11 (BA 11/1, 80-1) : *commemoratisque cum detestatione et horrore poenis impiorum, regnum iustorum atque fidelium et superna illa ciuitas eiusque gaudium cum desiderio praedicandum est.* Cf. 25,47 pour un modèle de prédication sur ce thème.

[21] Le Sermon 347 (PL 39, 1524-6) est tout entier consacré à ce thème. Cf. Sermon 8,17 (CCL 41, 95); *De Sermone Domini in Monte*,I,i,3 et I,iv,11-2 (CCL 35, 3-4 et 11).

[22] Voir D. Dideberg, *Saint Augustin et la première Epître de saint Jean. Une théorie de l'agapè*, Paris, 1975, p. 190-5; relevé des occurrences de 1 Jn 4,18 p. 190-1.

[23] D. Dideberg, *op. cit.*, p. 195.

[24] Voir P. Brown, *La Vie de saint Augustin*, trad. franç., Paris, 1967, p. 443 et A. Solignac, art. «Pélage et Pélagianisme, II. Le mouvement et sa doctrine», *DSp* 12, c. 2923-36, ici c. 2931.

[25] Augustin, *De natura et gratia* 57,67; *De spiritu et littera* 5-6, 23-24; *Ep 145,5*.

la disparition de la menace pour se livrer au péché. Il y a ainsi un décalage entre sa conduite, qui paraît bonne, et ses sentiments, qui
restent esclaves du péché.[26]

La crainte chaste

Augustin toutefois n'assimile pas sagesse, ou perfection, et absence de crainte. D'une part, comme nous l'avons déjà vu,[27] il rejette
comme une erreur des philosophes la condamnation de toute
crainte.[28] D'autre part, le rejet de la crainte entrerait en contradiction avec le Psaume 18, 10 où il est question d'une «crainte chaste
qui subsiste dans les siècles des siècles.» C'est en effet la contradiction apparente de ce verset et de celui de la *Prima Iohannis* sur la
charité parfaite qui jette dehors la crainte (1 Jn 4, 18) qui gouverne
les développements exégétiques d'Augustin.[29]

A la crainte «servile» qui motive celui qui agit par peur du châtiment, Augustin oppose ainsi la crainte «chaste» ou «crainte de la
charité», dont la motivation est l'amour.[30] Il recourt fréquemment à
une comparaison qui lui est suggérée par le terme même de chaste :
alors que la femme adultère craint d'être châtiée par son mari, la
femme chaste craint d'en être séparée.[31] La crainte chaste est donc la
crainte de perdre ce qui est aimé.

Il faut insister, plus que ne le fait D. Dideberg, sur les raisons de
cette crainte.[32] Augustin précise bien que l'âme a la crainte «d'être
abandonnée de Dieu, après l'avoir abandonné la première.»[33] La
crainte ne porte pas sur le châtiment qu'un péché pourrait entraîner,
mais sur la possibilité même du péché. C'est parce qu'elle se sait su-

---

[26] Augustin, Tr in Io 41,10; voir M.-F. Berrouard, «La dialectique de la
crainte et de la joie chez le chrétien», note complémentaire 25, BA 73A, p. 492-7,
pour un commentaire et d'autres références aux sermons.

[27] Voir *supra* p. 89-90.

[28] Voir par exemple Augustin, Sermon 348,2 pour la crainte du jugement. Le
langage dépréciatif d'un Ambroise sur la crainte du jugement s'inscrit d'ailleurs
en partie dans la continuité de l'idéal philosophique, si bien que nous retrouvons,
à propos de la crainte du jugement, les mêmes oppositions qu'autour de la
crainte de la mort.

[29] Voir D. Dideberg, *op. cit.*, p. 196-9. Cf. J. Burnaby, *Amor Dei. A Study of the
Religion of St. Augustine*, Londres, 1960, p. 214-6 et E. Boularand, art. «Crainte»,
DSp 2, c. 2484-2487.

[30] D. Dideberg, *op. cit.*, p. 196 et note 107, relève 19 textes sur les deux
craintes.

[31] Sur cette image, voir D. Dideberg, *op. cit.*, p. 198-9 et les références de la
note 120.

[32] Voir D. Dideberg, *op. cit.*, p. 196-197 : il cite les textes, mais n'en tire pas
jusqu'au bout les conséquences.

[33] Augustin, Sermon 348,4 (PL 39, 1529) : *Cum uero cauet anima, ne deus illam desertus deserat, timor est castus permanens in saeculum saeculi.*

jette à l'iniquité que l'âme, remplie de charité, craint de voir l'amour de Dieu diminuer.[34] L'élaboration par Augustin de la notion de «crainte chaste», dans laquelle la crainte de Dieu prend une valeur positive, est ainsi liée à la conception qu'il a de la perfection, ou plutôt de son impossibilité.

3 – L'IMPOSSIBLITÉ D'ÊTRE SANS PÉCHÉ

Si Augustin s'abstient de faire jouer le ressort de la peur du jugement dans sa prédication, il ne donne pas pour autant au chrétien d'assurance face au jugement. Ce que craint l'âme, d'après le commentaire sur le Psaume 42, est en effet moins la rigueur du juge que l'impossibilité d'être sans péché à ses yeux.[35] Augustin oppose souvent l'approbation qu'il est possible de gagner auprès des hommes, et l'impossibilité d'être juste aux yeux de Dieu, en citant le Psaume 142,2 : «N'entre pas en jugement avec ton serviteur, parce que nul homme vivant ne sera justifié devant tes yeux.»[36]

Le sermon 170, prêché vers 417, en est un commentaire intéressant :

> Que veut dire : «N'entre pas en jugement avec ton serviteur»? Ne te tiens pas devant moi pour un jugement, exigeant de moi tout ce que tu as prescrit, exigeant tout ce que tu as ordonné. Car tu me trouveras coupable, si tu entres en jugement avec moi.[37]

Devant Dieu, le chrétien ne peut qu'être coupable, incapable qu'il est d'accomplir tous ses devoirs. Augustin précise bien que cela ne l'empêche pas d'être juste aux yeux des hommes, c'est-à-dire pur de tout crime : «Il y a une forme de justice en effet que l'homme peut accomplir, de sorte que nul homme n'ait de plainte contre lui.»[38] Il donne comme exemple le commandement : «Tu ne convoiteras pas le bien d'autrui». Pour le respecter devant les hommes, il suffit de ne

---

[34] Cf. En in Ps 18,I,10; S 161,9; Tr in Io 43,7. En *Cité de Dieu*, 14, 9, 5, «l'inquiétude d'une faiblesse exposée au péché» n'est écartée que parce qu'il s'agit d'expliquer la permanence de la crainte dans l'éternité. Voir D. Dideberg, *op. cit.*, p. 197.

[35] Augustin, En in Ps 42,7 : cité *supra* note 10.

[36] Augustin, En in Ps 58,s.1,12; 78,12; 128,9; 142,6; Sermons 170,6; 179A,1. Le Ps 142,2 est souvent associé au Ps 129,3 : «Si tu observes nos iniquités, Seigneur, Seigneur, qui pourra le supporter?».

[37] Augustin, Sermon 170,6 (PL 38, 930) : *Quid est 'Non intres in iudicium cum seruo tuo'? Non stes mecum in iudicio, exigendo a me omnia quae praecepisti, exigendo omnia quae iussisti. Nam reum me inuenisses, si in iudicium intraueris mecum.*

[38] *Ibid.*, 5 (PL 38, 929) : *Est enim quaedam iustitia, quae potest homo implere, ut nullus hominum queratur de homine.*

pas voler; mais la convoitise seule rend coupable aux yeux de Dieu.[39] Or nul n'est sans convoitise (ou concupiscence) par suite du péché originel.[40] Ainsi aux yeux des hommes ou de la loi, le chrétien peut être juste, mais non aux yeux de Dieu.

Captiuus in lege peccati

Pour décrire le règne de la concupiscence, Augustin cite Rom 7, 22-23 : «Je me réjouis de la loi de Dieu selon l'homme intérieur, mais je vois une autre loi dans mes membres, qui s'oppose à la loi de mon esprit et qui m'emmène captif sous la loi du péché qui est dans mes membres.» Ces versets occupent dans sa prédication une place très importante.[41] Il est vrai qu'Augustin dans ses sermons ne va jamais jusqu'à attribuer en toute certitude ces paroles à l'apôtre lui-même, comme la querelle pélagienne le conduit à le faire dans les traités après 418.[42] Mais, comme le souligne M.-F. Berrouard, quand Augustin ne les cite pas en exégète biblique, ces versets représentent pour lui la meilleure description du déchirement du chrétien et du combat qui se livre en lui.[43]

C'est en particulier un thème récurrent de la catéchèse baptismale,[44] où l'explication du *Pater* tient une place importante.[45] La troisième demande du *Pater* : «Que ta volonté soit faite sur la terre comme au ciel», est, selon l'exégèse d'Augustin, une prière pour que cesse le déchirement de l'âme entre la chair et l'esprit. En effet, «l'esprit est le ciel, la chair est la terre»; les paroles de l'Apôtre révèlent

---

[39] *Ibid.* : *Dicit enim 'Non concupiscas alienum'. Tu si non rapueris alienum, sine querela erit hominum. Ergo aliquando concupiscis, et non rapis. Sed sententia Dei supra te est, quia concupiscis...*

[40] *Ibid.*, 4-5 où Augustin cite les versets 5 et 6 du Ps 50, où David dit avoir été engendré dans l'iniquité, puis Rom 7,23 pour décrire la concupiscence que chacun a en soi. L'assimilation de la convoitise à la concupiscence n'est toutefois pas très rigoureuse.

[41] Voir les textes rassemblés et commentés par M.-F. Berrouard, «L'exégèse augustinienne de Rom 7,7-25 entre 396 et 418», *Recherches Augustiniennes* 16 (1981), p. 101-196.

[42] M.-F. Berrouard, *art.cit.*, p. 191.

[43] *Ibid.*, p. 109.

[44] Voir l'étude de V. Grossi, *La liturgia battesimale in S. Agostino. Studio sulla catechesi del peccato originale negli anni 393-412*, Rome, 1970 et maintenant *La catechesi battesimale agli inizi del V secolo. Le fonti agostiniane*, Rome, 1993.

[45] Augustin, Sermons 56-59. Voir M.-F. Berrouard, *art.cit.*, p. 118-9; V. Grossi, *La liturgia...*, *op. cit.*, p. 55-60 (contexte liturgique) et p. 69-71. S. Poque dans son édition d'Augustin, *Sermons pour la Pâques*, SC 116, Paris, 1966, p. 65-69, replace la *redditio* du *Pater* dans le contexte de la liturgie pascale et édite et traduit le sermon 59, p. 186-199.

donc que la volonté de Dieu se fait au ciel, mais pas encore sur la terre :[46]

> Mais quand la chair sera d'accord avec l'esprit et que 'la mort sera engloutie dans la victoire' (1 Cor 15,54), ...la volonté de Dieu sera faite au ciel et sur la terre.[47]

La citation de 1 Cor 15, 54 montre qu'Augustin parle ici du temps qui suit la résurrection. Il ne cache donc rien des difficultés qui attendent les futurs baptisés : la «perfection»[48] demandée dans le *Pater* n'est pas pour ce monde.

Les séquelles du péché originel

Augustin explique en effet clairement les bénéfices du baptême à ceux qui vont le recevoir. Le baptême efface tous les péchés commis dans le passé et rachète la culpabilité liée au péché originel : ceux qui meurent aussitôt après avoir reçu le baptême quittent donc la vie sans péché.[49] Mais le baptême ne détruit pas les *concupiscentiae*, ni ne met fin à la fragilité humaine : le baptisé commet donc chaque jour des péchés.[50] La querelle pélagienne conduit Augustin à adopter un vocabulaire plus technique et à dire ainsi que la concupiscence n'est plus imputée comme un péché au chrétien baptisé, mais qu'elle garde son pouvoir d'entraîner au péché.[51] Mais les éléments clés de sa catéchèse semblent mis en place avant le déclanchement de la polémique.[52]

Augustin éclaire cet aspect de la vie post-baptismale par l'expli-

---

[46] Voir Augustin, Sermon 56,8 (PL 38, 380) : *Mens caelum est, caro terra est. Quando dicis, si tamen dicis, quod ait Apostolus, 'Mente seruio legi Dei, carne autem legi peccati' (Rom 7,25), fit uoluntas Dei in caelo, sed nondum in terra.*

[47] *Ibid.* : *Cum uero caro menti consenserit, et 'absorpta fuerit mors in uictoriam (1 Cor 15,54), ...fiet uoluntas Dei in caelo et in terra.* Cf. S 57,6; 58,4; 59,5. Voir M.-F. Berrouard, *art.cit.*, p. 118, pour une dépendance d'Augustin vis-à-vis de Cyprien.

[48] Voir Augustin, Sermon 56,8 (PL 38, 380) : *Perfectionem optamus, quando hoc oramus.*

[49] Augustin, Sermon 56,11 (PL 38, 382) : *Qui baptizantur et exeunt, sine debito ascendunt, sine debito pergunt.* Cf. S 57, 8-9; 179A,6.

[50] Augustin, Sermon 57,9 (PL 38, 391) : *Etenim in baptismo sancto peccata dimissuri estis : concupiscentiae remanebunt, cum quibus regenerati pugnetis.* Cf. Sermon 56,11 (PL 38, 380) : *Et baptizati sumus, et debitores sumus. Non quia aliquid remansit quod nobis non dimissum fuerit, sed quia uiuendo contrahimus quod quotidie dimittatur.* Cf. aussi Sermon 59,7.

[51] Voir par exemple la discussion sur les effets du baptême dans le *Contra duas Epistolas pelagianorum*, I,xiii-xiv (BA 23, 364-369).

[52] V. Grossi s'efforce de montrer que le langage d'Augustin change peu, après 412. Les Sermons 56-59 ne sont pas datés avec assez d'assurance pour autoriser toute conclusion définitive, mais la thèse d'ensemble est très vraisemblable. Cf. déjà A.-M. La Bonnardière, «Les commentaires simultanés de Mat 6,12 et de 1 Jo

cation des dernières demandes du *Pater* : «Ne nous induis pas en tentation, mais libère nous du mal», dont il rapproche Job 7, 1 : «N'est-ce pas une tentation que la vie de l'homme sur terre?».[53] L'image qui revient avec le plus d'insistance pour décrire les effets de cette infirmité humaine est celle de l'infiltration de l'eau à travers des fissures.[54] Elle a pour connotation que le péché est comme inévitable en cette vie.[55]

Le sermon 179A, prêché par Augustin avant 410, réunit quelques-uns de ces motifs à propos du verset 2, 10 de l'Epître de Jacques : «Qui a respecté la loi tout entière et ne l'a violée que sur un point est coupable de tout.»[56] En conclusion de l'explication de ce «texte effrayant»,[57] Augustin met en effet ses auditeurs en garde contre les moindres péchés dont l'accumulation est dangereuse. Il rappelle que le baptême a libéré de l'iniquité, mais non de l'infirmité :[58]

> C'est par les tout petites fissures de cette infirmité, qui fait en quelque sorte la fragilité humaine, qu'entre de la haute mer ce qui s'accumule dans la sentine.[59]

La haute mer désigne le monde et ses tentations, selon une image classique.[60] Parfois, Augustin file la métaphore maritime pour évoquer le danger de naufrage que court le navire dont la sentine n'est pas vidée.[61]

1,8 dans l'œuvre de saint Augustin», *Revue des Etudes Augustiniennes* 1 (1955), p. 129-147, en particulier p. 138 et p. 142-3.

[53] Sur le thème de Job et la catéchèse du *Pater*, nous renvoyons à l'étude d'A.-M. La Bonnardière, *Biblia Augustiniana. A.T. Les Livres Historiques*, Paris, 1960, p. 113-114. Le verset Job 7,1 apparaît 47 fois dans l'œuvre d'Augustin.

[54] Voir G. Bartelink, «Fragilitas (infirmitas) humana chez Augustin», dans *Mélanges T.J. Van Bavel*, t.2, *Augustiniana* 41 (1991), p. 815-28, ici p. 822.

[55] Sur cette question délicate, voir M.E. Alflatt, «The Development of the Idea of Involuntary Sin in St. Augustine», *Revue des Etudes Augustiniennes* 20 (1974), p. 113-34 et «The Responsability for Involuntary Sin in Saint Augustine», *Recherches Augustiniennes* 10 (1975), p. 171-186. Voir *infra* p. 155-156.

[56] Augustin, Sermon 179A=Wilmart 2 : MA 1, 673-80.

[57] Voir *ibid.*, 1 (MA 1, 673) : *terribilis lectio.*

[58] *Ibid.*, 6 (MA 1, 678-9) : *Dimissa sunt omnia peccata fidelibus baptizatis (...). Verum est : quis dubitat? Sed si tunc de corpore migraretur, continuo innocentia, ut coepta fuerat, permaneret; quia uero hic uiuitur, deleta est iniquitas, sed manet infirmitas.*

[59] *Ibid.* : *Per cuius infirmitatis et quodammodo fragilitatis humanae quasdam tenuissimas rimulas intrat de pelago, quod confluat in sentinam.*

[60] Pour Augustin, voir H. Rondet, «Le symbolisme de la mer chez saint Augustin», dans *Augustinus Magister*, Paris, 1955, t.2, p. 691-701. Pour la tradition antérieure, voir A. Grilli, *Il problema della vita contemplativa nel mondo greco-romano*, Milan, 1953, *sub verbis galènè* et *limèn* dans l'index.

[61] Voir par exemple Augustin, Sermon 278,13 (PL 38, 1274) : *Sententia ista (Dimitte nobis...) sic est in corde hominis, quomodo cadus, unde sentinatur nauis*

Sournoises infiltrations

Mais, à côté de l'idée d'accumulation,[62] il faut relever celle de l'infiltration. Les «fissures» évoquent en effet une autre famille de mots chère à Augustin : *subreptio, subrepere*. Augustin les utilise avec prédilection pour décrire la façon dont la concupiscence induit l'homme au péché. Dans le troisième sermon sur le Psaume 118,[63] Augustin recourt ainsi à cette image pour analyser le mécanisme du péché.

Il part de la contradiction présentée par le verset 3 du Psaume, où il est question d'hommes qui ne commettent pas d'iniquités,[64] et le verset de la *Prima Johannis* (1 Jn 1, 8), si souvent commenté dans ses sermons, où il est écrit : «Si nous disons que nous n'avons pas péché, nous nous abusons et la vérité n'est pas en nous.»[65] Selon Augustin, la solution est fournie par Rom 7, 17 : «Ce n'est pas moi qui fait cela, mais le péché qui habite en moi». Ce verset explique en effet que les «désirs coupables» agissent en l'homme malgré sa volonté. Mais, précise Augustin, sans l'assentiment de la volonté, ces désirs restent cependant sans effet.[66] Ainsi l'homme peut ne pas commettre de péché, même si le péché agit en lui.

Cette analyse du péché n'est pas très différente de celle d'Ambroise.[67] Mais elle ne débouche pas sur un rappel de la responsabilité du pécheur. Augustin fait en effet rebondir son explication en demandant si la prière du *Pater* : *Dimitte nobis debita nostra*, concerne les désirs coupables ou les péchés effectivement commis.[68] Il re-

---

in pelago. Non potest enim nisi aquam admittere per rimas compaginis suae. Paulatim tamen adhibendo tenuem liquorem, facit multam collectionem, ita ut si non exhauriatur, nauem opprimat. Cf. S 56,11; 58,10; Tr in Io 12,14; etc.

[62] Seule notée et commentée par M.-F. Berrouard, «Pénitence de tous les jours selon saint Augustin», *Lumière et Vie* 13 (1964), p. 51-74, ici p. 56-7, et A.-M. La Bonnardière, «Pénitence et réconciliation des pénitents d'après saint Augustin I», *Revue des Etudes Augustiniennes* 13 (1967), p. 31-53, ici p. 48.

[63] Augustin, En in Ps 118,s.3 (CCL 40, 1671-3). Les 32 «traités» de l'En in Ps 118 ont été conçus après 422 pour être prêchés par d'autres prédicateurs, selon A.-M. La Bonnardière, *Recherches de chronologie augustinienne*, Paris, 1965, p. 124 et 140-1.

[64] Ps 118,3 : «Ils n'ont pas commis d'iniquités, ils ont suivi ses chemins.»

[65] Les emplois de ce verset dans l'œuvre d'Augustin ont été étudiés par A.-M. La Bonnardière, «Les commentaires simultanés...», *art. cit.*, en relation avec Mt 6,12 (*Dimitte nobis...*) et par D. Dideberg, *op. cit.*, p. 108-124, en relation avec 1 Jn 3,9 : «Quiconque est né de Dieu ne commet pas le péché», texte qui semble entrer en contradiction avec 1 Jn 1,8 comme le Ps 118,3.

[66] Augustin, En in Ps 118, s.3, 1 (CCL 40, 1671) : *Quid enim operatur peccatum nolentibus nobis, nisi sola illicita desideria? Quibus si uoluntatis non adhibeatur assensus, mouetur quidem nonnullus affectus, sed nullus ei relaxatur effectus.*

[67] Voir *supra* chapitre 1 p. 136-138.

[68] Augustin, En in Ps 118, s.3, 2 (CCL 40, 1672) : *Sed adhuc quaerendum est quae petamus dimitti nobis, quando dicimus Deo : Dimitte nobis debita nostra;*

connaît que le baptême a effacé la culpabilité liée à l'infirmité qui est à l'origine des désirs coupables,[69] mais réaffirme aussitôt son pouvoir :

> puisque «la vie sur terre est tentation» (cf. Job 7,1), même si nous nous tenons éloignés des crimes, il ne manque pas cependant d'occasions où nous obéissons aux désirs de pécher, soit en acte, soit en parole, soit en pensée, quand, alors que nous exerçons notre vigilance contre des péchés graves, des péchés légers s'infiltrent en nous sans que nous y prenions garde...[70]

L'homme peut éviter tout péché grave, mais il se laisse parfois surprendre par les désirs coupables et consent à les satisfaire. Tout se passe comme si le consentement donné à ces désirs n'était pas totalement libre. Tout au moins, le vocabulaire qu'emploie Augustin le suggère, même malgré lui.[71] Pour mettre en garde contre ces péchés légers ou quotidiens, Augustin tend en effet à dramatiser les tentations de tous les instants. Peut-on par exemple garder les yeux ou les oreilles fermés à toute mauvaise suggestion?[72] Augustin souligne du même coup l'impuissance du chrétien à éviter les *peccata minuta*. D'ailleurs, la mise en garde qu'il adresse aux fidèles n'a pas tant pour objectif de réveiller une vigilance toujours surprise que d'amener le chrétien à faire une pénitence quotidienne.[73]

utrum quae nos operamur, quando peccati desideriis oboedimus, an ipsa desideria nobis dimitti uolumus, quae nos non operamur, sed quod habitat in nobis peccatum.

[69] *Ibid.* : *Quantum quidem ego sapere possum, languoris illius et infirmitatis, unde illicita desideria commouentur, quod peccatum appellat apostolus, uniuersus reatus sacramento baptismatis est solutus...*

[70] *Ibid.* : *Sed quoniam tentatio est uita super terram, etiamsi a criminibus longe simus, non tamen deest ubi desideriis peccati, uel facto, uel dicto, uel cogitatu oboediamus; quando aduersus maiora uigilantibus, quaedam incautis minuta subrepunt...*

[71] Voir M.E. Alflatt, «The Responsability...», *art. cit.*, p. 176 : «Though in these words (*De perfectione* 21,44, très comparable au texte que je commente) Augustine was concerned to insist that man sins only when he consents to the impulses of concupiscence, the suggestion that such consent may be given in a «slip of the tongue» or in a «wantom thought», and may arise through «deception or force», makes it clear that this consent is not the totally free and untrammelled act of the will that might at first be supposed.» Et le même auteur ajoute : «This same point is made most graphically in some of the sermons.» . La mise au point d'Augustin sur la formule du *De duabus animabus* 9,12 : «Il n'y a nulle part de péché sinon dans la volonté» dans les *Retractationes* I,15,2 (BA 12, 362-7) présente une synthèse de son enseignement sur péché et volonté.

[72] Voir par exemple Augustin, Sermon 56,12 et 57,11 sur ces deux voies du péché.

[73] Tel est le sens du commentaire de Mt 6,12 (*Dimitte nobis...*). Sur le rôle du *Pater* dans la pénitence quotidienne, voir *infra* p. 161.

La crainte éprouvée par l'âme à l'idée du jugement dans l'*En in Ps 42* semble donc être fondée : l'homme ne saurait se présenter devant Dieu avec une conscience pure de toute tache. Le chrétien peut éviter de commettre un péché grave qui le condamnerait, à moins qu'il ne fît une pénitence canonique.[74] Mais il est comme impuissant face aux péchés légers auxquels l'induit la concupiscence. Impuissant, mais responsable :[75] à l'heure de la mort et du jugement, comment ne serait-il pas saisi de crainte alors qu'il doit rendre des comptes?

4 – CRAINTE ET PÉNITENCE

Augustin ne semble pas avoir été insensible à l'inquiétude que peut engendrer une telle description de la vie du chrétien. Dans un sermon de l'octave pascal, prononcé en 418, il oppose ainsi l'allégresse de l'Alléluia à l'inquiétude de ceux qui le chantent :

> Chantons l'Alléluia ici-bas où nous sommes dans l'inquiétude pour pouvoir le chanter un jour là-bas dans la tranquillité. Pourquoi être inquiets ici? Tu ne veux pas que je sois inquiet quand je lis : «N'est-ce pas une tentation que la vie de l'homme ici-bas?» (Job 7, 1)? Tu ne veux pas que je sois inquiet quand il m'est dit encore : «Veillez et priez pour ne pas entrer en tentation» (Mc 14, 38)? Tu ne veux pas que je sois inquiet alors que la tentation abonde tellement que la prière même me prescrit de l'être, quand nous disons : «Remets-nous nos dettes, comme nous les remettons aussi à nos débiteurs» (Mt 6, 12)?[76]

L'anaphore marque explicitement que le chrétien ne peut qu'être envahi par la crainte à l'idée des péchés qu'il commet chaque jour. Or chaque texte invoqué ici pour justifier cette crainte revient comme un leitmotiv dans la prédication.[77]

---

[74] Voir A.-M. La Bonnardière, «Pénitence... II», *art. cit.*, p. 255-6.

[75] Voir *supra* p. 156.

[76] Augustin, Sermon 256,1 (PL 38, 1191) : *Hic ergo cantemus Alleluia adhuc solliciti, ut illic possimus aliquando cantare securi. Quare hic sollicitus? Non uis ut sim sollicitus, quando lego : 'Numquid non tentatio est uita humana super terram'? Non uis ut sim sollicitus, quando mihi adhuc dicitur : 'Vigilatis et orate, ne intretis in tentationem'? Non uis ut sollicitus sim, ubi sic abundat tentatio, ut nobis ipsa praescribit oratio, quando dicimus : 'Dimitte nobis debita nostra, sicut et nos dimittimus debitoribus'?*

[77] Selon le tableau d'A.-M. La Bonnardière, *Biblia Augustiniana. A.T. Les Livres Historiques, op. cit.*, p. 134-5, Job 7,1 et Mt 6,12 sont presque toujours associés; Mc 16,38=Mt 36,41 leur est associé aussi dans le Sermon 223E=Wilmart 5,1. Voir M.-F. Berrouard, «Le thème de la tentation dans l'œuvre de saint Augustin», *Lumière et Vie* 10 (1953), p. 52-87, ici p. 59-60. Dans le Sermon 46,10, un commentaire anti-donatiste d'Ezéchiel 34 sur les devoirs du pasteur, Augustin affirme qu'entretenir cette crainte est un moyen de fortifier les cœurs.

L'homme face au péché

Augustin n'a qu'une réponse à donner à cette crainte légitime et fondée : l'espérance en la miséricorde divine. Cette réponse peut prendre les allures de la polémique ou de la réprimande pastorale : il n'est pas toujours facile d'en décider. Rappelons la question de l'esprit à l'âme angoissée dans l'*En in Ps 42* : «Pourquoi crains-tu à cause de tes péchés, puisque tu ne peux pas tous les éviter?»[78] Y a-t-il ici une allusion à l'idéal de perfection, qu'Augustin dénonce sans relâche dans le pélagianisme.[79] Dans le sermon 170, prononcé à Carthage, après 417, la polémique est plus manifeste : «Telle est la perfection humaine : avoir compris qu'on n'est pas parfait aux yeux de Dieu.»[80] Comme l'écrit M.-F. Berrouard, en résumant l'enseignement d'Augustin : «Les hommes se ressemblent en ce qu'ils sont pécheurs. Mais leur attitude à l'égard du péché établit une différence fondamentale entre eux.»[81]

Le verset 4 du Psaume 128 : «Le Seigneur, dans sa justice, coupera la tête des pécheurs», sert à stigmatiser l'attitude négative de l'orgueilleux. Le Psaume pose en effet la question du jugement dans ce qu'elle a de plus effrayant, puisque nul n'est sans péché.[82] Mais Augustin fait remarquer que le Psaume parle de la tête des pécheurs : «Dans le membre qu'il frappe, il désigne la catégorie de pécheurs qu'il frappera»,[83] dit-il, avant d'ajouter :

> Il voulait que «pécheurs» soit compris comme «orgueilleux»; or tous les orgueilleux portent la tête droite, eux qui non seulement font le mal, mais ne veulent pas le reconnaître et se justifient quand ils sont repris.[84]

Dieu ne châtie que les pécheurs que l'orgueil empêche d'avouer, car la faute à ses yeux consiste moins à commettre des péchés qu'à refuser de se reconnaître pour un pécheur.[85]

---

[78] Augustin, En in Ps 42,7 : cité *supra*, note 11.

[79] Voir P. Brown, *La vie de saint Augustin*, op. cit., p. 413-6 et R. Markus, *The End of Ancient Christianity*, Cambridge, 1990, p. 45-62.

[80] Augustin, Sermon 170,8 (PL 38, 931) : *ipsa est perfectio hominis, inuenisse se non esse perfectum.*

[81] M.-F. Berrouard, «La Pénitence…», *art. cit.*, p. 57.

[82] Augustin, En in Ps 128,9 (CCL 40, 1886) : *Si ergo omnes peccatores, et nemo inuenitur sine peccato, omnibus timendus est gladius in ceruices, quia 'Dominus iustus concidet ceruices peccatorum'.* Un peu plus haut, après avoir cité le verset pour la première fois, Augustin s'exclame : *Quis non contremiscat?*

[83] *Ibid.* (CCL 40, 1887) : *in membro quod percutit, ibi designat quos peccatores percutiat.*

[84] *Ibid.* : *peccatores superbos uolebat intellegi; superbi autem omnes ceruicati sunt, qui non solum faciunt mala, sed nec agnoscere uolunt, et quando obiurgantur, iustificant se.*

[85] Voir *ibid.* : *iactas te de meritis tuis, et uis mecum, inquit Deus, iudicio*

L'attitude négative est l'orgueil; l'attitude positive, l'humilité et l'espérance. «Espère en le Seigneur, puisque je me confesserai à lui», répète Augustin dans le commentaire du Psaume 42.[86] Espérer en le Seigneur : c'est la grâce, opposée aux mérites de l'homme. Se confesser : c'est avouer le péché pour toucher la miséricorde divine. Les sermons d'Augustin sur la nécessité et l'efficacité de la confession des péchés sont trop nombreux pour que je fasse autre chose qu'en présenter l'orchestration scripturaire.[87] Le Psaume 94,2 : *Praeueniamus faciem eius in confessione* exprime la nécessité de «prévenir» le jugement de Dieu en s'accusant et en se punissant soi-même dans la pénitence.[88] La combinaison des Psaumes 50,11 : *Auerte faciem tuam a peccatis meis* et 26,9 : *Ne auertas faciem tuam a me* décrit le même processus : en s'accusant, le chrétien peut obtenir le pardon de Dieu.[89] Enfin, Augustin a souligné à de nombreuses reprises comment la confession des péchés devait être aussi confession de louange : l'humilité de celui qui se reconnaît pécheur est louange d'un Dieu bon et miséricordieux.[90]

---

contendere, intrare mecum ad iudicium; cum debeas in reatu tuo satisfacere Deo, et clamare ad illum, quod clamatur in alio psalmo : 'Si iniquitates obseruaueris, Domine, Domine, quis sustinebit?' (Ps 129,3). Cf. En in Ps 58,s.1,12-14 sur la *defensio peccatorum*.

[86] Augustin, En in Ps 42,7 : cité *supra* n. 13 et 14.

[87] Voir M.-F. Berrouard, «La Pénitence...», *art. cit.*, p. 57-64, où sont cités quelques textes.

[88] Par exemple, Augustin, En in Ps 58,s.1,13 (CCL 39, 739) : *Iniquitas omnis, parua magnaue sit, puniatur necesse est, aut ab ipso homine paenitente, aut a Deo uindicante. Nam et quem paenitet, punit seipsum. (...) Vis non puniat? Puni te. Nam et illud fecisti quod impunitum esse non possit; sed a te puniatur potius, ut facias quod in illo psalmo scriptum est : 'Praeueniamus faciem eius in confesione'.* Cf. Sermons 47,2 et 176,5; En in Ps 44,10; 57,3; 66,7; 67,40; 74,9; 94,4; 118,s.29,4.

[89] Par exemple, Augustin, Sermon 20,2 (CCL 41, 262) : *Ibi dicitur : 'Auerte faciem tuam a peccatis meis et omnes iniquitates meas dele. Cor mundum crea in me deus'. Auertit ergo deus faciem suam a peccatis confitentis et se ipsum accusantis deique auxilium et misericordiam deprecantis. Cui enim dicitur 'Auerte faciem tuam a peccatis meis', ei alibi dicitur : 'Ne auertas faciem tuam a me'.* Cf. Sermon 19,1; En in Ps 26,ii,16; 32,ii,s.1,1-2 et 19; 44,18; 50,14 et 16; 74,2; 122,3 où les deux textes sont associés. Ajouter pour le Ps 50,11 : Sermons 29A,4; 136A,2; 278,12; 351,12; 352,1; Io Ep 1,6; 9,7; En in Ps 31,ii,9; Tr in Io 12,13. Pour le Ps 26,9 : Sermon 194,4; En in Ps 21,i,25; 68,s.2,2; 101,s.1,3; 103,s.4,13; 118,s.31,8; 142,13. A ces textes vient s'ajouter le Sermon Mayence 21, récemment publié par F. Dolbeau, *Revue Bénédictine* 101 (1991), p. 244-9, qui commente le Ps 117,1.

[90] Par exemple, Augustin, Sermon Mayence 21,6 (RB 101, 247) : *Vide iam confessionem laudis : quia in confessione peccati displicuisti tibi, in confessione laudis placebit tibi deus. Displiceat tibi quod tu in te fecisti, placeat tibi qui te fecit. Peccatum enim opus est tuum, dei opus es tu. Odit deus opus tuum in opere suo. Ad illum ergo conuertere, ei confitere, et te accusando et illum laudando tunc eris rectus.* Cf. Sermons 29,2-4; 29A,3; 176,5; En in Ps 29,2,19; etc.

Le remède de la pénitence quotidienne

Le Psaume 129 évoque une fois de plus la crainte du jugement. Les profondeurs, dont parle le psalmiste au verset 1 : *De profundis clamaui ad te, Domine*, sont, d'après l'exégèse d'Augustin, la «vie mortelle»[91] et les péchés quotidiens qui accablent le chrétien. Aussi la frayeur s'empare-t-elle de lui, comme le montre le verset 3 : «Si tu observes nos iniquités, Seigneur, Seigneur, qui pourra le supporter?» (Ps 129, 3).[92] Mais la suite du Psaume, continue Augustin, indique toutefois où placer son espérance :
– Le verset 4 : *Quoniam apud te propitiatio est* fait allusion au sacrifice rédempteur du Christ.[93]
– La loi du verset 5 : *Propter legem tuam sustinui te, Domine* : n'est pas loi de crainte, mais d'amour.[94] Cette loi n'est autre que la cinquième demande du *Pater* : «Remets-nous nos dettes, comme nous les remettons aussi à nos débiteurs».[95]

Après une explication de la seconde partie de la loi sur le pardon accordé à ceux qui nous offensent, Augustin revient sur la demande proprement dite : «Remets-nous nos dettes». Le chrétien peut éviter de commettre les «crimes» que sont l'homicide, l'adultère, le vol, l'idolâtrie, etc. Mais le Christ a dit que «qui aura dit à son frère «fou» sera passible du feu de la Géhenne» (Mt 5, 22).[96] C'est à ces *minuta peccata* que pense le psalmiste :

> C'est pourquoi le psalmiste, voyant combien sont nombreux les tout petits péchés quotidiens commis par l'homme (...), sans penser à ses anciens péchés, mais à la fragilité même de l'homme, se redresse et s'écrie : *De profundis clamavi...*[97]

[91] Augustin, En in Ps 129,1 (CCL 40, 1889) : *Profundum enim nobis est uita ista mortalis.*
[92] *Ibid.*, 2 (CCL 40, 1891) : *Et cum tanta et tam multa peccata undique et cateruas scelerum suorum uideret, tamquam expauescens exclamauit : 'Si iniquitates obseruaueris, Domine, Domine, quis sustinebit?'*
[93] *Ibid.*, 3 (CCL 40, 1891) : *Et quae est ista propitiatio, nisi sacrificium? Et quod est sacrificium, nisi quod pro nobis oblatum est?*
[94] *Ibid.* : *Illa timoris fuit, est alia lex caritatis.* Augustin fait allusion à la Loi donnée aux juifs, dont Paul dit en Rom 7,12 qu'elle n'empêche pas le péché, mais le rend manifeste.
[95] *Ibid.* (CCL 40, 1892) : *Hanc legem statuisti mihi, ut quomodo dimitto, dimittatur mihi.*
[96] *Ibid.*, 5 (CCL 40, 1893) : *Non est ista (crimina) inuenturus. Nihil ergo est inuenturus? Audi sermonem euangelii : 'Qui dixerit fratri suo Fatue'. Ab istis etiam peccatis linguae minutissimis quis abstinet? Sed dicis : Parua sunt. 'Reus erit, inquit, gehennae ignis'.*
[97] *Ibid.* : *Ideo et ille considerans quam multa minuta peccata quotidiana*

La pensée des innombrables péchés commis chaque jour fait pousser au psalmiste un cri d'angoisse, car il sait qu'il ne peut être que coupable devant Dieu. Sa foi lui indique néanmoins, poursuit Augustin, qu'il peut compter sur la miséricorde du Père, qui lui a donné une loi : «Remets-nous nos dettes, comme nous les remettons aussi à nos débiteurs».[98] Celui qui remplit sa part du contrat n'a donc aucune crainte à avoir quant au jugement.

La récitation du *Pater* est un élément de la pénitence quotidienne, clairement distinguée par Augustin de la pénitence pré-baptismale et de la pénitence canonique.[99] A.-M. La Bonnardière a dénombré vingt-huit commentaires simultanés de 1 Jn 1, 8 («Si nous disons que nous sommes sans péché, nous nous abusons et la vérité n'est pas en nous»), et de Mt 6, 12 («Remets-nous nos dettes, comme nous les remettons aussi à nos débiteurs») : tout le discours d'Augustin sur les péchés quotidiens n'a de sens que par rapport au remède de la pénitence quotidienne. La même savante a montré qu'Augustin trouve, dans sa pastorale ordinaire, les éléments de la polémique anti-pélagienne.[100] Une interprétation erronée du *Pater* est en effet un des titres d'accusation pour lesquels Pélage et ses partisans sont condamnés en 418 à Carthage.[101] Selon eux, le juste ne prie pas pour lui-même quand il récite le *Pater*, mais pour les pécheurs[102]. Augustin n'a de cesse de dénoncer cette erreur qui va, selon lui, contre toute la tradition liturgique de l'Eglise et contre les principes fondamentaux de sa spiritualité.

---

committat homo (...), et non quasi peccata sua pristina cogitans, sed ipsam fragilitatem humanam, iam adscendens clamat : 'De profundis clamaui...'

[98] Augustin résume ainsi l'explication donnée des versets 3-6 : *Vitare possum homicidia, adulteria, rapinas, periuria, maleficia, idolatriam; numquid et peccata linguae? numquid et peccata cordis? Scriptum est : 'Peccatum iniquitas est' (1 Jn 3,4). 'Quis ergo sustinebit, si tu iniquitates obseruaueris? si nobiscum seuerus iudex agere uolueris, non misericors pater, quis stabit ante oculos tuos? Sed est apud te propitiatio; propter legem tuam sustinui te, Domine. Qualis est lex ista? Inuicem onera uestra portate, et sic implebitis legem Christi (Gal 6,2). Qui portant inuicem onera sua? Qui fideliter dicunt : Dimitte nobis debita nostra, sicut et nos dimittimus debitoribus nostris.*

[99] A.-M. La Bonnardière, «Pénitence et Réconciliation... I-II», *art. cit.* L'exposé le plus clair est celui du sermon 351 : PL 39, 1533-49.

[100] A.-M. La Bonnardière, «Les commentaires simultanés...», *art. cit.*, p. 131 : 23 textes sont antérieurs à 411.

[101] A.-M. La Bonnardière, *ibid.*, p. 129-130; textes du Concile cités n. 2.

[102] Augustin expose l'interprétation pélagienne relative au *Pater* dans le *De pecc. mer. et rem.* II,10,13 et le *De nat. et grat.* 18,20. Cf. A.-M. La Bonnardière, *art. cit.*, p. 131-2.

Redéfinition de la pénitence

Trop peu d'attention a été porté à la redéfinition de la pénitence opérée ainsi par Augustin.[103] Tous les commentateurs ont souligné en effet qu'il ne parle que très peu de la pénitence canonique et que l'essentiel à ses yeux est la pénitence quotidienne,[104] mais ils n'ont pas tiré les conséquences de ce constat. Or tout se passe comme si la pénitence, pour Augustin, n'était plus tant un moyen d'obtenir le pardon des fautes commises qu'un moyen de vivre en état de pardon. La faute, dont la conscience est si importante pour Ambroise,[105] devient secondaire. Le chrétien, sachant que la concupiscence agit en lui, mais sans avoir une claire conscience des occasions où il y consent, a comme seul recours une pénitence quotidienne.[106] Pour le dire autrement, la pénitence chez Ambroise précède le pardon; chez Augustin, elle est concommitante avec le pardon.[107]

J'ai rappelé qu'Ambroise ne parle de pénitence quotidienne qu'une fois.[108] Il semble de plus que la distinction à laquelle il fait allusion soit un simple argument contre ceux qui pensent que la pénitence est réitérable.[109] Sa pastorale du péché ne repose pas sur le besoin d'une conversion permanente.[110] R. Johanny a bien montré,

---

[103] Il me semble que le fait qu'Augustin ne soit pas pris en compte par A. Fitzgerald, *Conversion through Penance…, op. cit.*, ce qui est normal pour une étude portant sur l'Italie aux IVe et Ve siècles, nuit à l'économie d'ensemble de sa thèse. Il note bien en conclusion que : «What began as a way to deal with the serious failings of Christians became a spirituality that guided Christian choice» (p. 503). Mais il ne marque pas suffisamment les étapes de cette transformation, faisant un peu comme s'il n'y avait aucune solution de continuité entre Zénon de Vérone et Léon le Grand. Faute, en effet, de tenir compte de la «révolution» augustinienne, il cherche les causes de cette évolution dans le rigorisme de type novatianiste et ne réussit donc pas à convaincre. Il évoque toutefois, mais trop rapidement, l'influence de la controverse pélagienne à propos de la moindre importance attachée à l'idée de satisfaction (p. 490). Je tiens à souligner, quoi qu'il en soit, ma dette à l'égard de ce livre : les notes des chapitres de cette partie en témoignent.

[104] Voir notamment A.-M. La Bonnardière, «Pénitence et réconciliation… I», *art. cit*, p. 47.

[105] Voir *supra* p. 135-136.

[106] Cf. *supra* p. 137-138 l'analyse de l'En in Ps 118, s.3.

[107] Voir En in Ps 50, 11 (CCL 38, 608) : *Cum enim dixisset, stante et arguente se propheta : Peccaui, statim audiuit a propheta, id est a spiritu dei qui erat in propheta : Dimissum est tibi peccatum tuum.* L'adverbe *statim* est un ajout d'Augustin, rien en 2 Reg 12, 13 ne vient suggérer cette immédiateté. Je remercie R. Dodaro pour m'avoir indiqué ce texte si caractéristique.

[108] Ambroise, *De paenitentia* II,10,95 : voir *supra* p. 144.

[109] Cf. *ibid.* : *qui saepius agendam paenitentiam putant.* Voir sur ce paragraphe les remarques de R. Gryson, SC 179, p. 39.

[110] P. de Clerck, «Pénitence seconde et conversion quotidienne aux IIIe et IVe siècles», dans *Studia Patristica*, vol.20, Leuven, 1989, p. 352-374, ici p. 365-366, ne marque pas suffisamment la différence entre Ambroise et Augustin.

par exemple, que la rémission des péchés conférée par la communion eucharistique est la confirmation d'un état d'innocence, non l'obtention du pardon.[111]

De même, Gaudence de Brescia conserve le ton volontariste de la prédication contemporaine quand il tient compte de la possibilité de pécher après le baptême. Il propose bien à ses auditeurs une autre voie de pardon que la pénitence canonique avec la pratique de l'aumône.[112] Mais la rémission est subordonnée à l'abstention de tout nouveau péché.[113] L'aumône est donc proposée comme un simple substitut de la pénitence canonique.

Ce n'est pas le cas, en revanche, de Maxime de Turin, dont A. Fitzgerald a fort justement relevé le peu d'intérêt pour la pénitence canonique.[114] Chez lui, en effet, la charité est présentée comme un moyen de pénitence réitérable. Le sermon quadragésimal 22A est le plus explicite,[115] car Maxime y fait un parallèle entre le baptême et la charité. La charité a le même effet que le baptême, explique-t-il en citant Ecclésiastique 3,33 : «De même que l'eau éteint le feu, la charité éteint le péché.»[116] Maxime risque même l'hypothèse d'une supériorité de la charité sur le baptême :

> Je dirais, si ce n'était le respect dû à la foi, que la charité est plus indulgente que le baptême. Le baptême, en effet, est donné une seule

---

[111] Voir R. Johanny, *L'Eucharistie, centre de l'histoire du salut chez saint Ambroise de Milan*, Paris, 1968, p. 185-205, en particulier p. 204-5. Cf. B. Studer, «L'Eucarestia, remissione dei peccati secondo Ambrogio di Milano», dans *Catechesi battesimale e reconciliazione nei Padri del IV secolo*, Rome, 1984, p. 65-79, en particulier p. 73-4 (dans le reste de l'article B. Studer tente toutefois d'établir un lien entre eucharistie et péchés «véniels» qui n'est jamais formulé explicitement chez Ambroise). De même, à propos de la charité chez Ambroise, A. Fitzgerald, *op. cit.*, p. 216, écrit fort justement : «The focus of his words was not that the person had lost baptismal grace through sin, but that the normal exercise of the Christian life covered over sin.» Cf. *ibid.*, p. 260-5 au sujet de Chromace.

[112] Gaudence, *Tractatus* 13, 20 (SCAmb 2, 390) : *Etenim 'sicut aqua exstinguit ignem, ita elemosina resistit peccato' (Eccli 3,33), id est sicut aqua baptismi salutaris exstinguit flammam gehennae per gratiam, ita elemosinarum fluuio omnis ille coaceruatus post acceptam fidem peccatorum ignis exstinguitur, si tamen post conuersionem non iterum renouatis criminibus inardescat.*

[113] Voir la restriction à la fin du texte de la note précédente (*si tamen...*) et la suite : *Is enim, qui elemosinis remedium peccatorum paenitens quaerit, debet iam non agere poenitenda, ne, quod uno latere exstinguitur, alio succendatur.*

[114] A. Fitzgerald, *Conversion through Penance, op. cit.*, p. 250-1.

[115] Maxime, Sermon 22A (SCAmb 4, 110-5). Pour l'appartenance à la prédication quadragésimale, voir F. Sottocornola, *op. cit.*, p. 402, n. 57. Maxime y poursuit le commentaire de la rencontre du Christ et d'une femme de Samarie au bord d'un puits (Jn 5,5-42), commencé au sermon 22 (voir S 22A,1).

[116] *Ibid.* (SCAmb 4, 114) : *Ita igitur elemosina extinguit peccata, sicut per aqua baptismi gehennae restinguit incendium.* Le début du paragraphe permet de penser qu'Eccli 3,33 a été lu avant l'Evangile : *Ait ergo propheta : 'Sicut aqua extinguit ignem' et reliqua.*

fois et promet le pardon une seule fois, tandis qu'à chaque fois que la charité est pratiquée, à chaque fois le pardon est promis.[117]

La supériorité de la charité vient donc de ce qu'elle peut être réitérée.[118] Or Maxime a expliqué auparavant pourquoi le pardon des péchés a besoin d'être réitéré :

> La charité est donc comme un autre baptême pour les âmes, en sorte que si l'humaine fragilité conduit à commettre quelque péché après le baptême, la possibilité d'être purifié à nouveau demeure.[119]

L'homme, à cause de la fragilité de sa condition, peut commettre des péchés après le baptême et donc avoir besoin d'une nouvelle purification.

Il ne faut pas trop vite rapprocher la mention de l'humaine fragilité des thèmes augustiniens.[120] Maxime admet la nécessité d'une pénitence réitérable : Augustin prêche une pénitence permanente. La nuance est importante, car, dans le premier cas, l'idée de fautes commises et donc de la nécessité de chercher à obtenir le pardon reste au premier plan. Maxime de Turin propose des moyens de pénitence quotidienne clairement distincts des voies de la pénitence canonique. En cela, il procède à une clarification rendue nécessaire par l'évolution de la société chrétienne, comme l'a bien mis en valeur P. de Clerck.[121] Mais Augustin, tout en maintenant une place à la pénitence canonique dans sa pastorale du péché,[122] fait de la pénitence le centre de la spiritualité qui doit guider le chrétien dans sa vie quotidienne. Les précisions apportées par Augustin sur l'état dans lequel un chrétien peut espérer mourir permettent de mieux saisir encore l'ampleur de la redéfinition à laquelle il procède dans sa pastorale.

---

[117] *Ibid.*, 4 (SCAmb 4, 114) : *Nisi quod salua fide dixerim : indulgentior est elemosina quam lauacrum. Lauacrum enim semel datur et semel ueniam pollicetur, elemosinam autem quotiens feceris, totiens ueniam promereris.*

[118] Cf. *supra* la restriction émise en revanche par Gaudence. Ambroise ne cite qu'une fois Eccli 3,33 sans commenter le parallèle avec le baptême (*De Nabuthae* 12,52). De façon générale, voir B. Ramsey, «Almsgiving in the Latin Church : The Late Fourth and Early Fifth Century», *Theological Studies* 43 (1982), p. 226-259, en particulier p. 241-7.

[119] Maxime, Sermon 22A,4 (SCAmb 4, 114) : *Ergo elemosina quodammodo animarum aliud est lauacrum, ut si qui forte post baptismum humana fragilitate deliquerit, supersit ei, ut iterum elemosina emundetur.*

[120] Comme le fait R. Lizzi, *op. cit.*, p. 188. Cf. A. Fitzgerald, *Conversion through Penance...*, *op. cit.*, p. 257 : «The main emphasis in Maximus' preaching was on a baptismal spirituality.».

[121] Voir P. de Clerck, *art. cit.*, p. 366-367.

[122] Voir A.-M. La Bonnardière, «Pénitence et réconciliation... II», *art. cit.*, p. 249-283.

5 – A l'heure de la mort

C'est dans un sermon prêché à Carthage contre les Pélagiens[123] qu'Augustin aborde la question. Il y commente 1 Jn 1, 8 : «Si nous disons que nous sommes sans péché, nous nous abusons et la vérité n'est pas en nous» et n'a pas de mots assez durs pour dénoncer l'enflure des Pélagiens.[124]

Il oppose à leurs prétentions la récitation du *Pater* au cours de la messe.[125] L'Eglise tout entière demande la rémission des péchés, car ce n'est que l'Eglise céleste qui sera «sans tâche, ni ride» (Eph 2, 27). Puis Augustin en vient à la situation de tout chrétien :

> A tous ceux qui ont quitté le corps sont remis tous les péchés qui peuvent être remis comme des dettes, puisqu'elles sont remises par les prières quotidiennes. Ainsi chacun part purifié.[126]

A l'heure de la mort, le chrétien peut donc être sans péché, bien qu'il n'ait pas vécu ici-bas sans péché. La récitation du *Pater*, prière quotidienne, lui assure la rémission des péchés légers.

Cette mise au point d'Augustin est en fait la réponse à une objection formulée par Pélage dans le *De natura*.[127] Pélage demande en effet à propos des justes de l'Ancien Testament : «Comment devons-nous croire que ces saints ont quitté cette vie? en état de péché, ou sans péché?»[128] Augustin a une réponse toute prête à la contradiction dans laquelle veut l'enfermer Pélage :

> C'est là qu'il ne remarque pas assez (bien qu'il soit très perspicace), que même les justes demandent non sans raison en leur prière : «Remets-nous nos dettes, comme nous les remettons aussi à nos débiteurs.» (...) Grâce à cette sorte d'encens quotidien de l'esprit que nous portons devant Dieu sur l'autel de notre cœur, ce cœur que nous sommes invités à élever plus haut, même si nous ne vivons pas ici-bas sans péché, nous pouvons mourir sans péché, car le pardon efface bien souvent le mal que bien souvent l'on commet par ignorance ou par faiblesse.[129]

---

[123] Augustin, Sermon 181 (PL 38, 979-84), prêché à Carthage, vers 418 (A.-M. La Bonnardière, «Les commentaires simultanés...», *art.cit.*, p. 146).

[124] Augustin, Sermon 181,2 (PL 38, 980) où les pélagiens sont qualifiés d'*inflati utres*.

[125] *Ibid.*, 6 (PL 38, 981) : *Postremo omittamus Ioannis uerba : ecce in corpore Ecclesiae, quam dicis non habere maculam aut rugam aut aliquid eiusmodi, et esse sine peccato, ecce ueniet hora orationis, oratura est tota Ecclesia...*

[126] *Ibid.*, 7 (PL 38, 982) : *Et cum de corpore exierit unusquisque, dimittuntur ei omnia, quae talia habebat ut dimitterentur debita; quia et quotidianis precibus dimittuntur, et tunc exit mundatus.*

[127] *Apud* Augustin, *De natura et gratia* 35,41 (BA 22, 318-21).

[128] *Ibid.* : *Sed acute uidetur interrogare, 'quomodo de hac uita abisse credendum sit, cum peccato an sine peccato'*

[129] *Ibid.* : *Ubi parum adtendit, cum sit acutissimus, non frustra etiam iustos in*

Chaque jour le juste, au cours de la messe, dont le contexte est clairement indiqué par l'allusion à la Préface (*Sursum cor*), obtient donc, grâce à la récitation du *Pater*, le pardon des péchés que sa condition lui fait commettre.

Qu'Augustin croit utile de répéter dans un sermon ce qu'il répondait à une objection de Pélage, sans même faire d'allusion polémique à ce dernier, indique bien que la question peut émouvoir un chrétien. Mourir en état de péché semblerait être la conséquence logique du «nul ne peut vivre sans péché» si souvent répété. Mais, grâce à une pénitence quotidienne, le chrétien, bien qu'il ne puisse pas vivre sans péché, peut ne pas mourir en état de péché.

*   *
*

Pour Augustin, la crainte du jugement n'est ni la conséquence d'une mauvaise conscience, ni l'indice d'une culpabilité. Elle est plutôt présentée comme la conséquence d'une vie qu'un bon chrétien sait soumise au péché.

C'est la doctrine du péché originel qui permet de sortir des ambiguïtés liées à l'anthropologie «classique», qui, comme nous l'avons vu, concilie difficilement un discours sur l'universalité du péché et l'attachement au principe de responsabilité éthique. La définition de la concupiscence comme une séquelle du péché originel, dont la culpabilité est effacée par le baptême, mais qui reste active chez le baptisé, pose la question de la responsabilité en de tout autres termes. L'homme ne peut pas prétendre vivre sans pécher, sans porter atteinte à la grâce de Dieu. Mais tout se passe comme si l'insistance sur la nature pécheresse de l'homme, dont le pessimisme a souvent été dénoncé, ne servait qu'à mieux mettre en valeur la miséricorde divine. Carole Straw a bien montré en effet comment Augustin, dans ses sermons, parait en quelque sorte par avance aux objections faites à sa théologie.[130] En invitant à la prière et à la pénitence, il concilie sur un plan pratique l'activité humaine et la grâce : «In prayer, the passivity of being nothing and needing grace becomes virtuous activity in acknowledging that very nothingness and need of grace.»[131]

---

oratione dicere : 'dimitte nobis debita nostra, sicut et nos dimittimus debitoribus nostris' (...) Per hoc enim cotidianum spiritale quodammodo incensum, quod ante deum in altare cordis, quod sursum habere admonemur, infertur, etiamsi non hic uiuatur sine peccato, licet mori sine peccato, dum subinde uenia deletur, quod subinde ignorantia uel infirmitate committitur.

[130] C. Straw, «Augustine as Pastoral Theologian : the Exegesis of the Paraboles of the Field and Threshing Floor», *Augustinian Studies* 14 (1983), p. 129-151.

[131] *Ibid.*, p. 147

Cette attitude d'«active passivity»[132] est celle qu'Augustin recommande au chrétien pour ne pas mourir en état de péché. Avouer sa condition de pécheur est tout ce que Dieu demande à l'homme pour lui accorder son pardon. La vie chrétienne tout entière est alors marquée par la pénitence, avec les pratiques quotidiennes de la récitation du *Pater* et du pardon mutuel. Je ne peux insister davantage ici sur la redéfinition de la pénitence à laquelle procède Augustin.

La réponse d'Augustin à la crainte du jugement est donc, non plus de conserver pure la grâce reçue au baptême, mais de faire en sorte d'être toujours en état de recevoir la grâce. C'est dans ces conditions que la crainte du jugement peut jouer un rôle positif dans l'économie du salut. Elle traduit, en même temps qu'elle en fait prendre conscience, la tension à laquelle se résume la vie chrétienne, entre l'impossibilité d'être sans péché et la confiance dans la miséricorde divine.

---

[132] *Ibid.*, en commentant Augustin, Tr in Io 12,13 : *Dele quod fecisti ut Deus saluet quod fecit. Oportet ut oderis in te opus tuum et ames in te opus Dei.* Cf. *supra* p. 159 pour le double sens de confession : pénitence et louange de Dieu.

CHAPITRE 3

PAENITENTIAM AGITE,
ADPROPINQUAVIT REGNUM CAELORUM

PEUR DU JUGEMENT ET PRÉPARATION À LA MORT
DANS LA PRÉDICATION DE LA PREMIÈRE MOITIÉ
DU Vᵉ SIÈCLE

La prédication de Pierre Chrysologue et de Léon le Grand, au milieu du Vᵉ siècle, confirme la solution de continuité dans la tradition chrétienne que j'ai mise en évidence pour la pastorale d'Augustin. Là encore, la dépendance vis-à-vis de l'évêque d'Hippone me semble secondaire : Pierre Chrysologue et Léon le Grand élaborent des solutions originales et différentes pour bâtir une Eglise en pénitence.

A – PIERRE CHRYSOLOGUE

1 – LA PEINTURE D'UN HOMME MALADE

Les motifs que nous allons rencontrer sont familiers pour la plupart, mais il est important de mesurer à quel point un prédicateur comme Pierre Chrysologue dépeint, devant son auditoire, l'homme en proie aux péchés à cause d'une nature blessée par le péché originel.

Infirmitas humana

Pendant le Carême, semble-t-il,[1] l'assemblée chrétienne de Ravenne entonnait le répons suivant,[2] emprunté au Psaume 6 : *Domine, ne in ira tua arguas me, neque in furore tuo corripias me.* Expli-

---

[1] Pierre Chrysologue, Sermon 45 (CCL 24, 251-4). Pour le contexte liturgique, voir F. Sottocornola, *op. cit.*, p. 75-6. Sur les allusions à une *pestilentia* au début du sermon, voir A. Olivar, *Los sermones de san Pedro Crisologo*, Montserrat, 1962, p. 235, qui recense les dates de 442, 445, 446 ou 447.

[2] Cf. Sermon 45,1 (CCL 24, 251) : *Responsorium, quod hodie propheta suppli-*

quant le Psaume dans son sermon, Pierre Chrysologue indique les raisons de ce cri de détresse :

> Le prophète, se souvenant donc de la fragilité humaine et sachant qu'il a en partage une nature charnelle, parce qu'il ne se fiait pas à ses mérites, chercha refuge dans la miséricorde, afin que Dieu le jugeât avec bienveillance, non avec sévérité.[3]

Le cri du psalmiste trahit la peur du jugement : la fragilité humaine et la chair qu'il a en partage en sont les raisons. L'appel à la guérison du verset 3 : *Sane me, domine*, permet à Pierre Chrysologue de donner quelques précisions. Il évoque ainsi la morsure du serpent et la chute d'Adam et Eve.[4] C'est donc le péché originel qui est cause de l'infirmité humaine.

Infirmitates, aegritudo, medicina, cura, dolor, etc. : le prédicateur exploite tout le champ lexical de la maladie. Cette image traditionnelle pour décrire la condition du chrétien[5] est très souvent utilisée par Pierre Chrysologue. La «sévère et cruelle hérédité» d'Adam affecte la nature humaine comme une fièvre accable le corps, dit-il par exemple dans le sermon 111.[6] Dans un sermon de Carême où il prêche sur le jeûne,[7] la même image revient :

> Il s'agit donc d'une fièvre; c'est une fièvre que le bienheureux apôtre déplore de voir palpiter dans les blessures humaines : «Je sais que le bien n'habite pas en moi, c'est-à-dire dans ma chair (Rom 7,18).»[8]

Cette fièvre n'est autre que la fragilité qui «se glisse dans la chair» : *serpit*, dit le latin rappelant ainsi le serpent de la Genèse, et donc le péché originel.[9] Dans la suite du sermon, il recommande au malade

---

cante cantauimus... Sur l'usage du répons, voir J.-A. Jungmann, *Missarum sollemnia*, t. 2, trad. franç., Paris, 1952, p. 188-191.

[3] Pierre Chrysologue, Sermon 45,1 (CCL 24, 251) : *Propheta ergo memor fragilitatis humanae, et carnalis substantiae conscius, quia non confidebat de meritis, ad auxilium misericordiae conuolauit, ut dei constaret circa eum cum pietate, non de seueritate iudicium.*

[4] Pierre Chrysologue, Sermon 45,3 (CCL 24, 252) : *'Sana me, Domine.' Sentit iste status sui uulnera, sentit morsum serpentis antiqui, sentit primi parentis ruinam.*

[5] Voir les études de R. Arbesmann, «The concept of Christ medicus in Saint Augustine», *Traditio* 10 (1954), p. 1-28, et «Christ the medicus humilis in Saint Augustine», dans *Augustinus Magister*, t.2, Paris, 1955, p. 623-629.

[6] Voir Pierre Chrysologue, Sermon 111,2 (CCL 24A, 681) : *Hoc est peccatum naturae, quod est fumus oculis, quod febris corpori, quod dulcissimis fontibus amara salsedo.*

[7] Sermon 41 (CCL 24, 231-235). Pour le contexte liturgique, voir F. Sottocornola, *op. cit.*, p. 45.

[8] Sermon 41,2 (CCL 24, 232) : *Est ergo febris, est febris, quam beatus apostolus anhelare in humanis uulneribus sic deplorat : «Scio quia non habitat in me, hoc est, in carne mea bonum (Rom 7,18).»*

[9] Sermon 41,2 (CCL 24, 232-3) : *Fragilitas certe quaedam serpit in carne (...).*

de recourir au «médecin céleste» et de suivre le traitement indiqué : l'abstinence.[10]

Fréquentes aussi sont les citations ou les commentaires de la péricope Mt 9, 12-13 : «Ce ne sont pas les hommes en bonne santé, mais les mal-portants qui ont besoin d'un médecin. Je suis venu appeler non les justes, mais les pécheurs.» Trois sermons sont consacrés au repas que prend Jésus avec des pécheurs et qui provoque l'indignation des juifs et des pharisiens.[11] Dans son commentaire, Pierre Chrysologue met l'accent sur l'universalité du péché : «Qui n'était pas malade alors que la nature humaine elle-même est malade?» demande-t-il par exemple.[12] Un autre sermon commente dans les mêmes termes le séjour du Christ chez le publicain Zachée.[13] Enfin, la péricope, qui devait donc être familière aux chrétiens de Ravenne, est citée dans un sermon sur la pénitence que j'analyserai par la suite.[14]

Les séquelles du péché originel

Pour décrire les conséquences d'une telle nature dans la vie du baptisé, Pierre Chrysologue s'inspire, comme Augustin,[15] des Epîtres pauliniennes. Ainsi, dans le sermon sur le Ps 6, le trouble de l'âme est mis au compte de la guerre dont elle est le théâtre d'opération et que décrit Paul en Gal 5, 17 et Rom 7, 23.[16] Pierre Chrysologue se fait parfois aussi plus précis dans sa description. Dans un des sermons sur le repas de Jésus avec des pécheurs, il cite les paroles du Psaume 142,2 : «Nul vivant n'est justifié à tes yeux» et ajoute ce commentaire :

> Aussi longtemps que nous sommes dans ce corps de mort et que la fragilité est notre maîtresse, même si nous vainquons les péchés commis en actes, nous ne pouvons pas vaincre les péchés commis en pensée et fuir les injustices. Si nous pouvons fuir le corps, si nous avons la force d'emporter la victoire sur la mauvaise conscience, comment pouvons-nous mettre fin absolument aux fautes de négligence et aux péchés d'ignorance?[17]

[10] Voir Sermon 41,2-3.

[11] Pierre Chrysologue, Sermons 28, 29 et 30 sur Mt 9, 9-13 = Mc 2, 14-17.

[12] Pierre Chrysologue, Sermon 29,5 (CCL 24, 172) : *Et quis non erat aegrotus ipsa generis humani sic aegrotante natura?*

[13] Sermon 54,6 sur Lc 19,1-10.

[14] Sermon 167,6 : voir *infra* p. 179-186.

[15] Voir *supra* p. 152-153.

[16] Voir Pierre Chrysologue, Sermon 45,4 (CCL 24, 252). Cf. Sermon 41,2 : Rom 7,15 et 18; Sermon 70,5 : Rom 5,14 et 6,12 pour le commentaire du *ueniat regnum tuum* du *Pater*.

[17] Pierre Chrysologue, Sermon 30,4 (CCL 24, 176) : *Quamdiu sumus in mortali corpore, et fragilitas dominatur in nobis, et si actu peccata uincimus, uincere*

Nulle victoire sur le péché n'est possible en cette vie : la maîtrise de la pensée est déjà impossible, à plus forte raison les péchés engendrés par la négligence et l'ignorance ne peuvent-ils être évités.

Dans le sermon 91, Pierre Chrysologue cite à nouveau le Ps 142, 2 : il semble inconciliable avec l'appellation de justes donnée par Luc à Zacharie et Elisabeth.[18] Le prédicateur rappelle en effet, en les opposant aux *culpas corporum*, que les *vitia mentis* échappent à toute connaissance.[19] Cette distinction recouvre la précédente entre pécher en acte et pécher en pensée. Et de poursuivre :

> Y a-t-il un homme qui ne pèche pas dans son cœur, qui ne commette nulle faute en pensée, nulle offense en doutant, qui ne soit exposé à faillir par peur?[20]

La distinction entre pécher dans son cœur et pécher en pensée n'a d'autre intention que de souligner le caractère subreptice des péchés que l'homme commet à son insu et malgré lui. Doute et peur relèvent aussi de ces sentiments que l'homme ne peut contrôler sans mal. Comme Augustin,[21] Pierre Chrysologue tend donc à présenter le péché comme inévitable.

Il faut s'arrêter sur l'expression «pécher en pensée». En effet, les *cogitationes* ne sont pas le résultat de l'exercice de la raison : elles sont associées à l'idée de guerre, de tempête,[22] de profondeurs secrètes.[23] Elles relèvent d'une instance plus difficile à définir et que Pierre Chrysologue nomme parfois la conscience. Le texte le plus caractéristique est le sermon 88, où Pierre Chrysologue commente la peur de Zacharie devant l'ange qui lui apparaît (Luc 1,12).[24] Il fait appel à une expérience familière à ses auditeurs : la peur qui s'empare

---

peccata cogitationum non possumus et iniustitias fugere. Qui si corpore possumus euitare, et si conscientia mala deuincere ualemus, culpas neglegentiae, ignorantiae peccata, quemadmodum possumus abolere?

[18] Pierre Chrysologue, Sermon 91 (CCL 24A, 562-8) sur Luc 1,6 : *Erant iusti ambo ante deum*; voir F. Sottocornola, *op. cit.*, p. 90-100.

[19] Voir Sermon 91,3 (CCL 24A, 563) : *Ante homines forte quis putetur iustus, quia homines, ut culpas corporum norunt, sic uitia mentis ignorant.*

[20] *Ibid.* : *Estne homo qui corde non peccet, non cogitatione delinquat, non offendat dubitatione, non lapsum trepidationis incurrat?*

[21] Voir *supra* p. 155-156.

[22] *cogitationum bella* : sermons 81,4 et 84,4; *cogitationum tempestas* : sermon 83,2; etc.

[23] Voir Pierre Chrysologue, Sermon 15,4 (CCL 24, 95) : *Ad penetrale mentis, in quo familia cogitationum condita et confusa uersatur...*, où cette expresion glose *ad tectum suae conscientiae*. Cf. Sermon 91,3 (CCL 24A, 563) : *Ante deum uero, cui pectoris claustra patent, quem cogitationum secreta non latent, quis innocens habetur et iustus?*

[24] Sermon 88 (CCL 24A, 541-7); voir F. Sottocornola, *op. cit.*, p. 90-100.

de tout un chacun, eût-il bonne conscience (*bene conscius*), devant un représentant de l'ordre. Cette comparaison permet de comprendre l'attitude de Zacharie :

> Que fera l'homme avec sa faible nature, de quel effroi tremblera-t-il, quand il devinera un pouvoir céleste, quand, homme, il apercevra un ange, quand la chair, qui n'est jamais sûre de sa conscience, verra un serviteur du trône divin ?[25]

Alors qu'il est possible, dans ce cas, d'avoir bonne conscience, l'homme ne peut pas s'empêcher de trembler devant la justice humaine. La justice divine, elle, cause une peur bien plus grande. L'homme ne peut en effet avoir aucune assurance devant Dieu : étant dans la chair, une partie de lui, de sa conscience, échappe à son propre contrôle. Aux yeux de Pierre Chrysologue, l'homme, du fait de l'infirmité de sa nature, n'a donc pas une totale maîtrise de lui-même.

C'est pourquoi, dans le sermon 41, après avoir défini la *fragilitas* de la nature humaine comme la conséquence du péché originel, Pierre Chrysologue recourt au couple antithétique *necessitas, voluntas* :

> La fragilité nous est imposée par le droit de la nécessité ; or là où il y a nécessité, il n'y a pas volonté... La fragilité fait aller l'homme non pas où la volonté l'invite, mais par où le conduit la nécessité.[26]

Si la fragilité humaine est cause des péchés, il semble logique de conclure que le péché ne relève pas de la volonté, mais de la nécessité. Pierre Chrysologue est plus explicite en citant Rom 7, 15 : « Ce que je ne veux pas, voilà que je le fais. »[27] Comme pour la crainte de la mort,[28] la nécessité est donc caractéristique de la condition humaine. Il n'est pas surprenant de voir Chrysologue recourir à la même antithèse : la mort et le péché sont tout deux des conséquences du péché originel.[29]

---

[25] Pierre Chrysologue, Sermon 88,2 (CCL 24A, 541-2) : *Si de iudicis potestate sollicitus qui semper de apparitoris turbatur et contremiscit aduentu, et mandati meritum de persona uenientis aestimat et metitur, et, quamuis bene conscius, pauet, donec causas uenientis agnoscat et intellegat qualitatem, quid faciet, quo pauore trepidabit, cum potestatem supernam senserit hominis imbecilla natura, cum respexerit homo angelum, diuinae sedis ministrum uiderit caro numquam de sua conscientia persecura ?*

[26] Pierre Chrysologue, Sermon 41,2 (CCL 24, 232-233) : *Fragilitas est, quae nobis ius necessitatis imponit ; et ubi necessitas, non uoluntas... Fragilitas est per quam uadit homo non quo inuitat uoluntas, sed qua necessitas ducit.*

[27] Voir *ibid.*

[28] Voir *supra* p. 104-106.

[29] Voir encore, *infra* p. 182, le sermon 42 où la mort est présentée comme la nécessité dont l'homme a besoin pour se repentir.

Affirmations anti-pélagiennes

Le langage de Pierre Chrysologue est en tout point conforme à celui d'Augustin, voire moins nuancé pour ce qui est de l'impossibilité d'être sans péché. Il me paraît plus intéressant toutefois de relever les nombreuses allusions anti-pélagiennes des sermons de Pierre Chrysologue que de chercher les traces d'une dépendance vis-à-vis d'Augustin.[30] J'ai déjà fait allusion aux éléments d'une polémique ouverte qui se trouvent dans les sermons consacrés aux Epîtres pauliniennes.[31] Mais plus caractéristique, à mon sens, est de faire porter le poids du commentaire sur des éléments clés de la controverse sans faire d'allusion plus explicite.

Il me faut donner quelques exemples avant de poursuivre. Dans le sermon sur le Ps 6 déjà cité, l'appel du psalmiste à la miséricorde divine vient, selon Pierre Chrysologue, de la conscience qu'il a de la fragilité humaine. Et, comme en passant, le prédicateur ajoute : « parce qu'il ne se fiait pas à ses mérites ».[32] A la fin du sermon, à propos du verset 5 : *Saluum me fac propter misericordiam tuam*, il précise à nouveau : *non propter meritum meum*.[33] Dans le sermon 91, Pierre Chrysologue feint l'étonnement en lisant le verset de Luc 1, 6 : *Erant iusti ambo ante deum*.[34] Il rappelle d'abord que le péché est inévitable, puis propose de comprendre *ante deum* au sens de *per deum*, c'est-à-dire « non par leur effort, mais par la grâce ».[35] Aucune allusion explicite aux pélagiens ne vient accompagner ce commentaire d'un texte qui « était un des thèmes historiques et bibliques de la controverse pélagienne. »[36]

Le soin mis par Pierre Chrysologue à enseigner les éléments de la doctrine catholique contraires aux affirmations pélagiennes,

---

[30] A. Olivar, dans son édition de Pierre Chrysologue, relève quelques parallèles avec des textes d'Augustin. Cf. *infra* note 33, à propos du sermon 45 et de l'En in Ps 6.

[31] Voir première partie, chapitre 2, *supra* p. 46-48.

[32] Pierre Chrysologue, Sermon 45,1 : cité *supra* note 3.

[33] *Ibid.*,7. A. Olivar propose un rapprochement avec Augustin, En in Ps 6,5; même ajouté à un second rapprochement (Sermon 45,3 et En in Ps 6,4), je ne suis pas convaincu qu'il y ait dépendance. La question mériterait toutefois d'être traitée dans son ensemble.

[34] Voir *supra* p. 172.

[35] Pierre Chrysologue, Sermon 91,3 (CCL 24A, 563) : *Et quomodo ambo iusti ante deum? Ante deum, sed per deum. Ambo iusti ante deum, non labore, sed gratia.*

[36] Voir G. de Plinval, BA 21, p. 198-199 et n. 4. Cf. Augustin, *De perfectione...* XVIII,38; *De remissione...* II,19-20; *De natura et gratia* LXIII,74-75; Jérôme, *Ep. 133*,13; *Dial.* I,11-12. Luc 1,6 est aussi cité par Pierre Chrysologue dans le Sermon 89.

déjà relevé par F. Lanzoni,[37] est intéressant à plus d'un titre. Non seulement il documente le succès du pélagianisme en Italie,[38] mais il fournit une indication supplémentaire sur l'auditoire de Pierre Chrysologue. La nouvelle aristocratie de cour de Ravenne, comme l'aristocratie romaine, trouvait peut-être une nourriture spirituelle de son goût dans le pélagianisme.[39] L'habileté de Chrysologue consisterait ainsi à inculquer les éléments d'une saine doctrine sans accuser d'hérésie les membres influents de son auditoire.[40]

Très clairement donc, Pierre Chrysologue fait pour les chrétiens de Ravenne au milieu du Vᵉ siècle le tableau d'une condition humaine sous le joug du péché originel et de ses conséquences dans la vie du baptisé. Comme Augustin, il se montre conscient de la peur du jugement que pourrait nourrir une telle prédication. Il ne cache pas à son auditoire ce que peut avoir d'effrayant l'idée d'être confronté à un juge aux yeux de qui il est impossible de n'apparaître pas coupable, mais c'est avant tout un procédé pour les convaincre de recourir aux remèdes qu'il leur propose.

2 – LES REMÈDES PÉNITENTIELS

Dans un sermon pascal où il commente les paroles du Christ ressuscité aux apôtres, Pierre Chrysologue défend le pouvoir de lier et délier de l'Eglise contre toute forme de rigorisme qui condamne-

[37] F. Lanzoni, «I sermoni di S. Pier Crisologo», *Rivista di Scienze Storiche* 7.1 (1910), p. 121-186, ici p. 183.

[38] Pour le parti pélagien en Italie, voir Ch. Pietri, *Roma Christiana*, Paris, 1976, t.2, p. 947-948, où l'auteur tente de dresser une «carte géographique» à partir des données connues sur les 18 évêques italiens qui apportèrent leur soutien à Julien d'Eclane. Voir *ibid.*, p. 965-966, pour les tentatives de retour en Italie de Julien et Florus en 439. La correspondance de Léon le Grand atteste la présence de «pélagiens» en Vénétie dans les années 440 : voir *Epistulae* 1, 2 et 18 et N.W. James, «Who were the Pelagians found in Venetia during the 440s?», dans *Studia Patristica*, vol.XXII, Leuven, 1989, p. 271-276.

[39] Sur les affinités de l'aristocratie romaine avec le pélagianisme, voir P. Brown, «Pelagius and his Supporters : Aims and Environment», dans *Religion and Society in the Age of Saint Augustine*, Londres, 1972, p. 183-207. Sur l'aristocratie de Ravenne, voir Ch. Pietri, «Les aristocraties de Ravenne (Vᵉ-VIᵉ siècles), *Studi Romagnoli* 34 (1983), p. 643-673. Cf. ce que dit N.W. James, *art.cit.*, p. 275, de la Vénétie : «The whole Venetian littoral had the same social tone and ethos as the aristocratic holiday coasts further south. As such it may well have provided a potentially favourable breeding ground for the tenets of Pelagius.»

[40] Une étude du pélagianisme en Italie après les années 418-425 reste à entreprendre : Claire Sotinel, spécialiste de l'Italie du Nord aux Vᵉ et VIᵉ siècles, et moi-même avons le projet d'y travailler en collaboration.

rait les pécheurs au désespoir.[41] Comme la tradition l'y invite,[42] il cite l'exemple de Pierre dont le reniement, suivi de repentir, a été pardonné. Mais il termine sur cette question : «Et si Pierre s'est rétabli grâce à la pénitence, qui tient bon sans pénitence?»[43] Loin de défendre seulement une institution, Pierre Chrysologue présente la pénitence comme une dimension à part entière de la vie chrétienne. La pénitence est à la fois un remède, comme dans le cas de Pierre, et, pour tous, une prophylaxie. Il n'est pas étonnant dès lors que le temps de la vie, comme l'heure de la mort, soient placés sous le signe de la pénitence.

Dans l'année liturgique

Les travaux de F. Sottocornola permettent de voir comment les thèmes de la prédication de Pierre Chrysologue sont articulés à l'année liturgique.[44] Carême et Pâques sont de toute évidence des moments forts pour prêcher sur le jugement et la pénitence.[45]

Je retiendrai à titre d'exemple la série exceptionnelle de six sermons prêchés *continuo* pendant Carême sur la parabole du fils prodigue.[46] Au début du premier sermon, Pierre Chrysologue indique que le sens général de la parabole est de montrer ce que doit être «le retour suppliant du peuple chrétien».[47] Il insiste en effet tout au long de ces sermons sur la leçon que ses auditeurs doivent en tirer pour eux-mêmes. La famine qui occasionne le retour du fils (Luc 15, 17) figure la nécessité du jeûne de Carême, dont les bénéfices sont encore plus grands puisqu'il est volontaire.[48] Il reprend aussi les fidèles qui semblent écouter sans se sentir concernés eux-mêmes, alors que le Christ recourt souvent à des paraboles (*mystica exempla*) pour inviter à la correction.[49] Si le départ du fils doit

---

[41] Voir Pierre Chrysologue, Sermon 84,7 (CCL 24A, 520-1) : *Ubi sunt qui per homines hominibus remitti peccata non posse praescribunt?*

[42] Voir G.W.H. Lampe, «St Peter's Denial and the Treatment of the Lapsi», *Orientalia Christiana Analecta* 195 (1973), p. 113-133.

[43] Sermon 84,7 (CCL 24A, 521) : *Et si Petrus per poenitentiam rediit, quis sine poenitentia subsistit?*

[44] F. Sottocornola, *L'anno liturgico nei sermoni di Pietro Crisologo*, Cesena, 1973.

[45] Sur la prédication de Carême, voir *ibid.*, p. 199-214.

[46] Ce sont les sermons 1-6 : voir F. Sottocornola, *op. cit.*, p. 64-65.

[47] Pierre Chrysologue, Sermon 1,1 (CCL 24, 15) : *ut... reditum supplicem populi christiani, pulchram panderet per figuram.*

[48] Pierre Chrysologue, Sermon 2,1 (CCL 24, 21) à propos de Lc 15,17 (*ego autem hic fame pereo*) : *Et si tantum praestitit uel inuita fames, probate quid uoluntarium possit conferre ieiunium.*

[49] Sermon 2,5 (CCL 24, 24) : *Iam nunc, fratres, uellem lectionis huius aperire mysterium, si non me reuocat istius utilitatis intentio, quia uos uideo non quasi nostra audire debito cum dolore, sed quasi extranea intellectu transuolare festino.*

provoquer l'indignation, son retour auprès d'un père si miséricordieux est un modèle pour ceux que leurs péchés ont éloignés de Dieu.[50] Le message est clair : tous doivent faire pénitence pendant le Carême pour effectuer un retour à Dieu en vue de Pâques, fête du salut par excellence.

Le sixième sermon est en effet consacré au Psaume 99, dont le premier verset chante la joie du salut : *Iubilate deo omnis terra*. Pierre Chrysologue prend soin de rattacher ce sermon à ceux des jours précédents : le fils est maintenant revenu auprès du père et toute la maison retentit d'une musique joyeuse (Lc 15, 25).[51] Il s'agit de célébrer aussi le retour du «bon pasteur», selon la péricope évangélique du jour (Jn 10, 11).[52] Ce retour marque la libération de l'homme, qui a échappé à la domination de maîtres cruels : le péché, la mort, les démons.[53] Le verset 2 : *Intrate in conspectu eius in exultatione*, ne peut avoir d'autre sens : «L'homme qui entre en présence de Dieu avec joie est un homme libre de toute culpabilité et assuré de sa récompense.»[54] Mais ici l'archevêque de Ravenne s'interrompt : «Qui est libre en présence de Dieu? Qui ment sous le regard divin? Qui exulte de joie devant l'effrayante majesté suprême?»[55] Et d'opposer la peur de toute la création à l'assurance de cet homme. Comment comprendre alors le conseil du psalmiste? Il faut écouter le verset suivant : *Scitote quod dominus ipse est deus*, dit Pierre Chrysologue qui y voit une référence à l'Incarnation. Il peut alors conclure :

> Entrez donc avec joie en sa présence, parce qu'il a abandonné tout l'effroi inspiré par la divinité, toute la peur inspirée par le juge pour prendre notre apparence et se montrer sous un aspect bienveillant, de sorte que celui qui entre en sa présence ne craigne pas les châtiments d'un juge, mais attende de lui avec assurance l'attitude d'un père.[56]

Crainte et joie, juge et père : tout bascule autour du Christ fait homme. Pierre Chrysologue présente ici l'Incarnation comme

---

Nostra, nostra et omnia profutura nobis semper loquitur Christus, et ob corrigendos nos mystica frequentat exempla.

[50] Sermon 3,3 (CCL 24, 28) : *ad talem patrem tali inuitati redeamus exemplo.*
[51] Pierre Chrysologue, Sermon 6,1.
[52] Sur cette lecture, voir Sermon 6,1 et F. Sottocornola, *op. cit.*, p. 65.
[53] Pierre Chrysologue, Sermon 6,2.
[54] Sermon 6,2 (CCL 24, 45) : *Qui ingreditur in conspectu eius in exultatione est a reatu liber, est de praemio persecurus.*
[55] Sermon 6,3 (CCL 24, 45) : *Quis in conspectu dei liber? Diuinis in oculis quis mentitur? Quis exultans ante terrorem maiestatis supernae?*
[56] Sermon 6,3 (CCL 24, 45-6) : *Et ideo intrate in conspectu eius in exultatione, quia totum pauorem deitatis, totum metum iudicis, in habitum nostrum dedit, prouidenti locauit aspectu, ut ingressus non poenas iudicis metuat, sed parentis praesumat exemplum.*

source d'espérance aux chrétiens qui ne pourraient que redouter en Dieu le Juge s'il n'était pas aussi le Père.

Cette référence à l'incarnation explique que la préparation de Noël soit un autre moment privilégié pour faire prendre conscience de la nature pécheresse de l'homme.[57] A Ravenne, l'annonce à Zacharie (Luc 1, 5-25) était une des lectures évangéliques du *Natalis*, comme l'attestent deux séries de sermons prêchés de façon continue sur cette péricope.[58] Or un sermon de chaque série développe le thème de l'universalité du péché.[59] Par ailleurs, F. Sottocornola a pu identifier un groupe de sermons, à forte tonalité eschatologique, qu'il propose de situer peu avant le *Natalis*.[60]

Enfin, il semble que l'archevêque de Ravenne ait fait une *lectio continua* de l'Epître aux Romains à un moment qui reste indéterminé de l'année liturgique : neuf sermons conservés commentent un chapitre ou un autre de l'Epître.[61] F. Sottocornola a montré que certains d'entre eux se succédaient, mais que d'autres appartenaient vraisemblablement à des années différentes.[62] Le commentaire de Rom 5, 12-21, qui est l'objet des sermons 111 et 112,[63] et qui donne lieu à un exposé sur la doctrine du péché originel et de sa transmission, devait revenir chaque année.

C'est donc tout au long de l'année, en plus des deux temps forts de Pâques et de Noël, que Pierre Chrysologue rappelle à ses auditeurs leur condition de pécheurs, ce qui doit les conduire à redouter le jugement et à s'y préparer.

Acheter la miséricorde

Le premier versant de cette pastorale ne peut être mieux résumé que par la formule d'A. Fitzgerald : «Between the mercy of God and that of humans, there was a continuing conversation.»[64] Pour s'assu-

---

[57] Sur l'organisation liturgique et le sens du *Natalis* d'après les sermons de Pierre Chrysologue, voir F. Sottocornola, *op. cit.*, p. 222-32.

[58] Les sermons 86, 91 et 92 d'une part et 87, 88 et 90 d'autre part : voir F. Sottocornola, *op. cit.*, p. 90-100.

[59] Sermon 88 (CCL 24A, 541-7) et 91 (CCL 24A, 562-8). Le sermon 89 (CCL 24A, 548-53) développe les mêmes thèmes au c.5. Selon F. Sottocornola, *op. cit.*, p. 90-6, il n'a pas été prêché dans les mêmes circonstances, mais pour le *natalis* de Jean Baptiste.

[60] Ce sont les sermons 101-106 : voir F. Sottocornola, *op. cit.*, p. 290-291.

[61] Les sermons 108-120 constituent le *corpus paulinum* de Pierre Chrysologue. Voir F. Sottocornola, *op. cit.*, p. 103-108.

[62] Voir F. Sottocornola, *ibid.*, avec le résumé de sa démonstration, p. 107.

[63] Pour un commentaire de ces deux sermons, voir le chapitre 2 de la première partie : *supra* p. 46-49.

[64] A. Fitzgerald, *op. cit.*, p. 316.

rer la miséricorde divine, le mieux est de faire preuve soi-même de miséricorde avec la pratique de la charité.

Le sermon 8, prêché au début de Carême, contient les développements caractéristiques de ce thème dans la pastorale chrysologienne.[65] Après avoir rappelé que sans la miséricorde le jeûne est vain,[66] Pierre Chrysologue recourt au témoignage des Ecritures pour inciter à la charité : «Accumulez un trésor au ciel», dit l'Evangile de Matthieu (Mt 6, 20); «Je veux la miséricorde», crie Dieu par la voix du prophète Osée (Os 6, 6).[67] Il s'agit d'un véritable marché entre Dieu et les hommes. «Frères, exhorte Pierre Chrysologue, achetons la miséricorde par notre miséricorde envers les pauvres, afin de pouvoir être libres de tout châtiment, assurés de notre salut.»[68] Selon une image récurrente, l'archevêque de Ravenne compare encore la miséricorde à un *patronus* : «Alors que tu dois défendre ta cause devant le tribunal de Dieu, assure-toi le patronage de la miséricorde, afin de pouvoir être acquitté.»[69] Le rôle tenu ici par la miséricorde est tenu par les pauvres dans le sermon 14.[70]

La charité, pour Pierre Chrysologue, n'est donc plus seulement l'accomplissement des engagements baptismaux. De façon plus évidente encore que chez Maxime de Turin,[71] la miséricorde envers autrui est une pénitence continue, rendue nécessaire par l'impossiblité d'être sans péché. Entre la miséricorde humaine et la miséricorde divine, il n'y a pas de solution de continuité, car la pratique de la miséricorde assure l'intercession la plus puissante qui soit et devient donc une première forme de préparation à la mort et au jugement.

Paenitentiam agite

La pénitence canonique est elle aussi une préparation au jugement, dans la mesure où le pénitent prévient le jugement de Dieu en se jugeant lui-même et en se soumettant à une dure discipline. Pierre Chrysologue ne traite toutefois de la pénitence canonique que

---

[65] Pierre Chrysologue, Sermon 8 (CCL 24, 59-63). Pour le contexte liturgique, voir F. Sottocornola, *op. cit.*, p. 66.

[66] Sermon 8,2 (CCL 24, 59) : *Fratres, esurit ieiunium, ieiunium sitit quod non pietatis cibo pascitur, quod potu misericordiae non rigatur.*

[67] Sermon 8,4 et 5.

[68] Sermon 8,6 (CCL 24, 62) : *Fratres, per misericordias pauperum misericordiam comparemus, ut possimus esse de poena liberi, de salute securi.*

[69] Sermon 8,5 (CCL 24, 62) : *Dicturus causam in iudicio dei patronam tibi misericordiam, per quam liberari possis, assume.*

[70] Voir Pierre Chrysologue, Sermon 14,5 (CCL 24, 90) : *Non uidebit diem malum, qui dies bonos habere pauperem fecit. Videbit diem malum, qui diem iudicii sine aduocatione paupertatis intrauerit.* Cf. S 25,2; 29,1; 41,4; 42,3; 43,5 où est répété que donner aux pauvres est donner à soi-même.

[71] Voir *supra* p. 163-164.

dans un sermon sur la prédication de Jean Baptiste au désert (Mt 3,1-5).[72] Deux éléments permettent de dire avec assurance que Chrysologue parle bien de la pénitence canonique. D'une part, le vêtement en poil de chameau que porte Jean est rapproché du cilice, attribut bien connu des pénitents.[73] D'autre part, jouant sur l'existence du *locus paenitentium*, l'archevêque de Ravenne figure la démarche du pénitent comme une série de déplacements.[74]

Pierre Chrysologue s'appuie sur le texte évangélique pour établir un lien entre l'approche du jugement et la nécessité de faire pénitence.[75] La dureté de la discipline pénitentielle prévient la dureté des châtiments qui attendent le pécheur et le délivre de la sentence qui ne saurait manquer d'être portée contre lui.[76] L'amertume de la pénitence est donc compensée par la douceur de la miséricorde.

La tonalité eschatologique du texte commenté permet aussi à Pierre Chrysologue d'évoquer l'urgence de la pénitence : après la mort, rappelle-t-il, il n'y a pas de pénitence possible.[77] Mais s'il est trop tard après la mort, il n'est jamais trop tard en cette vie, ajoute Pierre Chrysologue :

> Faisons pénitence, mes frères, et ne soyons pas effrayés par l'étroitesse du temps. Le créateur du temps ignore l'étroitesse du temps. Le larron de l'Evangile en est une preuve : c'est sur la croix et à l'heure de la mort qu'il arracha le pardon, gagna la vie, s'ouvrit le paradis, pénétra dans le Royaume.[78]

L'archevêque de Ravenne évoque ici l'épisode du bon larron (Luc 23, 40-43) qui, pour avoir dit : «Jésus, souviens-toi de moi lorsque tu viendras avec ton Royaume», mérita d'entendre cette réponse : «En

---

[72] Pierre Chrysologue, Sermon 167 (CCL 24B, 1025-9). Prêché en temps de Carême, selon F. Sottocornola, *op. cit.*, p. 125.

[73] Voir Sermon 167,7. Pour le port du cilice par les pénitents, voir B. Poschmann, *La pénitence et l'onction des malades*, Paris, 1966, p. 81.

[74] Voir Sermon 167,9 (CCL 24B, 1029) : *ut de peccati loco exiliens in poenitentiae locum, ad caelum possit pinnis ueniae peruolare.*

[75] Mt 3,2 : *paenitentiam agite, adpropinquauit regnum caelorum.*

[76] Voir Sermon 167,7 (CCL 24B, 1029) : *ne iudicemur, iudices nostri simus; poenitentiam demus nobis, ut possimus nobis auferre sententiam.*

[77] Voir Sermon 167,5 (CCL 24B, 1026) : *Poeniteamur, fratres, poeniteamur cito, quia nobis spatium temporis iam negatur, iam nobis ipsa hora concluditur, iudicii praesentia iam nobis locum satisfactionis excludit.* Cf. Sermon 66,2-3 où le même argument est développé à partir de l'explication de la parabole du riche et du pauvre Lazare.

[78] Sermon 167,5 (CCL 24B, 1026-7) : *Poeniteamur, fratres, et ne arto temporis pertimescamus. Auctor temporis tempore nescit artari. Probat hoc euangelicus latro, qui in cruce et in hora mortis rapuit ueniam, inuasit uitam, effregit paradisum, penetrauit ad regnum.*

vérité, je te le dis, aujourd'hui tu seras avec moi dans le Paradis.»
Pierre Chrysologue est le premier prédicateur à faire usage du bon
larron comme figure du pénitent de la dernière heure, après l'utilisation de cette figure par le pape Célestin, en 428, pour défendre le
principe de la pénitence *in extremis* contre le rigorisme gaulois.[79]
Chez Pierre Chrysologue, toutefois, le contexte est dépourvu de
toute polémique.

In extremis

La possibilité de faire pénitence, même au dernier moment, est
évoquée dans d'autres sermons, sans que la figure du bon larron
serve de modèle.[80]

Le commentaire de la parabole du bon grain et de l'ivraie (Mt
13, 24-29) est par exemple l'occasion d'affirmer que péché ou rachat
sont possibles jusqu'à la fin de la vie : la moisson, qu'il faut attendre
pour séparer le bon grain de l'ivraie, est le jugement; l'attente de la
moisson est le temps que la patience divine laisse à l'homme pour
faire pénitence.[81]

Dans le sermon 42, prêché pour le Carême,[82] Pierre Chrysologue
va plus loin encore. Il rappelle que l'homme serait condamné à périr
sans la miséricorde divine et donne la preuve suivante de l'in-
commensurable bonté de Dieu :

> C'est pourquoi la grande, l'immense, l'unique miséricorde du Christ,
> qui a réservé un seul jour pour tout jugement, a accordé tout le temps
> de la vie humaine pour le délai de la pénitence, afin que les vices que
> l'enfance a admis, dont la jeunesse s'est emparée, sur lesquels s'est je-
> té l'âge adulte, la vieillesse au moins les corrige, afin que l'homme se

---

[79] Célestin, *Ep. 4,2* (voir *infra* p. 217-219). Sur l'emploi de la figure du larron,
voir J.T. Cummings, «The Holy Death-Bed Saint and Penitent», dans *The Biographical Works of Gregory of Nyssa*, Philadelphie, 1984, p. 241-63, en particulier
p. 248-50 et n.11. Chez Maxime de Turin (voir les sermons 74-76, prêchés à la fin
du Carême), la figure du bon larron ne fait pas figure de pénitent *in extremis* : cf.
A. Fitzgerald, «The Relationship of Maximus of Turin to Rome and Milan : A Study of Penance and Pardon at the Turn of the Fifth Century», *Augustinianum* 27
(1987), p. 465-86, en particulier p. 478-480.

[80] A. Fitzgerald, *op. cit.*, p. 310-11, relève les autres emplois de la figure du
bon larron dans les sermons de Pierre Chrysologue, mais ils sont sans rapport
avec la pénitence (Voir les Sermons 60 et 61 : le Carême n'est pas trop court pour
se préparer au baptême).

[81] Voir Pierre Chrysologue, Sermon 97,7 (CCL 24A, 601) : *Hinc est quod
utraque referebat ad messem, id est, usque ad iudicium diuinae patientiae suae et
nostrae poenitentiae tempus, ut qui se de malo commutarit ad bonum, dominicum
deputetur in triticum, caelestibus horreis adgregandus; qui se de fideli fecerit infide-
lem gehennae deputetur incendio.*

[82] Pierre Chrysologue, Sermon 42 (CCL 24, 236-40). Pour le contexte liturgique, voir F. Sottocornola, *op. cit.*, p. 45.

repente de son péché à l'heure au moins où il sent que déjà il ne peut plus pécher, afin qu'il abandonne sa culpabilité à l'heure au moins où la culpabilité, elle, l'a déjà quitté, afin que la nécessité le pousse à la vertu et que meure innocent celui qui a passé toute sa vie dans le crime.[83]

Le jugement n'intervient qu'avec la mort pour que l'homme puisse encore faire pénitence à l'article de la mort. Le langage de Pierre Chrysologue est sans équivoque et sans accent polémique : il ne recommande pas à proprement parler de faire pénitence à l'heure de la mort, mais montre que la porte du salut reste ouverte au pécheur. L'évocation de la nécessité fait peut-être écho aux autres emplois du mot dans ses sermons.[84] Il en ressort en effet que la nécessité caractérise la condition humaine et s'oppose à la volonté. L'approche de la mort est peut-être la nécessité dont l'homme a besoin pour se repentir.

Un sermon sur la parabole de l'intendant récompensé pour sa malhonnêteté confirme cette analyse.[85] Pierre Chrysologue laisse de côté la solution trouvée par l'intendant pour se tirer d'affaire et s'attache surtout à l'angoisse dans laquelle le plonge la reddition de comptes demandée par son maître.[86] Ce dernier est prévenu de la malhonnêteté de son intendant et lui dit : «Rends compte de ta gestion, car tu ne pourras plus être mon gérant.» (Luc 16, 2) Faut-il comprendre que sentence et jugement sont annoncés en même temps, demande Pierre Chrysologue qui a déjà donné les clés de lecture de la parabole : le maître est Dieu, l'intendant est l'homme?[87] Non :

Il demande de remettre les comptes, non pour les réclamer, mais pour en libérer (...). Il les demande dans le siècle pour ne pas les de-

---

[83] Sermon 42,5 (CCL 24, 239) : *Hinc est quod Christi magna, larga, sola misericordia, quae iudicium omne in diem seruauit unum, hominis totum tempus ad poenitentiae deputauit inducias, ut quod de uitiis infantia suscipit, rapit adulescentia, inuadit iuuentus, corrigat uel senectus; et de peccato uel tunc paeniteat, quando sentit iam se non posse peccare; et tunc saltim reatum deserat, quando illum relinquerit iam reatus; faciat de necessitate uirtutem, moriatur innocens, qui totus uixit in crimine.*

[84] Voir le chapitre 4 de la première partie, p. 104-166 et *supra* p. 173 à propos du sermon 41.

[85] Pierre Chrysologue, Sermon 125 (CCL 24B, 766-72). Vraisemblablement prêché pour le Carême, selon F. Sottocornola, *op. cit.*, p. 109-11. Cf. P. Monat, «L'exégèse de la parabole de l'intendant infidèle du IIᵉ au XIIᵉ siècle», *Revue des Etudes Augustiniennes* 38 (1992), p. 89-123.

[86] Il donne une exégèse allégorique de cette solution dans le sermon 126 prêché à la suite du précédent.

[87] Pierre Chrysologue, Sermon 125,7 (CCL 24B, 768) : *Tam piis tam seuera cor iungit? Cur ante a uillicatione submouet quam rationem cognoscat?* Pour les «clés» de la parabole, voir c.3.

mander au jugement (...). Pourquoi? parce que vient la fin de la vie, le temps de la mort : déjà l'apparition céleste te presse, déjà le jugement te convoque; dépêche-toi donc, afin de ne pas perdre le temps de la satisfaction quand tu as perdu le temps des œuvres.[88]

L'approche de la mort est donc un avertissement divin pour le chrétien : à défaut de s'être bien conduit, il lui reste la satisfaction. La réaction de l'intendant éclaire le sens de ce mot qui appartient au vocabulaire pénitentiel :[89] «Il se dit en lui-même : que faire? Je n'ai pas la force de piocher, j'aurai honte de mendier (Luc 16,3).» Pierre Chrysologue tire parti en effet de chacun des éléments de cette réaction :

– «Il se dit en lui-même» est signe de la componction qui le saisit et l'amène à la pénitence.[90]

– «Je n'ai pas la force de piocher» : les forces et surtout le temps de faire quelque chose lui manquent.[91]

– «J'aurai honte de mendier» est l'expression de la crainte du jugement où il est trop tard pour demander quelque chose.[92]

Il peut alors tirer la leçon de son exégèse :

Ce serait bien pour nous, très bien même, si chacun de nous adaptait cela à lui-même, si nous rapportions cela à nous-mêmes, qui devons comprendre que sur terre nous sommes des gérants (...). Il n'attend pas d'être arrivé au terme définitif de la vie, celui qui tient compte du temps imparti à sa gérance, celui pour qui résonne l'avertissement de la dissipation de son crédit. Voilà, oui voilà ce qu'est une fin prématurée, voilà la mort avant l'heure (...)[93].

L'idéal est de vivre en sachant que la gérance n'est confiée que pour

---

[88] Sermon 125,7 (CCL 24B, 768-9) : *Rationem petit, non ut exigat, sed relaxet. (...) petit in saeculo, ne petat in iudicio... Quare? quia uenit finis uitae, tempus mortis; iam te adparitio superna constringit, iam iudicium uocat; festina ergo, ne satisfactionis tempus perdas, qui tempus operis perdidisti.*

[89] Sur la notion de satisfaction, voir B. Poschamnn, *op. cit.*, p. 85.

[90] Sermon 125,9 (CCL 24B, 770) : *'Ait intra se.' Pungit cor suum, stimulat mentem suam, et omnia uexat interna, ut a se poenitentiam, quam pro se dare possit, extorqueat.*

[91] Sermon 125,10 (CCL 24B, 770) : *'Fodere non ualeo.' Non uires isti, sed tempora defecerant ad laborem.*

[92] Ibid. : *'Fodere non ualeo, mendicare erubesco.' Confusionem iudicii pertimescit, in quo iam non petendi tempus est, sed poenarum...*

[93] Sermon 125,11 (CCL 24B, 770-1) : *Bonum nobis, bonum nimis, si ad nos ista aptemus singuli, si ad nos ista referamus, qui in terra nos debemus sentire uillicos... Non peruenit ad statutum terminum uitae, qui uillicationis amittit tempus, quem sonarit credita dissipasse. Hinc, hinc est immaturus exitus, hinc est ante diem mors...*

un temps, que le crédit n'est pas illimité. La mort prématurée et amère est donc celle qui saisit le pécheur plongé dans le péché. Mais il reste un recours pour celui qui n'a pas vécu selon cet idéal :

> Mais puissions-nous quand la maladie nous avertit de la convocation, quand la fièvre met un terme sans clémence à notre gérance, quand la force de la douleur nous presse de nous hâter à remettre les comptes, puissions-nous imiter ce qu'a fait et pensé notre gérant, nous tourner vers la consultation de notre âme, la componction de notre cœur, la pénitence de notre esprit, vers le secours de la miséricorde, vers le patronage de la piété, vers l'assistance de la confession.[94]

A défaut de se préparer pendant la vie à la mort et au jugement, il faut savoir comprendre l'avertissement de l'ultime maladie et recourir alors à la pénitence.[95] Pierre Chrysologue n'est pas assez précis pour que nous puissions définir la nature exacte de cette pénitence : œuvres de pénitence comme la charité, ou bien pénitence canonique?[96]

Mais peut-être laisse-t-il délibérément les portes ouvertes : l'important est le retour du pécheur vers lui-même, l'aveu de sa condition, la recherche et l'abandon au secours divin. Le choix de la forme de pénitence relèverait alors de la pastorale accomplie au chevet du mourant.

*   *
*

Dans la prédication de Pierre Chrysologue, la peur du jugement a la valeur positive de conduire le chrétien à la pénitence et donc de lui ouvrir le chemin du salut. Du fait de la fragilité d'une nature af-

---

[94] *Ibid.* : *Sed utinam quando nos de uocatione commonet aegritudo, quando febris a uillicatione inclementer excludit, quando uis doloris ad reddendam uillicationem properare compellit, praesentis uillici factum sensumque sequeremur, conuerteremur ad animae consilium, ad conpunctionem cordis, ad mentis poenitentiam, ad misericordiae suffragium, ad pietatis patrocinium, ad confessionis aduocationem.*

[95] Cf. Sermon 125,9 (CCL 24B, 769) : *Semper homo bona facere tunc cupit, quando mors faciendi tempus adsumit.* D'après le catalogue de P. Monat, *art.cit.*, en particulier p. 97, il semble que seul Pierre Chrysologue ait lu dans cette parabole une invitation à faire pénitence *in extremis*.

[96] Cf. A. Fitzgerald, *op. cit.*, p. 311 : «But it was not clear how the practical aspects of this penance is related to the formal aspects of penance at the end of life for serious sinners.»

fectée par le péché originel, l'homme ne peut pas être sans péché et il ne peut compter, au jugement, que sur la miséricorde divine.

Pierre Chrysologue propose le modèle d'une conduite qui, pendant le temps de la vie, gagne cette miséricorde grâce à la pratique de la charité. Mais le chrétien qui n'a pas su adopter cette ligne de conduite peut, à l'heure de la mort, faire le retour à Dieu qu'il n'a pas préparé pendant le temps de la vie. Le pécheur, et entendons bien tout chrétien, peut par une pénitence *in extremis*, dont la forme reste vague, se préparer à la mort et au jugement. Avec Pierre Chrysologue, la question d'une préparation à la mort, rituelle ou sacramentelle, est posée.

B – LÉON LE GRAND

1 – La nécessité de se préparer à la mort

Dans deux sermons, Léon le Grand renoue avec le vocabulaire classique de la préparation à la mort. Cette préparation n'est plus toutefois «l'exercice philosophique», hérité par la tradition chrétienne et dans lequel la mort physique est anticipée pendant la vie par l'ascèse.[97] Elle cesse d'être une préparation pour mourir et devient une préparation pour le jugement.

Ad aduentum dei praeparari

Le sermon 19, prêché pour le jeûne du dixième mois, commente la lecture de Luc 21,34 : «Prenez garde, de peur que vos cœurs ne s'appesantissent dans la débauche, l'ivrognerie et les soucis du siècle», où, dit Léon, est annoncée «l'arrivée du règne de Dieu et la fin du monde».[98] Aussi donne-t-il le conseil suivant :

> Il convient que tout homme se prépare à son arrivée, afin que nul ne soit trouvé esclave de son ventre ou impliqué dans les soucis de ce monde.[99]

---

[97] Voir P. Hadot, *Exercices spirituels et philosophie antique*, Paris, 1987 et *supra* p. 22-23.

[98] Voir Léon, Sermon 19(89),1 (CCL 138, 76) : *Cum de aduentu regni dei et de fine temporum mundi discipulos suos Saluator instrueret totamque Ecclesiam suam in apostolis erudiret : 'Cauete, inquit, ne forte grauentur corda uestra in crapula et ebrietate et cogitationibus saecularibus'.*

[99] *Ibid.* : *Ad cuius aduentum omnem hominem conuenit praeparari, ne quemquam aut uentri deditum aut curis saecularibus inueniat implicatum.*

Léon répète la mise en garde du Christ et invite à prendre au sérieux la nécessité d'être prêt pour la venue de Dieu. Tous les jours, poursuit-il, les hommes peuvent faire l'expérience des méfaits des excès de bouche. L'âme doit donc s'efforcer plus souvent de résister aux désirs de la chair :

> Bien qu'en cette vie il soit difficile de maintenir cette conduite continuellement, elle peut cependant être souvent adoptée, de sorte que nous soyons préoccupés par l'esprit plus souvent et plus longtemps que par la chair.[100]

Les exigences de Léon sont mesurées aux capacités de l'homme pendant cette vie : ne jamais céder à la chair est impossible, mais y résister est à la portée de tout un chacun. Or le chrétien peut trouver pour y parvenir une occasion et une aide dans l'observance des jeûnes saisonniers :

> L'utilité de cette observance, mes très chers frères, a été principalement assignée aux jeûnes de l'Eglise, qui d'après l'enseignement du Saint Esprit ont été distribués tout au long de l'année, pour que la loi de l'abstinence soit prescrite en toute saison.[101]

Le respect des jeûnes prescrits par l'Eglise permet de ne pas céder aux tentations de la chair. Léon met en valeur la régularité de cette pratique en rappelant la succession dans l'année liturgique du Carême (printemps), de Pentecôte (été) et des jeûnes du septième et du dixième mois (automne et hiver).[102]

Mors improuisa

Dans le sermon 90, prêché pour le jeûne du septième mois, Léon tient un discours analogue, mais avec des développements complémentaires qui rendent son analyse intéressante. Léon commence par décrire longuement les luttes intérieures de l'homme et la nécessité d'implorer la miséricorde divine :

---

[100] Sermon 19,1 (CCL 138, 77) : *Quod etsi in hac uita difficile est continuari, potest tamen frequenter adsumi, ut saepius ac diutius spiritalibus quam carnalibus occupemur.*

[101] Sermon 19,2 (CCL 138, 77) : *Huius obseruantiae utilitas, dilectissimi, in ecclesiasticis praecipue est constituta ieiuniis, quae ex doctrina Spiritus ita per totius anni circulum distributa sunt, ut lex abstinentiae omnibus sit adscripta temporibus.*

[102] Ces quatre périodes de jeûne ne recouvrent pas ce que la liturgie postérieure appelle les Quatre-Temps. Il semble que ce soit à la fin du IVe siècle qu'un cadre liturgique a été introduit pour ces jeûnes saisonniers. Voir maintenant J.-L.

L'homme n'a rien de plus efficace pour fléchir Dieu par sa prière que de se juger soi-même et de ne jamais cesser de demander le pardon, sachant bien qu'il n'est jamais sans faute.[103]

Reconnaître sa qualité de pécheur et avouer le besoin de la miséricorde divine sont les deux facettes de la démarche pénitentielle, dont Léon semble proposer le modèle à tout chrétien. La pénitence est rendue nécessaire par l'état de péché où se trouve l'homme par suite de la faute d'Adam, qui, comme l'explique Léon, a vicié la nature humaine.[104] La régénération du baptême délivre le chrétien de l'esclavage du péché, mais ne met pas fin au combat contre ses sollicitations, décrites dans les termes inspirés de Paul d'une lutte de l'esprit contre la chair.[105] Or la lutte n'est pas facile :

> Dans cette division, il n'est pas facile d'obtenir une victoire si parfaite que nous ne soyons pas liés par les liens mêmes qu'il nous faut briser, ni ne soyons blessés par ce qu'il nous faut détruire.[106]

La victoire de l'esprit sur la chair ne saurait être totale et la lutte elle-même ne laisse pas l'homme indemne. Quelle assurance le chrétien peut-il avoir au jour du jugement?

Léon semble chercher à rassurer ensuite ses auditeurs. Il explique en effet que le Christ a ouvert la voie de ce chemin que l'homme ne peut suivre avec ses seules forces, pour l'empêcher de tomber dans le désespoir.[107] Or marcher dans les pas du Christ, ce qui veut dire renoncer à l'amour du monde pour l'amour de Dieu, est «une disposition (qui) est fortifiée par l'habitude des bonnes œuvres».[108] Et d'expliquer alors le bienfait des jeûnes saisonniers :

> Mais comme les pièges tendus par le diable ne connaissent aucune trêve, même pendant de tels exercices, c'est très opportunément qu'à

Verstrepen, «Origines et instauration des Quatre-Temps à Rome», *Revue Bénédictine* 103 (1993), p. 339-365.

[103] Léon, Sermon 90(77),1 (CCL 138A, 556) : *Nihil est efficacius ad exorandum Deum quam ut homo ipse se iudicet et numquam desinat a uenia postulanda, qui se scit numquam esse sine culpa.* Nous citons le texte de la «première édition».

[104] Voir *ibid.* : *Habet enim hoc in se uitium humana natura, non a Creatore insitum, sed a praeuaricatore contractum et in posteros generandi lege transfusum, ut de corruptibili corpore etiam quod animam corrumpere possit oriatur.*

[105] Voir *ibid.* : *Hinc interior homo, si tamen iam regeneratus in Christo est, assiduos habet cum carne conflictus, et dum cohibet adulescentem patitur repugnantem.*

[106] *Ibid.* : *In qua discordia non facile obtinetur tam perfecta uictoria, ut etiam illa quae sunt adrumpenda non inligent, et quae sunt interficienda non uulnerent.*

[107] Sermon 90,2.

[108] Sermon 90,4 (CCL 138A, 561) : *Hic igitur affectus, dilectissimi, quo amor terrenus excluditur, bonorum operum consuetudine roboratur...*

certains moments de l'année a été institué un moyen de réparer nos forces.[109]

Le raisonnement est le même que dans le sermon précédent : l'observance des rites chrétiens est présentée comme un remède à l'infirmité constitutive de l'homme.

Après avoir rappelé les invectives du Christ au riche (Lc 12, 20), Léon peut conclure :

> Telle doit être la méditation très attentive du sage, afin que, les jours de cette vie étant brefs et incertaine sa durée, la mort ne surprenne jamais à l'improviste celui qui doit mourir et qu'une fin sans préparation ne survienne pas à celui qui sait qu'il est mortel.[110]

Tout le vocabulaire : *meditatio, sapiens, mors improuisa*, etc. est emprunté à l'exercice de la *meditatio mortis*. Mais le contenu de cette préparation, sans même parler de son objectif, est différent. Le chrétien se prépare au jugement par l'observance régulière de rites prescrits collectivement par l'Eglise : sa fragilité intrinsèque trouve un secours dans le Christ et dans son Eglise.

Tout se passe donc comme si la fragilité de la nature humaine, qui est due au péché originel et qui rend l'issue du jugement incertaine, pouvait être palliée par les pratiques collectives de l'observance chrétienne. Chacun des éléments de ce schéma doit être étudié plus en détail.

2 – L'IMPOSSIBLE PERFECTION

Le point de départ est le rappel, incessant dans les sermons de Léon le Grand, de l'impossibilité d'atteindre la perfection en cette vie.

Pie uiuere

Un des sermons de Carême propose une chaîne de textes scripturaires très révélatrice. L'espérance de la récompense, rappelle Léon, est liée à la participation à la passion du Seigneur, mais personne ne doit dire que la paix de l'Eglise rend impossible cette participation.[111] Et de citer 2 Tim 3, 12 : «Tous ceux qui voudront vivre

---

[109] Sermon 90,4 (CCL 138A, 562) : *Sed quia insidiae diaboli etiam inter talia studia non quiescunt, rectissime in quibusdam articulis temporum uigoris nostri est instituta reparatio...*

[110] Sermon 90,4 (CCL 138A, 562-3) : *Haec sollicitissima meditatio debet esse sapientis, ut quoniam breues dies istius uitae et incerta sunt spatia, numquam sit mors improuisa morituro, nec inordinatum incidat finem, qui se nouit esse mortalem.*

[111] Voir Léon, Sermon 47(34),1 (CCL 138A, 274) : *Certa atque secura est expec-*

pieusement dans le Christ souffriront la persécution», pour proposer le modèle d'un martyre du temps de paix. A l'aide de Job 7, 1 :
«N'est-ce pas une tentation que la vie de l'homme sur la terre?»,
Léon oppose en effet au martyre physique un martyre intérieur,[112]
défini dans les termes de Gal 5,17 comme un conflit de la chair
contre l'esprit.[113] Il conclut alors en combinant ces différents textes :

> Ces oppositions sont l'occasion de conflits si opiniâtres que, même s'il
> s'apaise à l'extérieur, il ne cesse cependant de perturber l'intérieur des
> cœurs pieux, si bien qu'il est vrai que ceux qui veulent vivre pieuse-
> ment dans le Christ souffriront la persécution et qu'il est vrai que la
> vie est une tentation.[114]

La vie du chrétien est donc une lutte de tous les instants. Avec la
paix de l'Eglise, le combat s'est déplacé en quelque sorte à l'intérieur
de l'homme, mais la victoire n'en est que plus difficile à emporter.

Le thème du martyre quotidien du chrétien, comme nous l'a-
vons vu,[115] est un thème familier de la prédication de Léon le Grand.
Ne retenons ici que le sermon 36, prononcé pour l'Epiphanie, où
Léon précise que, si la paix a encore ses périls,[116] c'est à cause de la
fragilité humaine. Le diable en effet ne tente plus les chrétiens par la
souffrance, mais par le plaisir.[117] Or, comme il n'est pas de péché
sans plaisir, le chrétien a vite fait d'acquiescer à la volupté trom-
peuse.[118]

---

*tatio promissae beatitudinis, ubi est participatio dominicae passionis. Nemo enim
est, dilectissimi, cui per conditionem temporis societas huius gloriae denegetur,
tamquam tranquillitas pacis uacua sit occasione uirtutis.*

[112] Voir Sermon 47,1 (CCL 138A, 275) : *Unum nomen est persecutionis, sed
non est una causa certaminis, et plus plerumque periculi est in insidiatore occulto
quam in hoste manifesto.* L'exemple de Job et la citation de Job 7,1 sont donnés à
la suite.

[113] Gal 5,17 : *caro concupiscit aduersus spiritum et spiritum aduersus carnem.*

[114] Sermon 47,1 (CCL 138A, 275-6) : *tam pertinaces habet diuersitas ista
conflictus, ut etiamsi exterius conquiescat, ipsa tamen piorum cordium penetralia
inquietare non desinat, ut uerum sit quod qui uoluerint in Christo pie uiuere, perse-
cutionem patientur, et uerum sit quod omnis haec uita temptatio est.* Seule la référence à Gal 5,17 est indirecte.

[115] Voir *supra* p. 116-118.

[116] Voir Léon, Sermon 36(17),4 (CCL 138A, 198) : *Habet igitur, dilectissimi,
pax nostra pericula sua.* Cf. Cyprien, *De zelo et liuore*, 16.

[117] Voir Sermon 36(17),3 (CCL 138A, 198) : *quos non percutit (Aduersarius) ic-
tu afflictionis, lapsu deiiciat uoluptatis.*

[118] Voir Sermon 36,4 (CCL 138A, 199) : *Fragilitas quidem humanae conditionis facile in delicta prolabitur; et quia nullum sine delectatione peccatum est, cito
acquiescitur deceptoriae uoluptati.*

Tentations

Pour exprimer l'universalité du péché, Job 7, 1 : «N'est-ce pas
une tentation la vie de l'homme sur la terre?», partage les faveurs de
Prov 20,9 : «Qui se fera gloire d'avoir le cœur chaste ou d'être pur de
tout péché?».[119]

Ce thème constitue souvent le point de départ des sermons prêchés le premier dimanche du Carême.[120] Ce jeûne de quarante jours
a pour but de préparer la célébration de Pâques : le chrétien doit se
purifier, se rénover en vue de ce temps fort de l'année liturgique.[121]
Léon souligne donc tout naturellement la nécessité de cette rénovation en montrant comment le chrétien est soumis au péché. Dans le
sermon 43, par exemple, Léon reprend les chrétiens qui s'imagine-
raient ne pas avoir besoin de se plier aux rites de Carême :

> Ce monde-ci est en effet plein de dangers : j'en ai décrit quelques-uns
> brièvement, pour que (pensons à ce texte de l'Ecriture : «Qui se fera
> gloire d'avoir un cœur chaste ou d'être pur de tout péché?») tous
> comprennent bien que l'indulgence pour leurs fautes et le remède qui
> doit les rénover leur sont nécessaires.[122]

Le pape dénonce l'orgueil de ceux qui se croient purs,[123] quand le
monde est plein de pièges et que la limite entre le bien et le mal est si
difficile à établir.

Le ton peut être moins critique, comme dans le sermon 44, où
Léon le Grand explique que l'innocence de la vie ne peut être que
ponctuelle.[124] A l'autorité du prophète (Prov 20,9), Léon ajoute celle
du psalmiste : «Purifie-moi des fautes que j'ignore, Seigneur,

---

[119] Job 7,1 : S 2(93),1; 41(28),1; 50(37),2; 47(34),1. Prov 20,9 : S 11(25),1; 37
(18),3; 43(30),2; 44(31),1; 50(37), 1; 90(77),1. Dans les S 41(28),1 et 37(18),3 Léon
cite aussi 1 Jn 1,8.

[120] 6 textes sur les 10 relevés à la note précédente.

[121] Voir, par exemple, Léon, Sermon 44(31),1 (CCL 138A, 258) : *Sed cum ad is-
tos recurritur dies, quos specialius reparationis humanae sacramenta signarunt, et
qui uicino ordine atque contiguo festum paschale praecedunt, diligentius nobis
praeparatio religiosae purificationis indicitur.* Cf. Sermons 40(27),1; 41(28), 1; 42
(29),1; etc.

[122] Léon, Sermon 43(30),2 (CCL 138A, 254) : *Ideo enim de periculis quibus
mundus hic plenus est, quaedam breuiter percucurri, ut, dicente Scriptura : 'Quis
gloriabitur castum se habere cor, aut mundum se esse a peccato?' omnes sibi intel-
legant delictorum indulgentiam et reparationis necessariam esse medicinam.*

[123] Sermon 43,1 (CCL 138A, 252) : *An forte quisquam tam insolenter superbit,
et ita se inlaesum, ita immaculatum esse praesumit, ut nullius iam renouationis in-
digeat?*

[124] Voir Léon, Sermon 44(31),1 (CCL 138A, 258) : *Quamuis enim in quolibet
tempore innocens sit uita multorum, et plurimos Deo bonorum actuum consuetudo commendet, non adeo tamen de conscientiae integritate fidendum est, ut humanam fragilitatem inter scandala temptationesque degentem nihil potuisse arbitre-
mur quod laederet eam incidere...*

épargne ton serviteur pour les fautes qui lui sont étrangères» (Ps 18,13-4). Ainsi nul n'est à l'abri du péché. Qui sonde son cœur y découvre des fautes et à celles-ci, comme le dit le psalmiste, il faut ajouter les fautes restées cachées et le poids même de celles d'autrui.[125]

Les séquelles du péché d'Adam

Comme dans le sermon 90,[126] Léon explique que cet état de péché est une conséquence du péché originel :

> En effet, bien que ce soit essentiellement le bain de la régénération qui crée des «hommes nouveaux», dans la mesure où une rénovation quotidienne demeure cependant nécessaire pour tous contre la rouille de la mortalité et où nul ne peut que devenir toujours meilleur dans l'échelle de la perfection, il faut d'une manière générale faire des efforts pour ne pas être trouvé, au jour de la rédemption, dans les vices du vieil homme.[127]

Tout en rappelant les effets du baptême, Léon souligne que toute séquelle du péché originel n'est pas effacée. La «rouille de la mortalité» ne peut être que la peine du péché. Celle-ci est double, selon un autre sermon : la mortalité et l'infirmité.[128] Cette dernière rend nécessaire une «rénovation quotidienne», c'est-à-dire la continuation après le baptême de la régénération par des pratiques pénitentielles. Le Carême est un des temps forts de cette purification.

Léon répète cet enseignement en le précisant dans un sermon prononcé à l'occasion du jeûne du septième mois, où il commente Eccli 18,30 : *Post concupiscentias tuas non eas, et a uoluntate tua auertere*.[129] Il y a en l'homme deux sortes de concupiscences, dit Léon : celles qui viennent de lui-même et qu'il ne doit pas suivre; celles qui viennent de Dieu, dont il faut accomplir la volonté, comme le dit le *Pater*.[130] Et Léon de conclure :

---

[125] Voir Sermon 44,1 (CCL 138A, 258-9) : *...ut et numquam possint in cordibus suis non inuenire quod reprobent, et saepe aut fallantur occultis, aut grauentur alienis...* On peut noter que Léon le Grand présente la menace du péché de façon plus abstraite qu'Augustin et Pierre Chrysologue. Cf. *supra* p. 155-156 pour Augustin et p. 172 pour Pierre Chrysologue.

[126] Voir *supra* p. 187.

[127] Léon, Sermon 44(31),1 (CCL 138A, 259) : *Quamuis enim principaliter nouos homines faciat regenerationis ablutio, quia tamen superest omnibus contra rubiginem mortalitatis cotidiana renouatio, et inter profectuum gradus nullus est qui non semper melior esse debeat, generaliter adnitendum est ut in die redemptionis nemo inueniatur in uitiis uetustatis.*

[128] Voir Léon, Sermon 72(59),2 (CCL 138A, 443) : *Infirmitas sane atque mortalitas, quae non peccatum erant, sed poena peccati...*

[129] Léon, Sermon 93(41) : CCL 138A, 573-6.

[130] Voir Sermon 93,1 (CCL 138A, 573) : *Merito ergo Dominus, in oratione*

D'où vient que soit conçu un tel désir contre lequel il faut toujours
lutter, il n'est pas difficile de le comprendre pour ceux qui savent
qu'ils sont les fils d'Adam et qui ne doutent pas que, puisque le père
du genre humain a péché, ce qui est corrompu à la racine soit vicié
dans les rejetons.[131]

Le vocabulaire généalogique et génétique employé par Léon ne
laisse aucun doute sur la transmission du péché originel à l'humanité. La corruption de la nature humaine n'est pas effacée par le baptême :

> Bien que par la grâce de notre Seigneur Jésus-Christ nous soyons pas-
> sés de l'ancienne créature à la nouvelle et que l'homme céleste nous
> ait dépouillé de l'image de l'homme terrestre, aussi longtemps cepen-
> dant que nous portons ce corps mortel, il nous est nécessaire de
> combattre contre les désirs de la chair.[132]

Léon est donc très clair : la nature humaine a été viciée par le péché
d'Adam et le chrétien en subit les conséquences même après le baptême. Telle est «la loi du péché qui est dans les membres», dont
parle Paul en Rom 7,23.[133]

L'infirmité de la chair, contre laquelle le chrétien doit lutter en
cette vie, est une séquelle du péché originel. Aussi Léon insiste-t-il
sur la nécessité pour tous, baptisés et non-baptisés, de participer à
l'effort de pénitence qu'il leur demande.[134] Le tableau que Léon
brosse d'une vie qui est «tout entière tentation» (Job 7,1) peut éveil-
ler les craintes de tous.

---

*quam tradidit, noluit nos ad Deum dicere : 'Fiat uoluntas nostra', sed : 'Fiat uolun-
tas tua', hoc est, non illa quam caro incitat, sed quam Spiritus sanctus inspirat.*

[131] Sermon 93,1 (CCL 138A, 573-4) : *Unde autem hoc desiderium conceptum
sit, cui semper debeat repugnari, non difficulter intellegunt qui se Adae filios esse
nouerunt, et peccante humani generis patre non dubitant in propagine uitiatum
esse quod est in radice corruptum.*

[132] *Ibid.* : *Quamuis autem per gratiam Domini nostri Iesu Christi in nouam
creaturam transierimus ex ueteri, et imagine nos terreni hominis homo caelestis
exuerit, donec tamen corpus mortale gestamus, necesse est ut contra carnis desideria dimicemus.*

[133] Sermon 93,2 : seule citation de Rom 7,23 dans les sermons de Léon le
Grand.

[134] Voir Léon, Sermon 43(30),3 (CCL 138A, 254) : *Non enim hi tantum qui per
mortis Christi resurrectionis mysterium in nouam uitam baptismo sunt regene-
rante uenturi, sed etiam omnes populi renatorum, utiliter sibi et necessarie praesidium huius sanctificationis adsumunt, illi, ut quae nondum accipiant, isti, ut ac-
cepta custodiant.* Cf. S 45(32),1 ; 49(36),3 ; 48(35),1 : *sacerdotes* et *fideles*; 59(56),8
(CCL 138A, 361) : *Quantumlibet enim quisque iustificatus sit, habet tamen, dum in
hac uita est, quo probatior esse possit et melior.*

3 – Le jugement

A cette peinture de la condition pécheresse est en effet étroitement articulé le rappel du jugement. Dans le sermon 44, le jour du jugement est appelé le «jour de la rédemption».[135] Encore faut-il être trouvé digne d'être racheté, précise Léon au début du sermon 50 :

> Nous sommes en effet sur le point de prendre part à la plus grande de toutes les fêtes : nous devons nous préparer par l'observance à ressusciter avec lui dans sa résurrection.[136]

L'allusion est indirecte, mais elle peut se faire beaucoup plus précise.

La menace du jugement

C'est à l'occasion de la Collecte que Léon semble le plus volontiers invoquer le jugement,[137] comme la lecture de Mt 5,7 l'y invite : «Bienheureux les miséricordieux, car le Seigneur leur fera miséricorde».[138] Le sermon 9 oppose, par exemple, la ruse du diable à la transparence du seigneur qui n'a laissé ignorer à personne «quelles récompenses les bons doivent espérer et quels supplices les mauvais doivent redouter».[139] Après avoir rappelé que cette connaissance permet à tous de recourir aux remèdes prescrits, Léon dépeint la scène du jugement en suivant fidèlement le récit de Matthieu (Mt 25,31-46). Et de demander :

> Qui donc n'est pas effrayé à l'idée d'obtenir de tels tourments éternels? Qui ne craint pas des maux qui ne doivent jamais finir?[140]

Interrogation oratoire bien sûr, qui ne vise qu'à introduire les moyens d'«être libéré d'une telle condamnation», car à la sévérité Dieu allie la miséricorde.[141]

---

[135] Léon, Sermon 44(31),1 : cité *supra* n. 127.

[136] Léon, Sermon 50(37),1 (CCL 138A, 291) : *Suscepturi enim festorum omnium maximum festum, ea nos debemus obseruantia praeparare, ut in cuius resurrectione sumus conresuscitati, in ipsius inueniamur passione commortui.* Noter l'emploi du verbe *praeparare* dans un contexte semblable à celui des deux sermons analysés en introduction.

[137] Les Collectes ont lieu à l'automne (voir A. Chavasse, CCL 138, p. clxxxvi). Présentation d'ensemble de ces sermons dans A. Fitzgerald, *op. cit.*, p. 325-7.

[138] A. Fitzgerald, *op. cit.*, p. 325 et n.711.

[139] Léon, Sermon 9(23),1 (CCL 138, 32) : *...quae bonis speranda praemia et quae malis essent supplicia.*

[140] Sermon 9,2 (CCL 138, 334) : *Quis igitur istam sortem aeternorum cruciatuum non pauescat? Quis mala numquam finienda non timeat?*

[141] Voir *ibid.* : *Sed cum ideo denuntiata sit seueritas ut misericordia quaereretur, in diebus praesentibus cum misericordiae largitate uiuendum ut homini ...possibile sit ab hac sententia liberari.*

Léon n'hésite donc pas à faire entrer la menace du jugement dans le cadre d'une rhétorique de la peur. Ainsi pour convaincre les riches de se montrer généreux à la collecte, le sermon 10 va jusqu'à dire que les bonnes mœurs sans les bonnes œuvres ne toucheront pas la miséricorde du juge.[142] C'est aussi la pensée du jugement qui doit pousser le pécheur à faire une pénitence canonique.[143]

Une peur salutaire

Mais, quand à l'évocation du jugement répond celle de la nécessité de la miséricorde, Léon semble toucher plus qu'une corde sensible. Il développe la logique d'une spiritualité qui veut que nul ne puisse espérer se présenter au jugement pur de tout péché et que le chrétien doive tout attendre de la miséricorde de Dieu. La conscience de la fragilité humaine ne peut que rendre l'homme inquiet pour son salut : Léon n'appelle-t-il pas le chrétien à se préparer pour le jour du jugement?[144]

Cette inquiétude même est salutaire, comme le dit Léon dans un sermon où il oppose les réactions des apôtres et celle de Juda quand le Christ, lors de la Cène, annonce qu'un traître est parmi eux.[145] Juda ne sait pas saisir l'occasion de se racheter, alors que les autres, sans être les auteurs de ce crime, sont tous effrayés pour eux-mêmes :

> Ils furent attristés en effet non par une conscience coupable, mais par l'incertitude due à l'instabilité humaine, craignant que ce que chacun savait de lui-même fût moins vrai que ce que la Vérité même prévoyait.[146]

La crainte des apôtres est explicitement dissociée de la mauvaise conscience. Le saint sait au contraire qu'il ne peut tirer aucune assurance de lui-même à cause de l'infirmité humaine. Comme peut le faire Augustin, Léon laisse entendre ici qu'une partie de soi échappe à tout contrôle.

---

[142] Léon, Sermon 10(24),2 (CCL 138, 41) : *Quamuis enim quis fidelis sit, et castus, et sobrius, et aliis moribus ornatus insignibus, si misericors tamen non est, misericordiam non meretur.* L'interprétation de Mt 5,7 ne saurait être plus littérale. Cf. Sermon 11,1.

[143] Voir le Sermon 35(16),3-4 où Léon explique que le délai du jugement est une bonté de Dieu dont les pécheurs doivent saisir l'opportunité : l'impunité n'est que provisoire.

[144] Voir *supra*, p. 185-188, les sermons 19 et 90.

[145] Léon, Sermon 58(55) : CCL 138A, 339-348. Prononcé le dernier dimanche avant Pâques.

[146] Sermon 58,3 (CCL 138A, 343) : *Contristati enim sunt (Mt 26,22), non de conscientiae reatu, sed de humanae mutabilitatis incerto, timentes ne minus uerum esset quod in se quisque nouerat quam quod ipsa ueritas praeuidebat.*

Cette conscience du péché conduit à la crainte, car «si le Seigneur tenait compte de nos fautes, personne ne soutiendrait son jugement», explique Léon dans un autre sermon en paraphrasant le Ps 129,3.[147] Mais cette crainte est surtout un sentiment d'humilité :

> Ce n'est pas en effet de la qualité de nos œuvres que dépend la mesure des dons célestes et en ce siècle où toute la vie est tentation, ce que chacun reçoit n'est pas ce qu'il mérite de recevoir.[148]

Léon fait cette mise au point en réaction contre le pélagianisme : placer son assurance dans les œuvres est présomption. La récompense accordée par Dieu, le salut, n'est en rien proportionnée aux mérites de l'homme, car sa nature rend toute perfection impossible. L'homme dans sa faiblesse doit tout attendre de Dieu chez qui la miséricorde l'emporte sur la justice.

Il semble que Léon le Grand mette en scène cette tension entre l'absence d'assurance au jugement et la confiance absolue en la miséricorde divine moins souvent qu'Augustin.[149] Cela tient peut-être à la nature de la résolution qu'il propose pour cette tension, moins centrée sur l'individu, plus ecclésiologique.[150]

4 – L'OBSERVANCE CHRÉTIENNE

Léon oppose en effet à plusieurs reprises les pratiques de ferveur personnelle et les pratiques communes.[151] Ces dernières sont à la fois plus «sacrées» et plus efficaces :

---

[147] Voir Léon, Sermon 2(93),1 (CCL 138, 8) : *si iniquitates Dominus obseruaret, nullus iudicium ipsius sustineret.* Il s'agit d'un sermon prononcé pour l'anniversaire de son élection.

[148] *Ibid.* : *Neque enim de qualitate nostrorum operum pendet caelestium mensura donorum, aut in isto saeculo in quo tota uita temptatio est, hoc unicuique retribuitur quod meretur.*

[149] Cf. Sermon 11,1 : Prov 20,9 et Jac 2,13 : *exultabitur super iudicium misericordia*; Sermon 37,3 où, après avoir cité Prov 20,9 et 1 Jn 1,8, Léon conclut (CCL 138A, 202) : *Unde tota, dilectissimi, christianae sapientiae disciplina, non in abundantia uerbi, non in astutia disputandi, neque in appetitu laudis et gloriae, sed in uera et uoluntaria humilitate constitit, quam Dominus Iesus Christus ab utero matris usque ad supplicium crucis pro omni fortitudine et elegit et docuit.*

[150] Léon le Grand reprend les mêmes développements qu'Augustin sur la cinquième demande du *Pater* dans plusieurs sermons de Carême : voir Sermons 39 (26),5-6; 43(30),4; 44(31),3; 46(33),4; 48(35),4; 49(36),5; 50(37),3. Le pardon mutuel, impliqué par le «pacte» de Mt 6,12, est lui-même présenté comme une façon d'imiter ce qui est célébré dans le mystère pascal. Le Sermon 50 est le plus explicite, où Léon dit en conclusion (Sermon 50,5 : CCL 138A, 294) : *et quia totum paschale sacramentum in remissionem est conditum peccatorum, quod celebrare optamus imitemur,* avant de rappeler la *regula* du *Pater*. Cf. S 43,4 et 44,3.

[151] Voir R. Dolle, introduction, SC 200, p. 111-3 et A. Fitzgerald, *op. cit.,*

> Quoique chacun de nous soit libre de soumettre son propre corps à des châtiments volontaires et de dompter, tantôt plus modérément, tantôt plus rigoureusement, les désirs charnels qui s'opposent à l'esprit, il faut cependant qu'à certains jours tous célèbrent ensemble un jeûne collectif : la dévotion est plus efficace et plus sacrée quand un même esprit et un même sentiment animent les œuvres de piété de toute l'Eglise.[152]

La «sacralité» des célébrations communes tient au caractère public de leur institution[153] et est la source d'un pardon plus grand.[154] L'insistance sur l'observance collective se traduit naturellement dans un vocabulaire militaire : le peuple chrétien tout entier doit être mobilisé dans le «camp de l'armée chrétienne» pour lutter contre l'ennemi du salut.[155]

Le jeûne et l'aumône sont les pratiques collectives par excellence que recommande Léon.[156] L'Eglise de Rome connaît quatre jeûnes dans l'année liturgique avec, à côté de Carême et Pentecôte, les jeûnes des septième et dixième mois. Pour ces derniers, Léon a exploité les ressources de la tradition liturgique de son Eglise,[157] mais il a donné un caractère pénitentiel très accusé à leur observance.[158]

---

p. 318-9, pour une utilisation de ce motif contre les hérétiques qui brisent l'unité de l'Eglise.

[152] Léon, Sermon 89(76),2 (CCL 138A, 552) : *Quamuis autem unicuique nostrum liberum sit uoluntariis castigationibus proprium corpus afficere, et nunc moderatius, nunc uero districtius, repugnantes spiritui carnales concupiscentias edomare, quibusdam tamen diebus ab omnibus oportet pariter celebrari generale ieiunium, et tunc est efficacior sacratiorque deuotio, quando in operibus pietatis totius Ecclesiae unus animus et unus est sensus.* Cf. S 88(75),2 et 18(88),2.

[153] Voir le Sermon 88(75),2 où Léon oppose les catégories public-privé (CCL 138A, 547) : *ut sacratius sit quod publica lege celebratur quam quod priuata institutione dispenditur.*

[154] Dans le Sermon 88(75),3 Léon semble distinguer des péchés remis chaque jour et des péchés remis lors de ces célébrations communes. Voir A. Fitzgerald, *op. cit.*, p. 328-9.

[155] Dans le Sermon 89(76),3 Léon oppose ainsi le combat singulier à la bataille rangée. Le même vocabulaire militaire est employé dans les sermons de Carême.

[156] Voir A. Fitzgerald, *op. cit.*, p. 325-32. Je ne donne ici que quelques rapides indications.

[157] Voir *supra* n. 102.

[158] Le Sermon 94(81),3 en est la formulation la plus claire (CCL 138A, 580) : *Ideo enim ipsa continentiae obseruantia quattuor est adsignata temporibus, ut in idipsum totius anni redeunte decursu, cognosceremus nos indesinenter purificationibus indigere, semperque esse nitendum, dum in huius uitae uarietate iactamur, ut peccatum, quod fragilitate carnis et cupiditatum pollutione contrahitur, ieiuniis atque eleemosinis deleatur.* Les jeûnes saisonniers font prendre conscience du péché, puis assurent sa rémission, comme la pénitence part de la confession pour aboutir au pardon après satisfaction.

Quant à la Collecte automnale, il semble que Léon s'attache à instaurer une nouvelle pratique ou tout au moins à réactiver une coutume ancienne.[159] La pénitence est associée ici à l'imitation de la miséricorde divine.[160]

L'observance chrétienne, c'est-à-dire la participation aux rites collectifs de l'Eglise, est donc le remède régulier que le chrétien doit appliquer sur ses blessures. Pour Léon le Grand, ces pratiques collectives et régulières sont l'occasion à la fois de prendre conscience des péchés et d'en obtenir la rémission.[161] Toute la vie de l'Eglise, et avec elle celle de tous les chrétiens, est placée ainsi sous le signe de la pénitence.[162]

*
 *   *

Le péché originel et les séquelles qui en restent chez le baptisé rendent urgente, aux yeux de Léon le Grand, la préparation du chrétien en vue de la mort et du jugement. C'est à cette fin que Léon présente à ses fidèles la participation aux grandes célébrations liturgiques par le jeûne, l'aumône et la prière, comme autant de moyens de gagner régulièrement la miséricorde divine.

Les anachronismes sont toujours dangereux, mais les récits de morts de la *Correspondance* de Madame de Sévigné permettent peut-être de mieux comprendre le ressort d'une telle pastorale. Rien n'est pire aux yeux de Madame de Sévigné qu'une mort subite et il n'est pas rare de la voir remonter les derniers mois de la vie du décédé pour souligner que, malgré l'absence des derniers sacrements, ce chrétien qui s'est confessé et a communié à telle ou telle occasion ne peut manquer d'être sauvé.[163] A une époque où on ne communie plus

---

[159] Voir A. Fitzgerald, *op. cit.*, p. 326.

[160] Voir A. Fitzgerald, *op. cit.*, p. 325-7. Je ne le suis pas toutefois quand il dit que Léon ne souligne pas le besoin de pénitence dans les sermons de la Collecte. Voir les premières lignes du Sermon 11(25),1 (CCL 138, 45) : *Et diuinis praeceptis, dilectissimi, et apostolicis didicimus institutis, omni homini inter uitae huius discrimina constituto, misericordiam Dei miserando esse quaerendam. Nam quae lapsos spes erigeret, quae uulneratos medicina sanaret, nisi eleemosinae soluerent culpas et necessitates pauperum fierent remedia delictorum?*

[161] Voir *supra*.

[162] A. Fitzgerald, *op. cit.*, p. 338 conclut que Léon «shifted the emphasis from a concern for the individual sinner (...) to the penance and a conversion of the whole community», mais il n'articule pas assez clairement ce souci pastoral à l'enseignement de la doctrine du péché originel, pour avoir trop tenu compte des seules pressions exercées par les courants rigoristes.

[163] Voir la mort du Duc de Longueville ou de Madame de La Fayette, éd. La Pléiade, t.I, p. 547 et t.III, p. 1007. Cf. C. Cagnat, *Les récits de mort dans la Correspondance de Mme de Sévigné*, Mémoire de DEA de l'Université de Paris IV, 1991, dactyl., p. 63-66.

qu'aux temps forts de l'année liturgique, nous comprenons mieux comment participer aux célébrations de l'Eglise peut être se préparer à mourir.

La situation dans la Rome de la première moitié du Ve siècle est très différente,[164] mais la pastorale de Léon le Grand ne semble se fixer d'autre but : se préparer à mourir et à être jugé en s'associant aux observances de l'Eglise afin d'effacer régulièrement les péchés accumulés à cause d'une nature viciée par le péché originel.

Léon ne recommande pas, comme le fait Pierre Chrysologue, de faire pénitence à l'heure de la mort, mais nous verrons dans le chapitre suivant qu'il a défendu le principe d'une pénitence *in extremis* quand celui-ci était attaqué.

---

[164] Relevons deux différences majeures : la pratique régulière de la communion et l'absence de sacrement des mourants. Cf. *infra*.

CHAPITRE 4

QUASI VITICUM PROFECTURIS

SE PRÉPARER À LA MORT AUX IVᵉ ET Vᵉ SIÈCLES

Dans la logique d'une éthique de la discontinuité, il n'est nul besoin d'une préparation à la mort : tout baptisé qui a respecté ses engagements est assuré du salut. Quand cette assurance recule, dans une spiritualité où le chrétien est conscient de n'être que pécheur, nous avons vu que l'heure de la mort est chargée de plus de tensions : Augustin explique comment il est possible de mourir sans être en état de péché; Pierre Chrysologue invite à faire pénitence quand la mort s'annonce; Léon le Grand fait de la participation à la vie liturgique une préparation au jugement. Ne faut-il pas se demander dès lors si le ministère accompli auprès des mourants connaît une évolution?

L'existence d'un rituel des mourants dans la tradition catholique complique toutefois un peu la situation de l'historien, dans la mesure où la démarche habituelle des savants a été de partir du rituel moderne et de chercher à en faire remonter le plus haut possible les origines.[1] C'est ainsi que l'existence, dans l'Eglise ancienne, d'une communion des mourants, ou viatique, est généralement admise.[2] L'examen de cette question est donc le point de départ obligatoire de mon enquête.

---

[1] Le premier chapitre de F.S. Paxton, *Christianizing Death. The Creation of a Ritual Process in Early Medieval Europe*, Ithaca, 1990, p. 19-43, reflète cet état de la bibliographie.

[2] Voir, par exemple, A.C. Rush, *Death and Burial in Christian Antiquity*, Washington, 1941, p. 92-99 et «The Eucharist : The Sacrament of the Dying in Christian Antiquity», *The Jurist* 34 (1974), p. 10-35; D. Sicard, «La mort du chrétien», dans A.G. Martimort éd., *L'Eglise en prière*, t. 3, Paris, 1984, p. 239-258, avec la bibliographie antérieure; F.S. Paxton, *op. cit.*, p. 32-34. Sur la difficulté à établir l'antiquité du viatique, voir mon article «La naissance du viatique : se préparer à mourir en Italie et en Gaule au Vᵉ siècle», *Médiévales* 20 (1991), p. 99-108.

1 – L'Eglise ancienne faisait-elle communier les mourants?

Le témoignage de l'hagiograhie

Les témoignages sur la réception de l'eucharistie à l'heure de la mort sont rares et tardifs dans l'histoire du christianisme. Il faut en effet attendre la *Vita Ambrosii*, écrite vers 411-413,[3] par Paulin, un diacre d'Ambroise de Milan, pour trouver une telle scène dans l'hagiographie. Encore ce témoignage présente-t-il la réception de l'eucharistie comme un miracle. Honoratus de Verceil, venu assister aux derniers instants d'Ambroise, s'entend appeler à trois reprises par une voix mystérieuse : «Lève-toi! Vite! Car il est sur le point de partir.»[4] Il se précipite alors au chevet d'Ambroise et n'a que le temps de lui donner l'Eucharistie :

> Quand Ambroise l'eut reçue et avalée, il rendit l'âme, emportant avec lui un bon viatique, de sorte que son âme, revigorée par cette nourriture, se réjouit de la compagnie des anges, dont il avait vécu la vie sur terre...[5]

Le commentaire de Paulin montre combien cette ultime communion est liée à l'idée du voyage de l'âme : elle est une nourriture que le mourant emporte avec lui pour trouver les forces nécessaires à son dernier voyage. Le terme *uiaticum* a ici son sens classique de «pécule pour le voyage» ou «provisions de route».

Le caractère miraculeux de la réception du viatique dans la *Vita Ambrosii* n'est pas fortuit : cela laisse entendre que la réception de l'eucharistie à l'heure de la mort n'est pas une pratique universelle. Le récit de la mort de Paulin de Nole par Uranius en donne une confirmation.[6] Le récit commence trois jours avant la mort de Paulin. Le premier jour, celui-ci reçoit la visite de deux évêques :

> Comme s'il était sur le point de s'en aller vers le Seigneur, il donne l'ordre d'apporter les saints sacrements devant son lit, sans doute afin de recommander son âme au Seigneur par la célébration du sacrifice en chœur avec les saints évêques, mais aussi pour rappeler à la paix

[3] Voir E. Lamirande, *Paulin de Milan et la Vita Ambrosii*, Paris/Montréal, 1983, p. 21-24. Le texte utilisé est celui de A.A.R. Bastiaensen, *Vite dei Santi*, t.3, Milan, 1975.
[4] Paulin, *Vita Ambrosii* 47,3 (VS 3, 114) : *Honoratus etiam sacerdos ecclesiae Vercellensis, cum in superiore domus se quiescendum composuisset, tertio uocem uocantis se audiuit dicentisque sibi : «Surge, festina, quia modo est recessurus.»*
[5] *Ibid.* : *quo accepto ubi gluttiuit, emisit spiritum, bonum uiaticum secum ferens, ut in uirtute escae anima refectior angelorum nunc consortio, quorum uita uixit in terris... laetetur.*
[6] Uranius, *De obitu Paulini* : PL 53, 859 sq. Voir A. Pastorino, «Il 'De obitu sancti Paulini' di Uranio», *Augustinianum* 24 (1984), p. 115-141.

antérieure ces mêmes évêques qu'il avait fait exclure de la communion du saint mystère au nom de la discipline ecclésiastique.[7]

Ce que décrit ici Uranius n'est pas à proprement parler la réception du viatique telle qu'elle apparaît dans les rituels postérieurs. Si le début du texte : *quasi profecturus ad dominum*, parle en faveur d'une pratique courante, la suite du commentaire montre qu'il n'en est rien. D'abord, Uranius ressent le besoin d'expliquer le geste de Paulin. Ensuite, il avance deux explications : la première, présentée sous une forme hypothétique (*scilicet ut*), rattache cette communion à la préparation à la mort; la seconde en fait un rite de réconciliation des deux évêques excommuniés par Paulin. Cette dernière explication est la bonne, mais Uranius, sensible à la valeur de participation à la mort du Christ qu'a la communion, place rétrospectivement sous cette lumière les derniers gestes de Paulin.

Le silence des autres sources ne saurait avoir valeur de preuve,[8] mais il peut être éloquent, comme dans la *Vita Germani* écrite vers 475-480 par Constance de Lyon.[9] Le biographe de Germain d'Auxerre, mort en 448, raconte comment ce dernier a annoncé sa mort un jour, après l'office matinal :

> Je me voyais, cette nuit, pendant mon sommeil, recevoir de notre Seigneur un viatique pour un lointain voyage et, quand je m'informais de la raison de ce départ, il me répondit : «Ne t'effraie pas, c'est vers la patrie et non vers une lointaine destination que je t'envoie, pour que tu y trouves le calme et le repos éternel.»[10]

D'une part, ce document atteste que l'image du viatique, en rapport avec le voyage de l'âme qu'est la mort, poursuit une existence indépendante de toute communion à l'heure de la mort. D'autre part, non seulement Constance ne rapporte pas que Germain ait communié une dernière fois avant de mourir, mais il ne fait aucune allusion à cette pratique, alors que, si elle était universelle, tout l'y aurait invité.

---

[7] Uranius, *De obitu Paulini* 2 (PL 53, 860-861) : *Et quasi profecturus ad dominum, iubet sibi ante lectulum suum sacra mysteria exhiberi : scilicet ut una cum sanctis episcopis oblato sacrificio, animam suam domino commendaret; simul etiam et eos, quos pro disciplina ecclesiastica a communione sacri mysteri extorres esse praeceperat, ad pacem pristinam reuocaret.*

[8] En revanche, il est difficile de suivre A. Stuiber, «Der Tod des Aurelius Augustinus», dans *Jenseitsvorstellungen in Antike und Christentum*, Münster, 1982, p. 1-8, qui, parce qu'Augustin ne communie pas avant de mourir, émet l'hypothèse qu'il s'est excommunié volontairement. Voir *infra* p. 213-214.

[9] Constance de Lyon, *Vita Germani*, éd. R. Borius, SC 112, Paris, 1965.

[10] Constance de Lyon, *Vita Germani* 41 (SC 112, 196) : *Videbar mihi per nocturnum soporem a domino nostro uiaticum peregrinaturus accipere, et cum causam profectionis inquirerem : «Ne metuas, inquit, ad patriam non ad peregrinationem te dirigo ubi habebis quietem et requiem sempiternam.*

Le témoignage de l'hagiographie, jusqu'à la fin du Vᵉ siècle, est donc peu favorable à l'existence d'une communion des mourants.[11] P. Boglioni, qui a fort justement relevé ce silence dans son étude des scènes de mort dans les premières hagiographies latines, en conclut que le viatique «n'est pas paru un moment fort de la mort.»[12] Mais une telle interprétation n'est valide que si le viatique est bien une pratique universelle. Or les preuves indirectes, auxquelles recourent les savants pour remédier aux lacunes de l'information, ne sont pas très convaincantes.

Examen des preuves indirectes

La première, et c'est là un point de départ logique, est la signification de la communion : gage de la vie éternelle et de la résurrection, selon les termes de Jean.[13] L'eucharistie est ainsi par excellence «sacrement de passage de la mort à la vie» pour le rituel des mourants.[14] Les textes patristiques expliquant la signification de l'eucharistie en ces termes sont nombreux, mais aucun, à ma connaissance, n'établit de lien direct entre la réception de l'eucharistie et la mort.[15] Déduire l'existence d'une communion des mourants d'une pratique comme la «réserve eucharistique» est pour le moins abusif.[16] Il est vrai qu'aux IVᵉ et Vᵉ siècles, les «laïcs» peuvent détenir des hos-

---

[11] Pour le Vᵉ siècle, il faut encore citer le témoignage de Palladius sur Jean Chrysostome qui célèbre l'eucharistie avant de mourir, un peu comme Paulin de Nole : *Dialogus de uita et conuersatione beati Ioannis Chrysostomi* 11 (éd. A.-M. Malingrey, SC 342, Paris, 1988, p. 226-227). Quant au passage de la vie latine de Mélanie, dans lequel M. Rampolla del Tindaro, *Santa Melania giuniore senatrice romana*, Rome, 1905, p. 254-256, trouvait le plus ancien témoin de la pratique romaine de donner l'eucharistie au moment même de la mort, il semble qu'il s'agisse d'une addition du Xᵉ siècle : voir P. Boglioni, «La scène de la mort...», *art. cit.*, p. 278, n. 25.

[12] P. Boglioni, «La mort dans les premières hagiographies latines», dans *Le sentiment de la mort au Moyen Age*, Montréal, 1979, p. 185-210, ici p. 193 (Cf. «La scène de la mort dans les premières hagiographies latines», dans *Essais sur la mort : travaux d'un séminaire de recherche sur la mort*, Montréal, 1985, p. 269-298, ici p. 279).

[13] Jean 6,54 : «Celui qui mange ma chair et boit mon sang a la vie éternelle, et, moi, je le ressusciterai au dernier jour.»

[14] Rituel des mourants, c.144 : *Sacrements pour les malades. Pastorale et célébrations*, Paris, Chalet-Tardy, 1980, p. 91. Le nouveau rituel des mourants a été publié à Rome en 1972 et traduit en français en 1977; pour une comparaison du nouveau rituel avec l'ancien (1614), voir F.-A. Isambert, «Les transformations du rituel catholique des mourants», *Archives de science sociale des religions* 39 (1975), p. 89-100.

[15] Les textes cités par A. C. Rush, «The Eucharist...»,` *art.cit.*, p. 13-16, se placent tous au niveau symbolique.

[16] Voir A.C. Rush, «The Eucharist...», *art.cit.*, p. 30-31, pour une telle déduction. Même type de déduction abusive pour le texte où Justin (*Apologie* 1,65,5)

ties consacrées et communier sans médiation sacerdotale.[17] Mais aucun indice ne vient confirmer que cette pratique doit permettre aux mourants de communier.

De même, les interdictions répétées de donner la communion aux morts ne constituent pas une preuve plus convaincante.[18] La pratique dénoncée est interprétée comme la survie, peu recevable pour l'Eglise, de la coutume païenne de l'obole à Charon.[19] Mais les textes législatifs, bien qu'ils soient peu explicites, indiquent un contexte différent. Le canon 4 du *Breuiarum Hipponiense* (393) associe l'interdiction de donner la communion aux morts à l'impossibilité de les baptiser.[20] De même, Léon le Grand dénonce la pratique à propos de pénitents morts sans avoir été réconciliés.[21] Les survivants donnent donc la communion aux morts avec l'intention d'assurer leur salut, conformément à l'enseignement de l'Eglise sur la nécessité du baptême et de la réconciliation. Une telle pratique n'implique pas, par conséquent, que la communion était donnée à tous les mourants.

La réconciliation des pénitents moribonds

Les savants considèrent avec un intérêt tout particulier l'attachement de l'Eglise à faire communier les moribonds, qui, parce qu'ils accomplissent une pénitence, sont excommuniés, et y voient la preuve que tout chrétien communiait avant de mourir.[22] Or la communion accordée au pénitent moribond a une signification bien

---

évoque les diacres qui portent la communion aux personnes absentes : voir *ibid.*, p. 17.

[17] Voir H. Leclercq, art. «Réserve eucharistique» dans *DACL* 14/2, c.2385-2389 et J.H. Walker, «Further Notes on Reservation Practice and Eucharistic Devotion. The Contribution of the Early Church at Rome», *Ephemerides Liturgicae* 98 (1984), p. 392-404.

[18] Pour cet argument, A.C. Rush, «The Eucharist...», *art. cit.*, p. 31-32.

[19] Voir G. Grabka, «Christian Viaticum. A Study of its Cultural Background», *Traditio* 9 (1953), p. 1-43. La pratique même de l'obole à Charon est-elle bien documentée? Voir les remarques de I. Morris, *Death-Ritual and Social Structure in Classical Antiquity*, Cambridge, 1992, p. 105-106.

[20] *Breuiarum Hipponiense*, 4 (CCL 149, 33-34) : a) *Ut corporibus defunctis eucharistia non detur; dictum est enim a domino : Accipite et edite; cadauera autem nec accipere possunt nec edere.* b) *Deinde cauendum est ne mortuos etiam baptizari posse fratrum infirmitas credat, cum eucharistiam non dari mortuis animaduertit.*

[21] Léon le Grand, *Ep. 108*,3 (PL 54, 1012) : *Si autem aliquis eorum pro quibus domino supplicamus... priusquam ad constituta remedia perueniat, temporalem uitam humana condicione finierit, quod manens in corpore non recepit, consequi exutus carne non poterit.* Sur la lettre, voir *infra* p. 219. Les autres textes législatifs datent du VIe siècle : voir H. Leclercq, art. «Communion des morts», dans le *DACL* 3/2, c.2445-6.

[22] Cette affirmation se trouve dans toutes les études sur le «viatique» : voir, en dernier lieu, A.C. Rush, «The Eucharist...», *art. cit.*, p. 19-24.

précise : elle suit la réconciliation, donc marque le terme de la pénitence, et elle est nécessaire au salut du pénitent en vertu du pouvoir de lier et de délier conféré par le Christ à l'Eglise.[23]

Cyprien, dont la correspondance livre un des témoignages les plus anciens sur cette discipline,[24] explique très clairement pourquoi il est d'avis d'accorder la réconciliation aux *lapsi* pénitents en danger de mort :

> Il n'était en effet pas permis, et la bienveillance du Père et la clémence divine ne l'autorisaient pas, de fermer l'Eglise à ceux qui en poussaient les portes, ni de refuser, à ceux qui se plaignaient et suppliaient, le gage et l'espoir du salut, de sorte que, quittant ce siècle, ils auraient été renvoyés sans la communion et la paix vers le Seigneur, quand lui-même a permis, et en a édicté la règle, que ce qui aura été lié sur la terre sera lié au ciel, tandis que pourra être délié là-bas ce qui, ici, auparavant, aura été délié dans l'Eglise.[25]

La référence finale à Matthieu 18, 18 montre bien que cette ultime communion marque la réconciliation qui met fin à la pénitence et donc à l'exclusion de la communion. Elle est donc bien distincte de ce que serait un ministère propre aux mourants.

Il serait fastidieux de passer en revue tout le dossier concernant la pénitence des *lapsi*.[26] Aussi en viendrai-je directement au concile de Nicée. D'une part, le mot *ephodion*, *uiaticum* en latin, y est employé et a donné lieu à des conclusions hâtives; d'autre part, les décisions du concile sont le point de référence de toute la législation ultérieure, grâce aux traductions qui en ont assuré une large diffusion.

[23] Pour le système de la pénitence canonique, voir tableau p. 207 et les manuels classiques : B. Poschmann, *Pénitence et onction des malades*, Paris, 1966; C. Vogel, *Le pécheur et la pénitence dans l'Eglise ancienne*, Paris, 1966. Cf. P. Saint-Roch, *La pénitence dans les conciles et les lettres des papes des origines à la mort de Grégoire le Grand*, Rome, 1991.

[24] Voir V. Saxer, *Vie liturgique et quotidienne à Carthage vers le milieu du IIIe siècle. Le témoignage de saint Cyprien et de ses contemporains d'Afrique*, Rome, 1969, p. 145-188.

[25] Cyprien, *Ep.* 57,1 (éd. L. Bayard, t.2, p. 155) : *Nec enim fas erat aut permittebat paterna pietas et diuina clementia ecclesiam pulsantibus cludi et dolentibus ac precantibus spei salutaris subsidium denegari, ut de saeculo recedentes sine communicatione et pace ad dominum dimitterentur, quando permiserit ipse et legem dederit ut ligata in terris et in caelis ligata essent, solui autem possent illic quae hic prius in ecclesia soluerentur.*

[26] Il s'agit essentiellement de la législation conciliaire sur la pénitence, pour laquelle je renvois à P. Saint-Roch, *op. cit*, p. 55-66. Quant à la mort de Sérapion, souvent citée, Denys n'en fait le récit que pour illustrer sa politique à l'égard des *lapsi* repentants : voir Eusèbe, *Histoire ecclésiastique* VI,44,1-6 où est recopiée la lettre de Denys d'Alexandrie à Fabius d'Antioche, en particulier 44,3.

Le concile de Nicée (325)

Quand le Concile de Nicée se réunit en 325,[27] les évêques assemblés doivent énoncer les règles de la pénitence à imposer aux *lapsi* de la persécution de Licinius. C'est l'objet des canons 11, 12 et 13, étroitement liés les uns aux autres.[28] Le canon 11 expose la règle générale et, tout en prônant l'indulgence, prévoit un temps de pénitence de douze années au total. Dans le canon 12 est abordé le problème plus spécifique des chrétiens qui ont repris du service dans l'armée de Licinius. La mesure générale est plus sévère que pour les *lapsi*, mais le canon autorise l'évêque à tenir compte des dispositions du pénitent pour abréger le temps de la satisfaction. Le canon 13 est consacré à un autre cas particulier : celui des pénitents menacés de mort avant d'avoir achevé leur pénitence.[29]

Voici la décision prise à leur sujet :

> Quant à ceux qui sont sur le point de quitter cette vie, l'ancienne règle canonique doit encore maintenant être observée à leur égard, de sorte que celui qui va quitter cette vie ne soit pas privé du dernier et très nécessaire viatique. Mais, si une fois réconcilié et admis à nouveau à la communion, il demeure en vie, qu'il prenne rang parmi ceux qui ne participent qu'à la prière.[30]

Le pénitent moribond doit être réconcilié et admis à la communion. L'ancienne règle canonique, dont se réclament les Pères de Nicée, est difficile à identifier avec exactitude. Le canon 6 du Concile d'Ancyre (314) fait déjà allusion à une décision antérieure.[31] Il pourrait s'agir de la décision prise en 251, lors d'un synode réuni à Carthage, entérinée la même année par un synode romain et un synode oriental.[32]

---

[27] Pour une présentation générale du Concile de Nicée, voir Ch. Hefele-H. Leclercq, *Histoire des Conciles*, t.I, vol.1 et 2, Paris, 1907. Sur la discipline pénitentielle, voir P. Galtier, «Les canons pénitentiels de Nicée», *Gregorianum* 29 (1948), p. 288-294.

[28] Voir les analyses de P. Galtier, *art.cit.*, en particulier p. 288-289, où il attire l'attention sur la particule *dè* qui lie les 3 canons les uns aux autres.

[29] P. Galtier, *art.cit.*, p. 293. Ce point est très important : de nombreux savants appliquent à tort ce canon à tous les moribonds et y voient une preuve de l'existence du viatique. C'est le cas notamment de C. Vogel, *La discipline pénitentielle en Gaule des origines à la fin du VIIe siècle*, Paris, 1952, p. 24-25. Sur cette erreur et ses conséquences pour l'histoire du viatique, voir E. Rebillard, «La naissance du viatique ...», *art.cit.*, p. 102-103.

[30] Canon 13 (Hefele-Lelercq, I/1, p. 593-594).

[31] Concile d'Ancyre (314), c.6 (Hefele-Leclercq, I/1, p. 309).

[32] Les savants, à ma connaissance, n'ont pas envisagé cette possibilité. Il s'agit pourtant d'une des premières grandes consultations entre les différentes Eglises locales, dont le but est de régler le sort des *lapsi* de la persécution de Dèce. Cyprien réunit un concile à Carthage en 251 et y fait adopter la décision de réconcilier les *lapsi* pénitents en danger de mort (Cyprien, *Ep. 57*; pour une analyse

L'expression «dernier et très nécessaire viatique» décrit la communion qui suit la réconciliation du pénitent.[33] C'est une image : le mot viatique, dans l'antiquité, désigne les provisions de route; une image appelée par celle de la mort comme départ en voyage. Pour désigner les mourants, les Pères de Nicée ont employé en effet le verbe *exodeuein*, dont la racine *odos*, la route, apparaît aussi dans le mot *ephodion*, qui a pour équivalent latin *uiaticum*. Il n'y a pas, là, la moindre allusion au viatique, au sens technique de communion des mourants.[34]

La communion, appelée de façon imagée un viatique, est qualifiée de «dernier et très nécessaire», car, en vertu du pouvoir de lier et de délier de l'Eglise, celui qui sera lié sur la terre sera lié au ciel.[35] Enfin, en cas de survie, le pénitent, bien que réconcilié, doit reprendre sa pénitence : il reste exclu de la communion pour un temps qui n'est pas défini par le Concile et qui est donc à la discrétion de l'évêque.

Le canon 13 contient une dernière clause :

> Et de façon générale, pour toute personne sur le point de quitter cette vie qui demande à participer à l'Eucharistie, que l'évêque, après examen, le lui accorde.[36]

La mention d'un examen avant d'accorder la communion semble exclure que le canon envisage ici le cas de tout chrétien moribond et impliquer qu'il s'agit de chrétiens qui ne participent pas, ou plus, à la communion. Le cas le plus vraisemblable, dans le contexte nicéen, est celui de *lapsi* qui n'ont pas entrepris de faire pénitence, mais rien n'autorise à exclure d'autres cas de figures.[37] La législation posté-

---

complète du dossier, voir L. Duquenne, *Chronologie des lettres de Cyprien. Le dossier de la persécution de Dèce*, Bruxelles, Subsidia Hagiographica 54, 1974, p. 29-32). Il communique cette décision au pape Corneille, qui réunit à son tour un concile à Rome pour la faire entériner et décider de l'excommunication de Novatien (voir Hefele-Leclercq, t.I/1, p. 165-172). Cyprien et Corneille font connaître par lettre leur décision à Fabius d'Antioche et en 252 un concile est réuni à Antioche par Helenius de Tarse (voir Hefele-Leclercq, *ibid.*).

[33] La suite du canon associe étroitement réconciliation et retour à la communion.

[34] Pour une étude des emplois du mot viatique au Vᵉ siècle, voir E. Rebillard, «Aux origines du viatique. Etude lexicale des emplois du mot *viaticum* dans les documents italiens et gaulois du Vᵉ siècle», *Bulletin de la Société Ernest-Renan* 40 (1990/1991), p. 15-21. Il n'y a pas d'histoire rigoureuse des sens du mot viatique : voir toutefois les indications de J. Hannon, *Holy Viaticum*, Washington, 1951, p. 1-7.

[35] Voir Matthieu 18,18 et *supra* p. 204.

[36] Canon 13 (Hefele-Leclercq, t.I/1, p. 593). Voir le tableau de la page suivante.

[37] Ch. Hefele parle d'excommuniés, tandis que H. Leclercq étend la mesure à tous les fidèles (Hefele-Leclercq, t.I/1, p. 594), suivi par P. Galtier (*art.cit.*, p. 293).

LA DISCIPLINE PÉNITENTIELLE

DÉROULEMENT DE LA PÉNITENCE CANONIQUE		CONCILE DE NICÉE	CONCILE D'ORANGE
entrée en pénitence		imposition des mains	imposition des mains
temps de satisfaction		exclusion de la communion – *ordo paenitentium*	exclusion de la communion
réconciliation		imposition des mains retour à la communion	imposition des mains retour à la communion
danger de mort		réconciliation immédiate avec imposition des mains et communion	communion appelée viatique
en cas de survie :	1. satisfaction	retour à l'*ordo paenitentium* sans participation à la communion	maintien dans l'*ordo paenitentium* sans participation à la communion
	2. réconciliation	imposition des mains retour à la communion	imposition des mains retour à la communion

rieure n'apporte malheureusement aucun éclairage sur cette dernière clause, qui n'a le plus souvent pas été comprise.[38]

Quoi qu'il en soit, si le Concile de Nicée instaure définitivement
un principe d'indulgence envers les moribonds repentants, ce qui révèle un souci pastoral pour les mourants, il n'est pas possible d'y
voir l'institution du sacrement des mourants qu'est devenu le viatique.

Le concile d'Orange (441)

La législation postérieure ne revient pas sur le principe de la réconciliation des pénitents moribonds,[39] si ce n'est pour résoudre la
contradiction logique qui consiste à réconcilier les pénitents moribonds pour les replacer en pénitence en cas de survie. C'est ainsi, en
effet, qu'il faut comprendre les mesures prises au concile d'Orange
en 441 pour définir sous le nom de *uiaticum* une communion qui
console le mourant sans le réconcilier. Les savants y ont vu une opposition à la pratique romaine d'accorder la pénitence *in extremis*,[40]
mais cela repose sur ce qui semble bien être un contresens.

Tout dépend en effet du sens à donner à la première ligne du canon 3 : *Qui recedunt de corpore, paenitentia accepta, placuit… C.* Vogel pense qu'il s'agit de pénitents de la dernière heure,[41] sans prêter
attention au canon 11 du même concile, où nous lisons : «Qui perd
subitement l'usage de la parole peut, selon son statut, être baptisé ou
recevoir la pénitence, si la parole d'autrui témoigne de sa détermination passée ou s'il témoigne par signe de sa détermination présente.»[42] L'expression *accipere paenitentiam* est en soi peu détermi-

---

Ces deux derniers savants ne peuvent toutefois pas expliquer pourquoi l'évêque
doit procéder à un examen de la demande. A.C. Rush, *art.cit.*, p. 20, pense qu'il
s'agit de pénitents retournés à leurs erreurs passées et à qui la pénitence est interdite. Voir *infra* p. 210-212 la décrétale de Sirice.

[38] La version abrégée transmise en latin par Rufin dans l'*Histoire ecclésiastique* et qui a circulée indépendamment (voir *infra*) est symptomatique : *De his
uero qui uitam excedunt paenitentibus, decernunt uacuum nullum debere dimitti;
si qui sane accepta communione superuixerit, debere eum tempora statuta
complere, uel certe prout moderari episcopus uoluerit.* La deuxième partie du canon est ignorée, à moins que le *uel certe…* en soit une «interprétation».

[39] Voir C. Vogel, *La discipline…, op. cit.*, p. 47.

[40] Voir en particulier C. Vogel, *La discipline…, op. cit.*, p. 47-51.

[41] Voir C. Vogel, *La discipline…, op. cit.*, p. 35 et n.22, pour la bibliographie
antérieure; lui-même penche pour les pénitents de la dernière heure, mais sans
vraiment justifier son point de vue. H. Leclercq traduit : «Lorsque des pénitents
sont malades…» (Hefele-Leclercq, t.II/1, p. 437). P. Saint-Roch, *op. cit.*, p. 79, reprend l'interprétation de C. Vogel. Dans «La naissance du viatique…», *art.cit.*,
p. 105-106, je répète cette erreur de C. Vogel; mes hypothèses sur la genèse du
viatique n'en sont toutefois pas affectées.

[42] Orange, canon 11 (CCL 148, 81) : *Subito obmutescens, prout status eius est,*

née, mais le parallèle avec le baptême implique qu'il y ait réconcilia-tion.[43] Ce canon serait dès lors en contradiction avec le canon 3, si ce dernier réglait le cas des pénitents de la dernière heure et non celui des pénitents moribonds.

Les *Statuta Ecclesiastica Antiqua*, rédigés en Gaule à la fin du Vᵉ siècle,[44] interdisent de plus tout autre interprétation. Le canon 21 re-prend la mesure décidée à Orange dans des termes plus explicites : «Que les pénitents qui ont reçu le viatique de l'eucharistie pendant une maladie ne se croient pas absous sans une imposition des mains s'ils survivent».[45] Ce canon fait bien mention d'une communion, sans valeur de réconciliation, accordée aux pénitents malades. Puis un autre canon évoque la pénitence *in extremis* et décide que le mo-ribond qui demande la pénitence peut la recevoir, être réconcilié par imposition des mains et communier.[46]

Je propose donc de traduire ainsi le canon 3 du Concile d'Orange :

> Quant à ceux qui se séparent de leur corps alors qu'ils ont été reçus en pénitence, il a été décidé, sans qu'ils soient réconciliés par l'impo-sition des mains, de les faire communier, ce qui suffit à la consolation du mourant, selon les définitions des Pères qui ont appelé, de ma-nière appropriée, viatique cette communion. S'ils survivent, qu'ils se tiennent dans les rangs des pénitents et, lorsqu'ils auront montré les signes d'une pénitence bénéfique et nécessaire, qu'ils reçoivent la communion légitime et la réconciliation par imposition des mains.[47]

---

baptizari aut paenitentiam accipere potest, si uoluntatis, aut praeteritae testimo-nium aliorum uerbis habet, aut praesentis in suo nutu.

[43] Ce n'est qu'avec la réconciliation que le pénitent obtient le pardon et la ré-mission des péchés, ce qu'implique le parallèle avec le baptême.

[44] Pour les *Statuta*, voir l'état de la question et la bibliographie dans J. Gau-demet, *Les sources du droit de l'Eglise en Occident du IIᵉ au VIIᵉ siècle*, Paris, 1985, p. 84-86.

[45] *Statuta*, c.21 (CCL 148, 170) : *Paenitentes, qui in infirmitate uiaticum eu-charistiae acceperint, non se credant absolutos sine manus impositione, si super-uixerint.*

[46] *Statuta*, c.20 (CCL 148, 170) : *Is, qui paenitentiam in infirmitate petit, si ca-su, dum ad eum sacerdos inuitatus uenit, oppressus infirmitate obmutuerit uel in phrenesin uersus fuerit, dent testimonium, qui eum audierunt et accipiat poeniten-tiam. Et si continuo creditur moriturus, reconcilietur per manus impositionem et infundatur ori eius eucharistia. Si superuixerit, admoneatur a supradictis testibus petioni suae satisfactum, et subdatur statutis poenitentiae legibus, quamdiu sacer-dos, qui poenitentiam dedit, probauerit.*

[47] Orange, canon 3 (CCL 148, 78-79) : *Qui recedunt de corpore, paenitentia ac-cepta, placuit sine reconciliatoria manus impositione eis communicari, quod mo-rientis sufficit consolationi secundum definitiones Patrum qui huiusmodi commu-nionem congruenter uiaticum nominarunt. Quid si superuixerint, stent in ordine paenitentium, et ostensis necessariis paenitentiae fructibus, legitimam communio-nem cum reconciliatoria manus impositione percipiant.*

Le Concile d'Orange statue sur le cas des pénitents en danger de mourir avant d'avoir mené à terme leur pénitence. Il refuse de les réconcilier pleinement, par l'imposition des mains comme le veut la discipline de la pénitence canonique.[48] Cette réconciliation complète, avec imposition des mains et communion, n'est donnée en effet qu'à ceux qui ont accompli toutes les obligations de la satisfaction. Les mourants ne sont pas cependant abandonnés au désespoir. Le Concile prévoit de leur accorder une consolation en les faisant communier.[49] Cette communion reçoit le nom de viatique : le mot est employé pour la première fois avec un sens technique.

Le principe établi à Nicée est donc respecté en ce que la mort est bien considérée comme une circonstance dans laquelle le chrétien doit être aidé. Pour résoudre la contradiction qu'il y a à réconcilier un pénitent mourant tout en le contraignant par la suite, s'il survit, à achever sa pénitence, le concile d'Orange instaure une communion destinée seulement à le consoler, ce qui évite de mettre fin à une pénitence qu'il devrait poursuivre en cas de survie.[50] Le choix du mot *uiaticum* pour désigner une communion sans valeur de réconciliation et destinée aux mourants est fait aussi par Sirice à propos de moribonds à qui la pénitence est interdite.

La lettre de Sirice à Himère de Tarragone (385)

Himère a évoqué en effet le cas des apostats[51] et Sirice définit donc la discipline à suivre à leur égard. La première mesure est de les excommunier. S'ils manifestent leur repentir, ils doivent faire pénitence leur vie durant pour n'être réconciliés que sur leur lit de mort.[52] La décision de Sirice est plus sévère que celle du Concile de Nicée, mais le pape marque son attachement au principe de la réconciliation des pénitents en citant Ezéchiel 18,23 : «Nous ne vou-

---

[48] Sur l'imposition des mains, voir C. Vogel, *La discipline...*, *op. cit.*, p. 36-37, et, plus généralement, P. Galtier, art. «Imposition des mains», dans *DTC* VII/2, c.1302-1335.

[49] Le tableau p. 207 présente les différences entre les règles établies à Nicée et à Orange.

[50] Cette mesure semble s'être imposée en Gaule, car, outre les *Statuta Ecclesiastica Antiqua*, le canon 2 du concile de Vaison (442) y fait allusion.

[51] Sirice, *Ep. 1*,3.4 (PL 13, 1136) : *Adiectum est etiam, quosdam christianos ad apostasiam, quod dici nefas est, transeuntes, et idolorum cultu ac sacrificiorum contaminatione profanatos.*

[52] *Ibid.* : *Quos a Christi corpore et sanguine, quo dudum redempti fuerant renascendo, iubemus abscidi. Et si resipiscentes forte aliquando fuerint ad lamenta conuersi, his, quamdiu uiuunt, agenda poenitentia est, et in ultimo fine suo reconciliationis gratia tribuenda.*

lons pas la mort du pécheur, mais qu'il se convertisse seulement, et qu'il vive.»[53]

Sirice statue aussi sur le sort des pénitents qui, une fois réconciliés, retournent à leurs erreurs passées ou ne respectent pas les interdits qui pèsent sur leur vie.[54] Il exclut bien entendu la possibilité d'une seconde pénitence.[55] Ces personnes doivent être écartées de la communion, mais elles peuvent rester associées à la célébration eucharistique. Leur situation est donc semblable à celle des pénitents.[56]

Il n'est pas question de réconciliation à l'heure de la mort, mais Sirice ne les abandonne pas au désespoir :

> Cependant, puisqu'ils sont tombés à cause de la fragilité de la chair, nous voulons que, quand ils seront sur le point de partir vers le Seigneur, en guise de viatique, ils soient aidés par la grâce de la communion.[57]

Le pape invoque une excuse, la faiblesse de la chair, pour justifier son indulgence envers ces chrétiens qui ont perdu toute chance d'être déliés de leurs fautes sur terre. La communion qu'il leur accorde est décrite de façon encore imagée comme un viatique pour leur voyage vers le Seigneur. Elle n'a pas valeur de réconciliation : elle est une aide pour le mourant, dont la nature toutefois est difficile à préciser en l'absence de tout commentaire.[58]

*
* *

[53] Sirice ajoute *in fine* : *quia, docente Domino, nolumus mortem peccatoris, tantum ut conuertatur, et uiuat.*

[54] Sirice, *Ep. 1*,5.6 (PL 13, 1137) : *De his uero non incongrue dilectio tua apostolicam sedem credidit consulendam, qui acta poenitentia, tamquam canes ac sues ad uomitus pristinos et uolutabra redeuntes, et militiae cingulum, et ludicras uoluptates, et noua coniugia, et inhibitos denuo appetiuere concubitus, quorum professam incontinentiam generati post absolutionem filii prodiderunt.* Sur ces interdits, voir *infra* n. 62.

[55] *Ibid.* : *iam suffugium non habent poenitendi.*

[56] Selon le canon 11 de Nicée, en effet, les pénitents, après quelques années, peuvent assister à la célébration eucharistique, sans toutefois communier.

[57] Sirice, *Ep. 1*,5.6 (PL 13, 1137) : *Quos tamen, quoniam carnali fragilitate ceciderunt, uiatico munere, cum ad Dominum coeperint proficisci, per communionis gratiam uolumus subleuari.*

[58] Aucun texte législatif ne permet de préciser davantage la valeur de la communion accordée aux mourants. L'hagiographie fait une place plus large aux attentes eschatologiques comme la *Vita Ambrosii* en témoigne la première (voir texte cité *supra* n. 5). C'est aussi l'effet que mentionnent les *Ordines romani*, où la communion est appelée *defensor et adiutor in resurrectione iustorum* : voir D. Sicard, *La liturgie de la mort dans l'Eglise latine des origines à la réforme carolingienne*, Münster, 1978, p. 38.

Au terme de cet examen, je pense être arrivé à deux conclusions. La première est négative : il n'y a pas de sacrement des mourants aux IVe et Ve siècles. Mais, chemin faisant, je montre, et cette seconde conclusion est positive, que les responsables de l'Eglise ont affirmé la nécessité d'apporter une aide spéciale aux moribonds en état de péché. C'est alors qu'est choisi le mot *uiaticum* pour désigner la communion donnée en aide au mourant, laquelle constitue peut-être une étape importante dans la genèse du rituel des mourants.[59] Le fait que le mot apparaisse dans un contexte pénitentiel n'est pas non plus fortuit, d'autant plus qu'à partir du Ve siècle commence à se poser le problème de la pénitence *in extremis*.

2 – LA PÉNITENCE IN EXTREMIS

La pénitence *in extremis* est la forme abrégée de la pénitence canonique dont le déroulement a été décrit précédemment. Au mourant qui en fait la demande, la pénitence est accordée et suivie immédiatement de l'imposition des mains et de la communion qui marquent la réconciliation.[60] Les savants ont vu dans l'apparition de cette forme de pénitence une évolution imposée par des chrétiens de moins en moins disposés à se soumettre au lourd processus de la pénitence canonique et choisissant donc par facilité de n'y recourir qu'à l'heure de la mort.[61] En effet sont supprimés à la fois le temps de satisfaction, puisque la réconciliation est immédiate, et les interdits qui grèvent la vie du réconcilié,[62] puisque celui-ci est censé mourir peu après.

Pourtant, est-il étonnant de voir la pénitence *in extremis* au centre des questions débattues quand la spiritualité voit reculer l'assurance du salut et que l'heure de la mort, comme la vie entière, est placée sous le signe de la pénitence? La nuance de condamnation méprisante est plus caractéristique des historiens modernes que des textes législatifs, qui tous reflètent au contraire la nécessité ressentie d'apporter une aide au mourant sous une forme ou une autre. C'est cet aspect, plus qu'une transformation des pratiques pénitentielles, qui me paraît intéressant et que je voudrais mettre en valeur.

---

[59] Sur ce point, je renvoie à «La naissance du viatique...», *art. cit.*, en particulier p. 107 et n. 52.

[60] Voir le tableau p. 207.

[61] Tel est le schéma de la transformation des pratiques pénitentielles habituellement retenu par les savants : voir en particulier B. Poschmann, *op. cit.*, p. 95-97 et encore P. Saint-Roch, *op. cit.*, p. 75-86 avec un parallèle avec le délai du baptême. Pour cette dernière question, voir *infra* n. 122.

[62] Ces interdits ne sont pas toutefois attestés avant le IVe siècle : voir B. Poschmann, *op. cit.*, p. 94-95.

Le témoignage d'Augustin

J'ai montré comment Augustin conçoit la nécessité pour tout chrétien de vivre en état de pardon grâce à une pénitence quotidienne et rappelé qu'à ses yeux il était donc possible de mourir sans être en état de péché, bien qu'il fût impossible de vivre sans pécher.[63] Il ne faut pas oublier qu'il n'envisage là que les péchés légers, excluant les *crimina*, qui, eux, exigent de recourir à la pénitence canonique.[64]

C'est dans cette perspective de péchers graves qu'Augustin envisage le cas de la pénitence *in extremis* dans le seul témoignage qui nous soit parvenu de lui à ce sujet.[65] Le chrétien coupable d'un péché grave[66] ne doit pas attendre l'heure de la mort pour demander la pénitence, explique-t-il, car il n'a aucune assurance alors d'être pardonné.[67] Augustin ne tranche pas la question, mais expose son ignorance à ce sujet, et en tire la conclusion qu'il est plus sûr de ne pas se mettre dans une telle situation.[68] Il précise d'ailleurs qu'il ne refuserait pas d'accorder la pénitence et une réconciliation immédiate à qui en ferait la demande à l'heure de la mort.[69]

Au témoignage de Possidius, Augustin faisait toutefois des recommandations plus positives sur la conduite à adopter à l'approche de la mort. Voici ce qui est rapporté en effet des derniers jours d'Augustin :

> Il avait l'habitude de nous dire, dans ses entretiens familiers, qu'après le baptême, même les chrétiens dignes de louanges et les prêtres ne devaient pas quitter leur corps sans avoir fait une digne et convenable pénitence. C'est ce qu'il fit lui-même lors de la dernière maladie dont il mourut : il avait fait recopier les Psaumes de David sur la pénitence, qui sont peu nombreux, et, couché dans son lit, pendant sa

---

[63] Voir *supra* p. 165-166.

[64] Sur cette distinction, voir *supra* p. 148 et n. 15.

[65] Il s'agit du sermon 393, considéré comme *dubius* par les Mauristes et que la critique a souvent ignoré, faute de disposer d'une étude sur sa transmission. Cette étude ne peut pas toutefois prendre place ici et fera l'objet d'un autre travail.

[66] Augustin envisage le cas du *baptizatus autem desertor et uiolator tanti sacramenti* : Sermon 393 (PL 39, 1714).

[67] Augustin, Sermon 393 (PL 39, 1714) : *Agens poenitentiam ad ultimum et reconciliatus, si securus hinc exit, non sum securus.*

[68] Il répète son ignorance à plusieurs reprises. Outre le passage cité à la note précédente, voir un peu plus loin : *Numquid dico, Damnabitur? Non dico. Sed nec dico etiam, Liberabitur. Et quid dicis mihi? Nescio : non praesumo, non promitto; nescio.* (PL 39, 1715).

[69] Il le dit à deux reprises : *fateor uobis, non illi negamus quod petit, sed non praesumimus quia bene hinc exit.* Et un peu plus loin : *Unde securus sum, securus sum, et do securitatem : unde non sum securus, poenitentiam dare possum, securitatem dare non possum.*

maladie, il contemplait et lisait les feuillets accrochés au mur, et il ne cessait de pleurer abondamment.[70]

Par la voix du psalmiste et par ses larmes, Augustin confesse sa condition de pécheur et fait acte d'humilité en implorant la miséricorde de Dieu. Nous retrouvons dans le récit de Possidius les éléments clés de la pastorale d'Augustin : la différence entre l'approbation des hommes et la justice de Dieu,[71] la nécessité de la pénitence pour tout baptisé,[72] les Psaumes mêmes de David.[73]

La pénitence qu'Augustin recommande de faire avant de mourir est toute différente de la pénitence canonique.[74] Il n'est pas question ici de péchés dont il faut obtenir le pardon, mais de la confession de n'être que pécheur aux yeux de Dieu. L'attitude idéale du chrétien à l'heure de la mort est donc celle d'«active passivity» qu'Augustin recommande d'adopter durant la vie tout entière.[75]

La position d'Augustin, qui refuse de donner une pleine validité à la pénitence *in extremis* et qui recommande de faire pénitence à l'heure de la mort, pourrait paraître ambiguë. Or éviter toute ambiguïté à ce sujet est une problématique sous-jacente dans les textes qui traitent de la pénitence *in extremis* au Ve siècle.[76]

La décrétale d'Innocent I (401-417)

En 405, Innocent est consulté par Exupère, évêque de Toulouse sur le point de discipline suivant : «Que faut-il observer au sujet de ceux qui, après le baptême, se sont tout le temps adonnés aux plaisirs de l'incontinence et qui réclament à l'extrême fin de leur vie à la

---

[70] Possidius, *Vita Augustini* 31,1-2 (éd.A.A.R.Bastiaensen, Vite dei Santi 3, p. 236) : *dicere nobis inter familiaria conloquia consueuerat, post perceptum baptismum etiam laudatos christianos et sacerdotes absque digna et competenti paenitentia exire de corpore non debere. Quod et ipse fecit ultima, qua defunctus est, aegritudine; nam sibi iusserat psalmos Dauiticos, qui sunt paucissimi, de paenitentia scribi, ipsosque quaterniones iacens in lecto contra parietem positos diebus suae infirmitatis intuebatur et legebat, et ubertim ac iugiter flebat.*

[71] Voir *supra* p. 151-152.

[72] Il s'agit bien sûr de la pénitence qui doit être accomplie quotidiennement : voir *supra* p. 161.

[73] Les Psaumes de David sur la pénitence sont au nombre de sept : 6,31,37,50,101,129 et 142. Trois au moins, les Psaumes 50, 129 et 142, tiennent une place importante dans les sermons analysés au chapitre 3.

[74] *Contra* A. Stuiber, *art.cit.* : voir *supra* n. 8.

[75] Sur cette expression empruntée à Carole Straw, voir *supra* p. 166.

[76] Le dossier est constitué essentiellement par les décrétales pontificales du Ve siècle : voir J. Gaudemet, *op. cit.*, p. 57-64, pour la valeur législative de ces textes; pour le contexte de la politique pontificale, voir Ch. Pietri, *Roma Christiana*, Rome, 1976; pour la discipline pénitentielle proprement dite, voir A. Fitzgerald, *Conversion through Penance..., op. cit.*, p. 431-486.

fois la pénitence et la réconciliation de la communion?»[77] Le cas soulevé par Exupère est celui des repentants de la dernière heure.

La réponse d'Innocent est d'autant plus intéressante qu'elle repose sur un historique de la pratique. Il distingue en effet très nettement la période des persécutions et celle qui suit leur fin.[78] Pendant les persécutions, la rigueur était obligatoire pour ne pas entraîner de relâchement. Aussi la pénitence était-elle accordée, mais non la communion qui marque la réconciliation.[79] Après la période des persécutions, la situation est différente :

> Mais, après que notre Seigneur a rendu la paix à son Eglise, une fois la terreur éloignée, il a été décidé de donner la communion aux mourants et, grâce à la miséricorde du Seigneur, comme un viatique à ceux qui partent, afin de ne pas paraître suivre la sévérité et la rigueur de l'hérétique Novatien, négateur du pardon. Qu'une ultime communion soit donc accordée avec la pénitence, pour que ces personnes, même dans leurs derniers moments, soient, comme le veut leur Sauveur, délivrées de la destruction.[80]

Pénitence et réconciliation sont accordées au pécheur qui les demande à l'article de la mort. La référence à Novatien renvoie au débat qui a agité l'Eglise lors de la persécution de Dèce.[81] Au début du Vᵉ siècle, elle est dirigée contre les Novatianistes, qui, nous le savons par Ambroise, ne refusaient plus d'accorder la pénitence, mais ne réconciliaient pas les pénitents.[82] Pour Innocent, une telle pratique

---

[77] Innocent I, *Ep. 6*,2.5 (PL 20, 498) : *Et hoc quaesitum est, quid de his obseruari oporteat, qui post baptismum omni tempore incontinentiae uoluptatibus dediti, in extremo fine uitae suae poenitentiam simul et reconciliationem communionis exposcunt.*

[78] Innocent commence ainsi sa réponse (Ep. 1,2.6 : PL 20, 498) : *De his obseruatio prior, durior; posterior, interueniente misericordia, inclinatior.* Puis il reprend un peu plus loin avec : *Sed postquam dominus noster pacem ecclesiis suis reddidit....*

[79] Innocent I, *Ep. 1*,2.6.

[80] *Ibid.* : *Sed postquam dominus noster pacem ecclesiis suis reddidit, iam depulso terrore, communionem dari abeuntibus placuit, et propter domini misericordiam, quasi uiaticum profecturis, et ne Nouatiani haeretici, negantis ueniam, asperitatem et duritiam sequi uideamur. Tribuatur ergo cum paenitentia extrema communio : ut homines huiusmodi uel in supremis suis, permittente saluatore suo, a perpetuo exitio uindicentur.*

[81] Sur Novatien et les Novatianistes, voir H.J. Vogt, *Coetus Sanctorum. Die Kirchenbegriff des Novatian und die Geschichte seiner Sonderkirche*, Bonn, Theophania 20, 1968.

[82] Voir Ambroise, *De Paenitentia* I,3,10-14 et le commentaire de R. Gryson, SC 179, p. 21-22. Voir aussi H.J. Vogt, *op. cit.*, p. 159-162 (témoignage de Socrate et Sozomène) et p. 217-218 (Ambrosiaster, *Quaest.* 102,23). C. Vogel, *La discipline..., op. cit.*, p. 48, écrit : «Nulle part, en effet, on ne voit de trace de la coutume à laquelle fait allusion Innocent Iᵉʳ.» Or cette pratique des héritiers de Novatien est bien attestée et Innocent s'y réfère certainement ici.

pouvait être justifiée pendant les persécutions. Avec la paix de l'Eglise doit prévaloir l'indulgence.

Innocent semble dire que le concile de Nicée a légiféré au sujet de la pénitence *in extremis*,[83] alors qu'il n'y est question que de la réconciliation des pénitents moribonds.[84] Cela s'explique à la lecture des deux traductions latines des canons du concile qui sont liées à son nom. La première est la paraphrase qu'en donne Rufin dans l'*Histoire ecclésiastique* et qui a eu, comme l'atteste la tradition manuscrite, une existence indépendante.[85] La seconde est l'*interpretatio* dite «Gallo-Hispana», très vraisemblablement faite à l'initiative d'Innocent et destinée aux évêques gaulois.[86] Si le texte de Rufin laisse la porte ouverte à plusieurs interprétations,[87] la traduction «Gallo-Hispana» transcrit la première partie du canon 13 sous la rubrique *De morituris lapsis*.[88] Le canon n'est plus appliqué aux pénitents moribonds,[89] mais aux moribonds qui demandent la pénitence. Ainsi la pénitence *in extremis* devient un fait acquis.

Elle est justifiée par la miséricorde divine, comme le dit Innocent qui évoque encore le dessein rédempteur de Dieu en la personne du Fils.[90] Le principe de l'aide que l'Eglise doit apporter aux mourants est énoncé clairement avec l'image du viatique destiné à ceux qui partent pour le voyage de la mort. A l'heure de la mort, la miséricorde est accordée à tous ceux qui la demandent : l'examen recommandé par le Concile de Nicée a disparu.[91]

---

[83] Les canons de Nicée sont le texte législatif par excellence du retour à la paix dont parle Innocent. On sait de plus qu'il a fait circuler des traductions latines de ces canons (voir *infra*).

[84] Voir *supra* p. 205-208.

[85] Voir H. Leclercq, «Diverses rédactions des canons de Nicée dans les collections de l'Orient et de l'Occident», dans Ch. Hefele et H. Leclercq, *Histoire des Conciles*, t.I/2, p. 1139-1176, ici p. 1163-1165. Plusieurs manuscrits portent un intitulé disant que la *Paraphrasis* de Rufin a été envoyée en Gaule par Innocent I.

[86] Voir H. Leclercq, *art.cit.*, p. 1157-1159. Les manuscrits de l'*Interpretatio gallo-hispana* portent un intitulé semblable à celui de la *Paraphrasis Rufini*.

[87] Voir le texte cité *supra* note 38.

[88] Le texte de l'*Interpretatio gallo-hispana* est édité par C.H. Turner, *Ecclesiae Occidentalis Monumenta Juris Antiquissima*, Oxford, 1899, t.I/2, p. 218 pour ce canon.

[89] Innocent reprend la décision de Nicée à leur sujet dans la décrétale qu'il envoie à Décentius de Gubbio : la réconciliation des pénitents, selon la *consuetudo romana*, a lieu le Jeudi saint, explique-t-il, exception faite des pénitents moribonds (Ep. 25,7.10 : PL 20, 559). Voir le commentaire de R. Cabié, *La lettre du pape Innocent I à Décentius de Gubbio (19 mars 416)*, Louvain, Bibliothèque de la Revue d'Histoire ecclésiastique 58 (1973), p. 54-56.

[90] Voir les expressions *propter domini misericordiam* et *permittente saluatore suo* dans la lettre d'Innocent, citée *supra* n. 80.

[91] Ni la version de Rufin, ni la traduction «gallo-hispana» ne reprennent la seconde partie du canon 13 de Nicée.

Si la question d'Exupère semble impliquer que ces pécheurs aient attendu délibérément l'heure de la mort pour faire pénitence, il est remarquable que le pape Innocent n'ait pas même un mot de reproche ou de condamnation à leur égard.

La décrétale de Célestin I (422-432)

C'est en des termes encore plus éloignés de la dénonciation d'une pratique abusive que Célestin intervient sur le problème de la pénitence *in extremis* dans une décrétale de 428.[92] La lettre, adressée aux évêques de la Viennoise et de la Narbonnaise, aborde successivement plusieurs points disciplinaires sur lesquels les évêques concernés ne suivent pas la pratique romaine.

Ayant appris que la pénitence est refusée aux mourants, le pape laisse éclater son indignation :

> Nous sommes horrifiés, je l'avoue, de rencontrer une telle impiété : désespérer de la piété de Dieu, comme s'il ne pouvait pas, quel que soit le moment, secourir celui qui accourt à lui, et libérer l'homme, mis en danger par le fardeau de ses péchés, du poids dont ce dernier désire être débarrassé.[93]

Refuser la pénitence à un moribond est tout simplement nier la puissance de la miséricorde divine. A l'impiété envers Dieu s'ajoute la cruauté envers le pécheur. En effet, poursuit Célestin, Dieu a promis au chrétien de répondre positivement à tout repentir.[94] Et de donner des arguments scripturaires :

– Ezéchiel 18,23 : «Je ne veux pas la mort du pécheur, mais qu'il se convertisse seulement, et il vivra.»

– Ezéchiel 18,33 : «Quand une fois converti tu gémiras, alors tu seras sauvé.»

– l'exemple du bon larron, exaucé à l'heure même de la mort (Luc 23,42).[95]

Tous ces textes insistent sur l'immédiateté du pardon et montrent qu'il n'est donc jamais trop tard pour faire pénitence. Célestin conclut ainsi :

---

[92] Célestin, *Ep. 4* : PL 50, 429-436.

[93] Célestin, *Ep.* 4,2.3 (PL 50, 432) : *Horremus, fateor, tantae impietatis aliquem reperiri, ut de Dei pietate desperet : quasi non possit ad se quouis tempore concurrenti succurrere, et periclitantem sub onere peccatorum hominem, pondere quo se ille expediri desiderat, liberare.*

[94] Célestin qualifie Dieu de *ad subueniendum paratissimus.*

[95] Pour ce dernier exemple, celui du bon larron, voir le commentaire de J.T. Cummings, «The Holy Death-Bed. Saint and Penitent. Variation of a Theme», dans *The Biographical Works of Gregory of Nyssa*, Philadelphie, 1984, p. 241-263, en particulier p. 248-250 et note 11.

La véritable conversion à Dieu de ceux qui sont à la dernière extrémité doit donc être mesurée selon l'intention plutôt que selon le moment.[96]

Dans ces paroles, Célestin met en cause le principe même de la satisfaction qui ne peut s'accomplir qu'avec la durée.[97] Il insiste sur le mouvement de la conscience qui se convertit à Dieu. Il faut noter la disparition de toute allusion à l'aspect ecclésial de la pénitence : il n'est question ici ni de réconciliation, ni de communion. Tout se passe comme si seul compte ce qui se passe entre Dieu et le pécheur repentant. Cette absence est d'autant plus significative quand on constate qu'Ambroise maintient un débat essentiellemnt ecclésial avec les Novatianistes.[98]

La conclusion de ce chapitre de la décrétale est d'ailleurs très claire :

Dans la mesure où c'est Dieu qui sonde les cœurs, il ne faut donc pas refuser la pénitence, quel que soit le moment choisi, à celui qui en fait la demande : il se lie au juge, à qui, il le sait bien, tout ce qui est caché est révélé.[99]

L'emploi du verbe *obligare* est significatif. La pénitence en effet est d'abord conçue comme une mesure disciplinaire qui relève du pouvoir de lier et délier accordé à l'Eglise par Dieu.[100] Ici c'est le pécheur qui se lie lui-même devant Dieu, *inspector cordis*. Le rôle du ministre semble se limiter à ouvrir la porte de la pénitence, ou plutôt à ne pas la fermer, c'est-à-dire à ne pas refuser au repentant l'espoir d'être pardonné.

La décrétale de Célestin mérite donc d'être lue avec soin. La façon dont il défend le principe de la pénitence *in extremis* rappelle en effet le discours de la prédication tel que je l'ai analysé aux chapitres précédents. L'abandon à la miséricorde divine est le seul remède au

[96] Célestin, *Ep. 4*,2.3 (PL 50, 432) : *Vera ergo ad Deum conuersio in ultimis positorum, mente potius aestimanda, non tempore.*

[97] Sur l'importance de la notion de satisfaction dans la pénitence antique et sur le renversement de perspective opéré par la notion de «contrition» , voir les très justes analyses de T.N. Tentler, *Sin and Confession on the Eve of the Reformation*, Princeton, 1977, p. 14-20.

[98] Voir Ambroise, *De Paenitentia*, avec l'introduction et le commentaire de R. Gryson, SC 179, Paris, 1979.

[99] Célestin, *Ep. 4*,2.3 (PL 50, 432) : *Cum ergo sit Dominus cordis inspector, quouis tempore non est deneganda poenitentia postulanti, cum illi se obliget iudici cui occulta omnia nouerit reuelari.*

[100] A. Faivre, dans *Ordonner la fraternité. Pouvoir d'innover et retour à l'ordre dans l'Eglise ancienne*, Paris, 1992, souligne à plusieurs reprises que l'affirmation du pouvoir de remettre les péchés est liée à la sacerdotalisation de l'épiscopat et du presbytérat (voir notamment p. 81 et 83).

péché, disent Augustin, Léon ou Pierre Chrysologue.[101] Célestin défend la miséricorde et tend à supprimer tout intermédiaire entre le pécheur qui s'y abandonne et Dieu qui l'y invite. Tout mérite est nul devant la grâce, répètent les prédicateurs.[102] L'intention, non le temps, c'est-à-dire la durée de la satisfaction, fait la pénitence, explique Célestin. Nulle trace en tout cas de la condamnation d'une facilité indigne d'un bon chrétien.

Les décrétales de Léon le Grand (441-461)

La comparaison des discours entre prédication et législation est encore plus pertinente dans le cas du pape Léon, qui aborde la discipline pénitentielle dans deux décrétales.

La première, adressée en 452 à Théodore, évêque de Fréjus, est un véritable petit traité *de paenitentia*,[103] où Léon présente un exposé complet de la «règle de l'Eglise sur le statut des pénitents».[104] Je présente rapidement l'organisation et le contenu de cette lettre :

> *Cap. 1* Les évêques doivent consulter d'abord leur métropolitain sur les problèmes de discipline, mais Léon envoie à Théodore la réponse demandée.
>
> *Cap. 2* Dans sa miséricorde, Dieu a donné aux hommes deux moyens pour laver leurs fautes : le baptême, et la pénitence pour obtenir la rémission des péchés commis après le baptême. L'intercession de l'évêque est indispensable pour que le pécheur soit pardonné.
>
> *Cap. 3* Si le pénitent meurt avant d'être réconcilié, il ne faut pas donner la communion à son cadavre. Rien ne sert de discuter ses mérites, car Dieu seul sera juge. Celui qui est coupable ne doit pas attendre le dernier moment pour demander l'intercession de l'évêque.
>
> *Cap. 4* Il ne faut refuser ni la pénitence, ni la réconciliation à ceux qui les demandent *in extremis*. Les évêques ne doivent pas fixer de limites à la miséricorde divine : voir Ezéchiel 18,33. De plus, le désir de faire pénitence est un don de Dieu : l'évêque ne doit donc pas douter de la sincérité des larmes versées.
>
> *Cap. 5* Il ne faut pas différer de jour en jour la pénitence, car le temps peut manquer pour confesser sa faute ou être réconcilié par l'évêque. Néanmoins, l'évêque doit venir en aide à ceux qui attendent le dernier moment, quelles que soient les circonstances : que le moribond ait perdu l'usage de sa voix, ou qu'il ne puisse même plus faire connaître ses intentions, pourvu que des témoins attestent son intention de faire pénitence.
>
> *Cap. 6* Voilà la réponse que Théodore devra communiquer à son métropolitain pour éviter toute méprise.

---

[101] Voir *supra* chapitres 2 et 3.
[102] *Ibid*.
[103] Léon I, *Ep. 108* : PL 54, 1011-1014.
[104] Léon I, *Ep. 108*,1 (PL 54, 1011) : *de poenitentium statu ecclesiastica regula*.

Il faut bien distinguer les cas abordés aux chapitres 3 et 4 de la lettre. Au chapitre 3, Léon traite du sort des pénitents qui meurent avant d'avoir été réconciliés. Il ne s'agit pas de pénitents de la dernière heure, puisqu'au chapitre 4 Léon impose d'accepter ces derniers en pénitence et de les réconcilier aussitôt. La négligence dont Léon blâme les premiers doit donc être de ne pas avoir pris suffisamment à cœur la pénitence entreprise, c'est-à-dire d'avoir demandé la pénitence pour une faute grave, mais de ne pas avoir mené la vie requise pour la satisfaction. Paradoxalement, les pénitents de la dernière heure semblent plus à l'abri d'un tel danger, même si Léon met en garde contre la pénitence *in extremis* au chapitre 5.

Il faut remarquer aussi que dans le premier cas il est question d'un *reatus peccatorum*, alors que dans le second la pénitence est présentée comme un *praesidium*, une protection, un secours.[105] A l'idée, déjà présente dans la décrétale de Célestin, de l'immédiateté du pardon accordé par Dieu à celui qui se tourne vers lui, Léon ajoute celle que le sentiment du repentir est un don même de Dieu. Aussi le ministre ne doit-il pas douter de la sincérité des intentions du pénitent.[106] Là encore, tout se passe comme si le ministre, dans le cas d'une pénitence *in extremis*, n'intervient que pour faciliter le face à face de Dieu et du mourant.

Pour finir, Léon en appelle à la conscience de tout chrétien pour ne pas attendre le dernier moment. L'évêque, lui, doit, en toutes circonstances, porter secours au mourant. La perte de la parole et même la perte de connaissance ne sauraient empêcher l'administration de la pénitence. C'est dire que la confession des péchés passe au second plan.

La décrétale que Léon adresse à Rusticus de Narbonne donne un autre éclairage sur ce problème pastoral.[107] Il y est question en effet des difficultés liées à l'administration de la pénitence canonique. Sept cas nous intéressent ici :[108]

> – ceux qui demandent la pénitence alors qu'ils sont malades, mais ne veulent plus l'accomplir une fois guéris : Léon recommande à l'évêque la patience, car il ne faut désespérer de quiconque tant qu'il est en vie.

---

[105] Comparer la conclusion du chapitre 3 : *Multum enim utile ac necessarium est ut peccatorum reatus ante ultimum diem sacerdotali supplicatione soluatur* et le début du chapitre 4 : *His autem qui in tempore necessitatis et in periculi urgentis instantia praesidium poenitentiae et mox reconciliationis implorant, nec satisfactio interdicenda est, nec reconciliatio deneganda.* (PL 54, 1012).

[106] Voir Léon I, *Ep. 108*,4 (PL 54, 1013) : *In dispensandis itaque Dei donis non debemus esse difficiles, nec accusantium se lacrymas gemitusque negligere, cum ipsam poenitendi affectionem ex Dei credamus inspiratione conceptam.*

[107] Léon I, *Ep. 147* : PL 54, 1199-1209.

[108] Il s'agit respectivement des *inquisitiones* 7, 8, 9, 10, 11, 12 et 13.

– ceux qui ont fait la demande de pénitence alors qu'ils étaient déjà malades et meurent avant d'avoir pu recevoir la communion : Léon laisse leur sort entre les mains de Dieu; en aucun cas il ne faut administrer la communion à un mort.

– ceux qui demandent la pénitence quand ils se sentent au plus mal, puis renvoient le prêtre parce qu'ils se sentent mieux : il n'y a pas là mépris pour la pénitence, mais peur de pécher plus gravement; un tel comportement ne doit pas entraîner de refus de la part du ministre : l'essentiel est que le fidèle en vienne à bénéficier du pardon.

– les quatre derniers cas relèvent de manquements aux règles de vie que doit suivre le pénitent après avoir été réconcilié : 1) intenter une action en justice; 2) faire du commerce; 3) servir dans l'armée; 4) se marier ou prendre une concubine. Exception faite du service dans l'armée, Léon excuse chacun de ces manquements d'une façon ou d'une autre, mais sans nier qu'il s'agisse de manquements.

Il ne s'agit ici que du régime normal de la pénitence canonique. En particulier, il n'est pas question de réconciliation immédiate pour ceux qui demandent la pénitence alors qu'ils sont malades.

Les questions de Rusticus ne laissent-elles pas voir que la pénitence canonique est peu adaptée aux besoins des fidèles? Saisis de crainte à l'approche de la mort ou dans des circonstances où celle-ci est une menace sérieuse, ils demandent à faire pénitence. Mais, une fois la menace écartée, ils reviennent sur leur décision, soit qu'ils refusent d'accomplir la pénitence accordée, soit qu'ils renvoient le ministre venu la leur donner. Pour expliquer ce refus, Léon évoque la peur de pécher encore, puisque la pénitence n'est pas réitérable. Les quatre derniers cas abordés suggèrent aussi que les interdits qui grèvent la vie du pénitent après la réconciliation sont trop lourds.

Néanmoins, Léon n'a pas un mot pour condamner l'attitude des fidèles, dont il prend la défense devant Rusticus. La peur même de pécher après avoir fait pénitence est présentée comme un sentiment positif.[109] Tout se passe comme si demander la pénitence en cas de danger lui semble un comportement normal, quitte à repousser la satisfaction une fois le danger écarté.

Il est facile de comprendre que Léon défende, dans la décrétale adressée à Théodore, le principe de la pénitence *in extremis*, étant donné les facilités qu'il est prêt à accorder aux chrétiens qui se plient au régime normal de la pénitence canonique. Dans son esprit, comme dans celui de Célestin, la pénitence *in extremis* n'est pas seu-

---

[109] Léon I, *Ep. 147*, Inq.9 (PL 54, 1206) : *Dissimulatio haec potest non de contemptu esse remedii, sed de metu grauius delinquendi.* Telle est la réponse de Léon pour le cas des malades qui refusent la pénitence après l'avoir demandée.

lement une version abrégée de la pénitence canonique. Il semble la concevoir comme un rite de préparation à la mort, et non comme une mesure disciplinaire à laquelle se soumet le pécheur.

Un rigorisme gaulois?

Le destinataire de la décrétale d'Innocent est évêque de Toulouse. Célestin adresse la sienne aux évêques de la Viennoise et de la Narbonnaise. Les deux évêques qui consultent Léon le Grand sont aussi des Gaulois. La Gaule serait-elle un foyer rigoriste au Ve siècle? C. Vogel, dans son étude de la discipline pénitentielle en Gaule, évoque la répugnance des évêques gaulois vis-à-vis de la pénitence *in extremis*.[110] Mais la seule prise de position négative connue est celle de Fauste de Riez,[111] une fois que le canon 3 du concile d'Orange est interprété correctement.[112]

Fauste, en réponse à la question d'un certain Paulin,[113] refuse de laisser croire qu'en l'absence de satisfaction la pénitence puisse avoir une quelconque efficacité.[114] La question posée mérite un peu d'attention, car elle est d'ordre eschatologique :

> En premier lieu tu as pensé qu'il faut se demander si une pénitence momentanée, conférée à des malades réduits à la dernière extrémité, pouvait détruire les fautes capitales.[115]

Deux éléments doivent être pris en considération. D'une part, sont évoquées des fautes graves que Fauste définit un peu plus loin comme le sacrilège, l'adultère et l'homicide.[116] Dans les décrétales pontificales, nous avons pu constater que la nature des péchés à expier n'est pas mentionnée : l'important est le mouvement de conversion à l'heure de la mort, non la rémission de péchés condamnant à

---

[110] C. Vogel, *La discipline...*, *op. cit.*, p. 48-49.
[111] C. Vogel, *ibid.*, p. 49-50. L'hypothèse de Ch. Munier, *Les Statuta Ecclesiastica Antiqua*, Paris, 1960, p. 158, selon laquelle les questions qu'adresse à Léon Théodore de Fréjus, qui a maille à partir avec Fauste, abbé de Lérins, seraient engendrées par les positions rigoristes du même Fauste, est hautement conjecturale.
[112] Voir *supra* p. 208-210.
[113] Fauste, *Ep. 5* : CSEL 21, 183-195. Une double incertitude pèse sur l'utilisation de cette lettre : l'identité de son destinataire et la date de sa rédaction.
[114] Fauste, *Ep. 5* (CSEL 21, 184, l.5-8) : *Ipse sibi inimica persuasione mentitur; qui maculas longa aetate contractas subitis et iam inutilibus abolendas gemitibus arbitratur. Quo tempore confessio esse potest, satisfactio esse non potest.*
[115] Fauste, *ibid.* (l.3-5) : *Primo loco inquirendum putasti, utrum incumbentibus extremae necessitatis angustiis momentanea paenitentia capitales consumere possit offensas.*
[116] Fauste, *Ep. 5* (CSEL 21, 187, l.10-12) : *Tria itaque haec capitalia, sacrilegium adulterium homicidium, nisi hic perfectae paenitentiae fuerint expiata remediis, perennibus illuc concremabuntur incendiis.*

la mort éternelle à moins d'être expiés. D'autre part, Fauste pose la question en terme de salut, comme Augustin avant lui,[117] et non de réconfort apporté au mourant. Les papes ne se prononcent pas explicitement sur le sort posthume des pénitents de la dernière heure : il relève de la justice de Dieu.[118] Leur point de vue est pastoral : nul n'a le droit de condamner au désespoir un mourant, si tard manifeste-t-il son repentir.

La problématique de Fauste est donc très différente et il est difficile de savoir quelles conséquences pastorales elle a pu avoir, d'autant plus que, comme le remarque C. Vogel, le rigorisme de Fauste n'a pas prévalu dans la discipline élaborée par les conciles gaulois.[119] Les mesures décidées au concile d'Orange aboutissent même au paradoxe qui consiste à éliminer toute notion de satisfaction dans le cas de la pénitence *in extremis*,[120] alors que seul le besoin d'une satisfaction complète explique que les pénitents menacés de mort ne soient pas réconciliés. Faut-il comprendre que cette différence de traitement tient à la gravité des fautes ou bien qu'elle vient du caractère plus volontaire de la démarche des pénitents de la dernière heure ? Quoi qu'il en soit, le principe de venir en aide au mourant est respecté dans tous les cas.

Dès le début du Ve siècle, l'intérêt des papes en matière de discipline pénitentielle se focalise sur la pénitence *in extremis*. Il semble toutefois que la discussion se déplace, de la validité d'un régime de pénitence canonique abrégé, à la nécessité d'une préparation à la mort. Le point de vue adopté par Célestin ou Léon est celui du chrétien qui se tourne vers Dieu à l'heure de la mort : il ne faut en aucun cas lui refuser l'espoir de gagner la miséricorde divine. En gage d'espoir, le mourant reçoit la communion. Dans la perspective chrétienne, y a-t-il un don plus gratuit de la part de Dieu que la mort de son Fils pour sauver les hommes ? Communier à l'heure de la mort est donc comme recevoir un gage concret de la foi qui doit soutenir le chrétien en ce difficile passage.[121]

*
* *

[117] Voir *supra* p. 213.

[118] Célestin souligne bien que seul Dieu est juge en ce cas : voir *supra* p. 218. Léon le Grand explique pour sa part que la pénitence est un don de Dieu : voir *supra* p. 220. La question du sort posthume des pénitents de la dernière heure n'est réglée définitivement qu'à l'époque de Bède le Vénérable, comme l'a montré J. Ntedika, «La pénitence des mourants et l'eschatologie des Pères latins», dans *Message et Mission*, Louvain-Paris, 1968, p. 109-127.

[119] C. Vogel, *La discipline...*, *op. cit.*, p. 50.

[120] Voir Orange, canon 11, cité *supra* n. 42.

[121] Sur la valeur de cette communion, voir *supra* n. 58.

Je posais en commençant la question d'une évolution au tournant des IVᵉ et Vᵉ siècles du ministère accompli auprès des mourants. Il ressort des textes analysés un intérêt de plus en plus nettement affirmé pour les chrétiens qui abordent l'heure de la mort en état de péché. Longtemps en effet, seul le sort des mourants qui ressortent de la discipline ecclésiastique de la pénitence a été considéré. Mais, à partir de la décrétale de Sirice (385), et plus clairement au cours du Vᵉ siècle, ce sont les pécheurs dont le salut ne peut plus être assuré par la seule médiation sacerdotale qui sont au centre des préoccupations de la pastorale des mourants. Les discussions en matière de pénitence *in extremis* mettent en effet l'accent sur la miséricorde divine au delà du pouvoir de lier et de délier de l'Eglise. Tout pécheur, quelque soit le degré de sa faute, doit être aidé dans son effort de pénitence, aussi tardif soit-il.

Cette évolution ne saurait être étrangère à la redéfinition de la pénitence que j'ai décrite dans les chapitres précédents. La conscience de ne pouvoir absolument pas compter sur des mérites personnels, mais de tout devoir à la grâce de Dieu, ne peut qu'avoir une influence sur la pastorale des pécheurs. Quand la pénitence est conçue comme une voie pour être en état de pardon, sans le caractère volontariste d'une démarche visant à obtenir le pardon, elle devient une voie ouverte à tout pécheur. Les décrétales de Célestin et de Léon rejoignent ainsi la prédication de Pierre Chrysologue et l'attitude qu'Augustin adopte et recommande dans ses entretiens.

La pénitence *in extremis* apparaît donc comme une forme idéale de préparation à la mort[122], quand elle n'est pas conçue seulement comme une forme abrégée de pénitence canonique. Néanmoins, il reste qu'à la fin du Vᵉ siècle, quand s'arrête mon enquête, la pastorale des mourants n'aboutit pas à la mise en place d'un rituel de la mort : je suggérerai, dans la conclusion de cette partie, qu'il n'y a pas lieu de s'en étonner.

---

[122] J'ai délibérément laissé de côté la question du délai du baptême jusqu'à l'heure de la mort. En effet, il ne s'agit pas d'un réel problème pastoral et il n'est pas possible de suivre V. Saxer quand il présente l'admission au catéchuménat comme une «option» à recevoir le baptême sur le lit de mort (*Les rites de l'initiation chrétienne du IIᵉ au VIᵉ siècle*, Spolète, 1988, p. 424). En réalité, les catéchumènes ne retardent pas le baptême, mais attendent pour être baptisés d'être parvenus à conformer leur vie à un idéal exigeant : voir Augustin, Ep. 151, 14 et 258, 5; cf. Tr in Io 4, 13 et En in Ps 90,s.2,6. Je reviendrai sur l'ensemble du dossier dans un travail ultérieur.

CONCLUSION

Le langage tenu sur la peur du jugement est au point de départ de mon enquête sans équivoque. Avoir peur du jugement à l'heure de la mort est le fait d'une conscience qui se sait coupable et ne s'est pas amendée après avoir violé l'engagement baptismal. Ce langage est celui que nous trouvons dans la prédication, de Zénon de Vérone à Maxime de Turin, en passant par Ambroise, étant entendu que je laisse maintenant de côté les nuances qu'il a fallu établir.

Augustin change les données du problème avec la défense d'une doctrine du péché originel et de ses séquelles dans la nature humaine. Il transforme en effet le discours sur la fragilité humaine, hérité d'un pessimisme classique, en système. La définition de la concupiscence comme séquelle du péché originel et principe de péchés que le chrétien ne peut pas éviter, même après le baptême, permet de sortir de l'ambiguïté entretenue par la juxtaposition d'un discours sur la fragilité humaine et d'une éthique de la responsabilité. La peur ne peut donc manquer de s'emparer du chrétien à l'approche de la mort et du jugement. Cette peur ne doit pas toutefois conduire à un autre sentiment que la pénitence, attitude toute de tensions où le chrétien s'abandonne à la miséricorde divine, tout en avouant qu'il ne la mérite pas. C'est à partir de ces nouvelles données que Léon le Grand et Pierre Chrysologue enseignent que les chrétiens ne peuvent pas espérer être justifiés aux yeux de Dieu et doivent tout attendre de sa miséricorde. Le péché est la condition du chrétien baptisé et non plus une rupture avec son engagement baptismal. La peur du jugement prend donc un sens nouveau : indice d'une mauvaise conscience au départ, elle devient signe d'une conscience lucide.

C'est parallèlement que s'opère la redéfinition de la pénitence. La pénitence canonique, conçue comme un second baptême, est instaurée progressivement à partir du IIe siècle, tout en rencontrant la résistance de courants rigoristes préoccupés, dans le contexte d'une Eglise persécutée, de la cohérence du corps ecclésial. Avec la paix de l'Eglise, les données du problème changent et la pénitence canonique cesse peu à peu d'être un enjeu pastoral. L'attention portée au seul devenir institutionnel de la pénitence a gêné la perception de ce changement.[1] La pénitence n'est plus un moyen d'obtenir le pardon, mais une façon de vivre en état de pardon. La mise en place d'une pastorale de pénitence quotidienne, sous ses différentes formes : individuelles ou ecclésiales,[2] en est l'indice le plus évident. L'image d'une Eglise en pénitence remplace celle d'une Eglise pure de la régénération baptismale.

La prédication de Pierre Chrysologue offre comme une synthèse idéale de ces deux dynamiques avec la recommandation de faire pénitence à l'heure de la mort, selon un modèle donné en exemple par Augustin dans ses derniers instants. L'hypothèse d'une ritualisation de l'heure de la mort par l'effet de ces deux dynamiques a quelque vraisemblance. Résoudre la tension entre l'absence de toute assurance et la confiance absolue dans la miséricorde reviendrait à un rituel des mourants, placé sous le signe de la pénitence pour marquer la conscience de n'être qu'un pécheur, et culminant dans une communion dont le don gratuit entre tous manifeste la grâce miséricordieuse de Dieu.

L'analyse des problèmes en jeu dans la discipline pénitentielle confirme cette hypothèse. La pénitence *in extremis*, qui commence à être l'objet de discussions au début du Ve siècle, n'est pas seulement une forme abrégée de la pénitence canonique. Au delà des efforts destinés à en fonder la validité, il apparaît en effet que l'important, aux yeux des législateurs, est de favoriser, à l'heure de la mort, le retour sur elle-même de la conscience. Le même souci de consoler les chrétiens inquiétés par l'approche de la mort préside aux tentatives de définition du viatique comme une communion spécifique des mourants, sans valeur de réconciliation.

La tentation est grande, dès lors, de poursuivre l'enquête et de décrire les quelques maillons manquants avant la synthèse, carolingienne comme souvent, et l'apparition des premiers rituels.[3] Ce serait toutefois faire une histoire différente : celle de la genèse du rituel des mourants, non celle de la pastorale des mourants aux IVe et Ve siècles. Ce dernier volet, plus satisfaisant pour l'esprit, aurait aussi l'inconvénient de masquer le fait que l'Eglise au Ve siècle n'élabore

---

[1] J'ai indiqué *supra* p. 204 et n. 23 la bibliographie existante sur la pénitence. Il reste à écrire une histoire de la pénitence dans l'Eglise ancienne qui soit dépourvue de tout anachronisme imposé par les conceptions modernes de ce sacrement.

[2] C'est peut-être le développement parallèle de formes individuelles et ecclésiales de pénitence quotidienne qui a donné lieu à l'interminable débat sur la naissance de la «pénitence privée».

[3] Voir F. S. Paxton, *Christianizing Death. The Creation of a Ritual Process in Early Medieval Europe*, Ithaca, 1990.

pas de rituel des mourants.[4] Quand l'Eglise carolingienne institue un
rituel de la mort, c'est avec l'intention claire de définir et de contrôler, à travers la participation à ce rituel, l'appartenance à la société
chrétienne.[5] Or, au Ve siècle, parler de chrétienté est un anachronisme. C. Lepelley l'a bien montré pour l'Afrique romaine tardive,[6] et
de récentes contributions le confirment pour d'autres parties de
l'Empire.[7]

[4] D. Sicard, *La liturgie de la mort dans l'église latine des origines à la réforme
carolingienne*, Münster, 1978, a tenté de reconstituer, à partir de manuscrits qui
ne sont pas antérieurs au VIIIe siècle, un «rituel romain ancien» de la mort (voir
en particulier p. 2-33) qu'il propose de faire remonter au Ve siècle. Si ses analyses
sur la genèse des différents éléments du rituel peuvent désigner le Ve siècle – mais
cela a été contesté, en particulier l'origine romaine : voir B. Moreton, compte-
rendu de D. Sicard dans *Journal of Theological Studies* 3 (1980), p. 231-237 -, il
n'est pas en mesure de prouver l'existence du rituel en tant que tel. Que le rituel
romain fasse des emprunts à la littérature patristique ne signifie pas qu'il ait été
élaboré peu à peu depuis l'époque patristique. Curieusement, F.S. Paxton, qui fait
un très bon travail d'historien sur les rituels carolingiens, suit la démarche de Sicard à propos des *Ordines Romani* (p. 37-44).
[5] Voir les très brèves remarques de F. S. Paxton, *op. cit.*, p. 9, et surtout la
contribution de J. M. Smith à la *New Cambridge Medieval History*, vol.2,
chap. 24 : «Religion and Lay Society». Je remercie vivement l'auteur de m'avoir
communiqué son travail avant sa parution.
[6] C. Lepelley, *Les cités de l'Afrique romaine au Bas-Empire*, Paris, 1979, t.1, en
particulier p. 371-376 : «L'absence de chrétienté». Cf. «Saint Augustin et la cité
romano-africaine», dans *Jean Chrysostome et Augustin. Actes du Colloque de
Chantilly, 22-24 septembre 1974*, Paris, 1975, p. 13-39, en particulier p. 32-37, où
l'auteur conclut (p. 37) : «Ce qui ressort, en tout cas, de l'étude de la vie munici-
pale africaine contemporaine, c'est qu'Augustin ne vivait pas dans une chrétienté.
La cité au sein de laquelle il exerçait son épiscopat cessait d'être formellement
païenne, mais elle n'était pas devenue chrétienne.»
[7] Voir par exemple dans *Storia di Roma. 3. L'età tardoantica*, t.1, Rome, 1993,
p. 675-696, la contribution d'A. Fraschetti, «Spazi del sacro e spazi della politica», pour Rome.

CONCLUSION GÉNÉRALE

Au tournant des IVᵉ et Vᵉ siècles, la prédication chrétienne cesse peu à peu d'ignorer, ou de sublimer, les craintes de l'homme face à la mort. Les paroles de Paul dans l'Epître aux Philippiens : «Pour moi, vivre est le Christ et mourir est un gain» (Phil 1,21) peuvent résumer le contenu de la prédication d'Ambroise et des évêques contemporains d'Italie du Nord. Il s'agit pour eux de montrer que la mort est un bien auquel la foi chrétienne fait un devoir d'aspirer : quitter la vie présente n'est rien et seuls les coupables ont des craintes pour l'au-delà. Avec Augustin, puis Pierre Chrysologue et Léon le Grand, la mort est aussi envisagée comme une fin douloureuse : la craindre est légitime pour un chrétien. Augustin préfère ainsi déplacer l'accent du souhait d'«être avec le Christ» à la crainte exprimée par le Christ lui-même au Jardin des Oliviers : «Mon âme est triste jusqu'à la mort» (Mt 26,38).

Au Vᵉ siècle, les prédicateurs tentent en effet de prendre en compte les réactions affectives de l'homme devant la mort et de leur apporter une réponse spécifique. C'est l'élaboration d'une théologie du péché originel qui le permet[1]. Nous avons vu, dans la première partie, que l'homme craint la mort parce qu'elle est étrangère à sa nature première, dans la mesure où elle est le châtiment du péché d'Adam. A l'heure de la mort, la crainte, ainsi légitimée, peut de plus provoquer une prise de conscience et devenir un élément du salut. La crainte de la mort rappelle au chrétien qu'il a une nature pécheresse et doit le conduire à s'en remettre à Dieu. Or la seconde partie a montré que la spiritualité chrétienne voit peu à peu dans ce sentiment inquiétant la clé du salut. Craindre le jugement ne doit pas conduire au désespoir : le chrétien, parce qu'il se sait indigne de la miséricorde divine, doit

---

[1] Je ne reviens pas ici sur le rôle de la controverse pélagienne dans cette évolution : la controverse me paraît être avant tout un bon laboratoire d'observation pour l'historien.

mettre sa confiance dans cette seule miséricorde. La pénitence semble ainsi envahir la spiritualité chrétienne tout entière : à l'heure de la mort, elle s'impose avec d'autant plus de force. Communier dans les derniers instants est avant tout, dans l'esprit des pasteurs d'âme, un geste d'abandon confiant qui ne suppose pas l'expiation de péchés précis. C'est pourquoi la pénitence *in extremis* est accordée à tout mourant qui en fait la demande; c'est pourquoi les mourants qui n'ont plus droit à la pénitence peuvent recevoir, en guise de consolation, un viatique.

Pour mesurer la portée de ces conclusions, il faut revenir sur la place et le rôle d'Augustin dans l'évolution décrite. Le poids de ses écrits, la force de sa pensée, la lucidité de sa propre évolution intellectuelle semblent en effet éclipser les autres prédicateurs. Pourtant l'histoire de la chrétienté latine ne peut pas s'écrire en fonction du seul Augustin. C'est pourquoi je me suis efforcé de mettre en valeur la prédication de Léon le Grand et surtout celle de Pierre Chrysologue, plus riche pour une histoire de la pastorale et moins connue. Je n'ai pas tenté, comme on le fait généralement, de mesurer la dépendance ou la fidélité vis-à-vis d'Augustin : j'ai voulu comparer la pastorale des deux prédicateurs avec la sienne.

La crainte de la mort n'est pas chez eux l'objet d'un discours aussi explicite que chez Augustin, mais elle n'est pas non plus présentée comme une faiblesse ou un manque de foi, comme elle l'était chez un Ambroise de Milan. Léon le Grand enrichit, et clarifie parfois, les développements exégétiques d'Augustin sur les paroles du Christ à l'agonie. Pierre Chrysologue emprunte d'autres voies pour rassurer les chrétiens : il refuse, plus énergiquement que ne le fait Augustin dans ses sermons, tout discours sur le bienfait de la mort et multiplie les exemples de figures bibliques qui montrent que la crainte de la mort, ou le chagrin dans le cas d'un deuil, ne sont pas incompatibles avec la foi.

Léon le Grand et Pierre Chrysologue sont bien «augustiniens» dans la mesure où leur enseignement sur le péché originel est sans ambiguïté. Mais la pastorale prêchée pour répondre aux craintes que peut susciter un tel enseignement contient, pour l'un comme pour l'autre, des éléments originaux. Léon le Grand fait du cycle liturgique l'instrument d'une pénitence collective et continue, tandis que Pierre Chrysologue recommande une pénitence plus individuelle à l'heure même de la mort. De plus, la pénitence continue, qui semble devenir la norme de la spiritualité chrétienne au Ve siècle, n'est pas indissolublement liée à la théologie augustinienne du péché originel. J'ai pu montrer ailleurs, par exemple, que Jean Cassien, qui a une analyse anthropologique différente, rejoint en fait Augustin pour décrire l'impossibilité d'être parfait en cette vie et pour recommander la pénitence jusqu'à l'heure de la mort[2].

Il me semble donc que l'évolution que j'ai décrite, pour être particulièrement bien illustrée par la prédication d'Augustin, dépasse cette figure d'exception dont l'intérêt pour l'historien est que l'oeuvre reflète consciemment les ruptures opérées.

La pastorale chrétienne de la mort connaît donc des changements considérables : l'angoisse de mourir et la peur du jugement[3], de sentiments négatifs et condamnables, deviennent, dans le discours des prédicateurs, des sentiments normaux, sur lesquels les chrétiens sont rassurés. Il serait vain de s'interroger sur les conséquences de cette évolution de la pastorale sur les attitudes des chrétiens face à la mort, faute de pouvoir faire, pour cette période, une histoire des sentiments collectifs[4].

L'intérêt des sermons pour l'historien est que les prédicateurs cherchent à influencer la conduite de leurs auditeurs, et que pour atteindre ce but, même idéalement, ils doivent tenir compte de leur horizon d'attente. Au tournant des IVe et Ve siècles, les chrétiens ne sont donc plus disposés à entendre prêcher un idéal héroïque d'absence de peur face à la mort. Il semble même, et j'ai essayé de comprendre pourquoi[5], que le thème de la crainte de la mort résume les tensions que traverse le christianisme dans les années 410-430.

C'est la raison pour laquelle l'étude de la pastorale des mourants m'a conduit à mettre en valeur des ruptures importantes pour l'ensemble de la spiritualité chrétienne. Ces ruptures échappent trop souvent à une histoire des doctrines ou à une approche théologique, préoccupées surtout de retracer des traditions et donc d'établir des continuités. L'historien ne peut pas, comme pourrait peut-être le faire un croyant ou un théologien, s'arrêter à l'essence du christianisme[6]. La compréhension et l'utilisation du texte révélé lui-même changent. L'attitude des Pères vis-à-vis de la prière du Christ au Jardin des Oliviers suffit à en convaincre. Au début de la période consi-

---

[2] E. Rebillard, «*Quasi funambuli* : Cassien et la controverse pélagienne sur la perfection», *Revue des Etudes Augustiniennes* 40 (1994), p. 197-210.

[3] Voir V. Jankélévitch, *La mort*, trad. franç., Paris, 1977, p. 377-378 pour la distinction de ces deux sentiments et la relation qu'il y a entre eux.

[4] Voir introduction générale.

[5] Voir conclusion de la première partie.

[6] Voir une discussion de cette notion et de sa validité pour la théologie dans S. Sykes, *The Identity of Christianity : Theologians and the Essence of Christianity from Schleiermacher to Bart*, Philadelphie, 1984.

dérée, toute peur est exclue des paroles du Christ; après Augustin, ces mêmes paroles sont l'expression de la détresse du mourant[7].

Parmi les ruptures évoquées, la plus importante est celle qui voit succéder une spiritualité pénitentielle à une spiritualité baptismale[8]. Je veux dire par là qu'une spiritualité dans laquelle le baptême est la clé du salut est remplacée par une spiritualité dans laquelle la pénitence est la condition du pardon. Il faudrait revenir sur chacun de ces termes et les nuancer, mais je ne peux ici que souligner la nécessité d'étudier ce passage d'une spiritualité à l'autre et donc cette rupture pour ce qu'elle est.

Le christianisme du Ve siècle devient, semble-t-il, très différent du christianisme du IVe siècle, au-delà des continuités qu'on est en droit d'attendre et qui me paraissent être d'un intérêt moindre pour l'historien. L'histoire du christianisme ancien s'est déjà beaucoup enrichie en prenant les dimensions d'une histoire de l'Antiquité tardive, mais il faudrait peut-être franchir définitivement le pas et envisager des christianismes dans l'histoire.

---

[7] Voir le chapitre 3 de la Première Partie.
[8] J'emprunte cette distinction à A. Fitzgerald, *op. cit.*, chez qui, toutefois, elle n'est pas articulée historiquement.

BIBLIOGRAPHIE

Abréviations

BA : Bibliothèque Augustinienne, Paris, 1936 sq.
BAmb : Biblioteca Ambrosiana, Opera Omnia di Sant'Ambrogio, Milan/ Rome, 1977 sq.
CCL : Corpus Christianorum, Series latina, Turnhout, 1959 sq.
CSEL : Corpus Scriptorum Ecclesiasticorum Latinorum, Vienne, 1866 sq.
PL : Patrologia Latina, éd. J.-P. Migne, Paris, 1844-1864.
SC : Sources Chrétiennes, Paris, 1915 sq.
SCAmb : Scriptores circa Ambrosium, Scrittori dell'area santambrosiana, complementi all'edizione di tutte le opere di Sant'Ambrogio, Rome, 1987 sq.

1 – SOURCES

Ambroise

De Cain et Abel : P. Siniscalco, BAmb 2/2, Rome, 1984.
De apologia prophetae David : P. Hadot, M. Cordier, SC 239, 1977.
Exameron : G. Banterle, BAmb 1, Rome, 1979.
De fuga saeculi : G. Banterle, BAmb 4, Rome, 1980.
De Iacob et beata uita : R. Palla, BAmb 3, Rome, 1982.
De interpellatione Iob et David : G. Banterle, BAmb 4, Rome, 1980.
De Isaac uel anima : Cl. Moreschini, BAmb 3, Rome, 1982.
Expositio Euangelii secundum Lucam : G. Tissot, SC 45, 1957; SC 52, 1958.
De bono mortis : Cl. Moreschini, BAmb 3, Rome, 1982; W.T. Wiesner, *S. Ambrosii De bono mortis*, Patristic Studies 100, Washington, 1970.
De mysteriis, De sacramentis : B. Botte, SC 25bis, 1961.
De Noe : A. Pastorino, BAmb 2/1, Rome, 1984.
De paenitentia : R. Gryson, SC 179, 1971.
De paradiso : P. Siniscalco, BAmb 2/1, Rome, 1984.
Explanatio super Psalmos XII : L.F. Pizzolato, BAmb 7, 2 vol., Rome, 1980.
Expositio de Psalmo 118 : L.F. Pizzolato, BAmb 8, 2 vol., Rome, 1987.
De excessu fratris, De obitu Valentiniani, De obitu Theodosii : G. Banterle, BAmb 18, Rome, 1985.

234 BIBLIOGRAPHIE

AUGUSTIN

De catechizandis rudibus : G. Madec, BA 11/1, Paris, 1991.
Confessionum libri 13 : A. Solignac, E. Tréhorel, G. Bouissou, BA 13-14, Paris, 1962.
De gratia Christi et de peccato originali : J. Plagnieux, F.-J. Thonnard, BA 22, Paris, 1975.
De ciuitate Dei : G. Bardy, G. Combès, BA 33-37, Paris, 1959-1960.
De bono coniugali : G. Combès, BA 2, Paris, 1948.
De cura pro mortuis gerenda : G. Combès, BA 2, Paris, 1948.
De doctrina christiana : J. Martin, CCL 32, 1962.
Epistulae : A. Goldbacher, CSEL 34/1, 1895; 34/2, 1898; 44, 1904; 57, 1911; 58, 1923.
Contra Faustum : J. Zycha, CSEL 25, 1891.
De gestis Pelagii : G. de Plinval, J. de La Tullaye, BA 21, Paris, 1966.
De Genesi ad litteram : P. Agaësse, A. Solignac, BA 48-49, Paris, 1972.
In Iohannis Euangelium tractatus 124 : R. Willems, CCL 36, 1954; M.-F. Berrouard, BA 71, 1969; BA 72, 1977; BA 73 A-B, 1989; BA 74 A, 1993.
Contra Iulianum libri 6 : PL 44, 641-874.
Opus imperfectum : PL 45, 1049-1608; livres 1-3 : M. Zelzer, CSEL 85/1, 1974.
De natura et gratia : G. de Plinval, J. de La Tullaye, BA 21, Paris, 1966.
De peccatorum meritis et remissione : C.F. Urba, J. Zycha, CSEL 60, 1913.
Contra duas epistulas Pelagianorum : F.-J. Thonnard, E. Bleuzen, A.C. De Veer, BA 23, Paris, 1974.
Enarrationes in Psalmos : E. Dekkers, J. Fraipont, CCL 38-40, 1956.
Retractationes : G. Bardy, BA 12, Paris, 1950.
Sermones : édition indiquée par P. Verbraken, *Etudes critiques sur les sermons authentiques de saint Augustin*, Instrumenta Patristica 12, Steenbrugge, 1976 et «Mise à jour du Fichier signalétique des Sermons de saint Augustin», dans *Aevum inter utrumque. Mélanges G. Sanders*, Instrumenta Patristica 23, Steenbrugge, 1991, p. 484-490.

CHROMACE d'Aquilée

Tractatus in Matthaeum : R. Etaix, J. Lemarié, CCL 9A, 1974.
Sermones : J. Lemarié, SC 154, 1969; SC 164, 1971.

Concile de Nicée : C.J. Hefele, H. Leclercq, *Histoire des Conciles*, I/1, Paris, 1907, p. 528-620.
Concilia Africae : C. Munier, CCL 149, 1974.
Concilia Galliae 314-506 : C. Munier, CCL 148, 1963; J. Gaudemet, *Les Conciles gaulois du IVᵉ siècle*, SC 241, 1977.

EVAGRE, *Vita S. Antonii* : PG 26, 833-976.
FAUSTE, *Epitulae 12* : A. Engelbrecht, CSEL 21, 1891.
GAUDENTIUS, *Tractatus 21* : G. Banterle, SCAmb 2, Rome, 1991.

JÉRÔME

Vita S. Hilarionis : A.A.R. Bastiaensen, *Vite dei Santi*, t.4, Milan, 1975.
Commentariorum in Mattheum : E. Bonnard, SC 242, 1977; SC 259, 1979.
Vita S. Pauli : PL 23, 17-28.

Epitaphium S. Paulae (= *Epistula 108*) : A.A.R. Bastiaensen, *Vite dei Santi*, t.4, Milan, 1975.
HILAIRE de Poitiers, *In Mattheum commentarius* : J. Doignon, SC 254, 1978; SC 258, 1979.
HILAIRE d'Arles, *Sermo de vita S. Honorati* : M.-D. Valentin, SC 235, 1977.
INNOCENT I, *Epistulae* : PL 20, 463-612.
LÉON le Grand

Epistulae : PL 54, 593-1218.
Sermones : A. Chavasse, CCL 138-138A, 1973; R. Dolle, SC 22bis, 1964; SC 49bis, 1969; SC 74bis, 1976; SC 200, 1973.
MAXIME de Turin, *Sermones* : G. Banterle, SCAmb 4, Rome, 1991.
PAULINUS de Milan, *Vita S. Ambrosii* : A.A.R. Bastiaensen, *Vite dei Santi*, t.3, Milan, 1975.
PELAGE, *Expositiones XIII Epistularum S. Pauli* : A. Souter, Texts and Studies 9,2, Cambridge, 1926.
PIERRE CHRYSOLOGUE, *Sermones* : A. Olivar, CCL 24, 1975; CCL 24A, 1981; CCL 24B, 1982.
POSSIDIUS, *Vita S. Augustini* : A.A.R. Bastiaensen, *Vite dei Santi*, t.3, Milan, 1975.
QUOTVULTDEUS

Sermones : R. Braun, CCL 60, 1976.
Liber promissionum et praedictorum Dei : R. Braun, SC 101-102, 1964.
RUFIN le Syrien, *Liber de fide* : M.W. Miller, *Rufini Presbyteri Liber de Fide*, Patristic Studies 96, Washington, 1964.
SIRICE, *Epistulae* : PL 13, 1131-1196.
SULPICE SÉVÈRE

Epistulae : J. Fontaine, SC 133, 1967.
Vita S. Martini : J. Fontaine, SC 133, 1967.
URANIUS, *De obitu Paulini* : PL 53, 859-866.
Vita S. Antonii : G.J.M. Bartelink, *Vite dei Santi*, t.1, Milan, 1974.
ZENON de Vérone, *Tractatus* : G. Banterle, SCAmb 1, Rome, 1987.

2 – ETUDES

ALEXANDRE (M.), «A propos du récit de la mort d'Antoine. L'heure de la mort dans la littérature monastique», dans *Le temps chrétien de la fin de l'Antiquité au Moyen Age, IIIe- XIIIe siècles*, Colloques internationaux CNRS n°604, Paris, 1981, p. 263-282.
ALFLATT (M.E.), «The Development of the Idea of Involuntary Sin in Saint Augustine», *Revue des Etudes Augustiniennes* 20 (1974), p. 113-134.
ALFLATT (M.E.), «The Responsability for Involuntary Sin in Saint Augustine», *Recherches Augustiniennes* 10 (1975), p. 171-186.
ALFECHE (M.), «The Basis of Hope in the Resurrection of the Body», *Augustiniana* 36 (1986), p. 240-296.
AMAT (J.), *Songes et Visions. L'au-delà dans la littérature latine tardive*, Etudes Augustiniennes, Paris, 1985.

ANDIA DE (Y.), *Homo vivens. Incorruptibilité et divinisation de l'homme chez Irénée de Lyon*, Etudes Augustiniennes, Paris, 1986.

ANNECCHINO MANNI (M.), «Job 14,4-5' nella lettura dei Padri», *Augustinianum* 32 (1992), p. 237-259.

ANTIN (P.), «La mort de saint Martin», *Revue des Etudes Anciennes* 66 (1964), p. 108-120.

ARBESMANN (R.), «The Concept of Christus Medicus in Saint Augustine», *Traditio* 10 (1954), p. 1-28.

ARBESMANN (R.), «Christ the Medicus Humilis in Saint Augustine», dans *Augustinus Magister*, Paris, 1955, t.2, p. 623-629.

ARENS (H.), *Die christologische Sprache Leos des Grossen. Analyses des Tomus an den Patriarchen Flavian*, Fribourg, 1982.

ARIES (Ph.), *L'homme devant la mort*, Paris, 1977.

ARMSTRONG (A. H.), «Neoplatonic Valuations of Nature, Body and Intellect», *Augustinian Studies* 3 (1972), p. 35-59.

ARMSTRONG (A. H.), *Saint Augustine and Christian Platonism*, The Saint Augustine Lecture 1966, Villanova, 1967.

ARMSTRONG (A.H.), «The World of the Senses in Pagan and Christian Thought», *Downside Review* 68 (1950), p. 305-23.

ARNAUD D'AGNEL (G.), *La mort et les morts d'après saint Augustin*, Paris, 1916.

Aspects de l'idéologie funéraire dans le monde romain, A.I.O.N. VI, Naples, 1984.

ATTWELL (R.), «Aspects in St. Augustine of Hippo's Thought and Spirituality Concerning the State of the Faithful Departed (354-430)», dans *The End of Strife*, Edimbourg, 1984, p. 3-13.

AUERBACH (E.), *Literary Language and Its Public in Late Latin Antiquity and in the Middle Ages*, New-York, 1965.

AVRAY D' (D.L.), «Sermons on the Dead Before 1350», *Studi Medievali* 31 (1990), p. 207-223.

AVRIL (J.), «La pastorale des malades et des mourants aux XIIe et XIIIe siècles», dans *Death in the Middle Ages*, Louvain, 1983, p. 88-106.

BANNIARD (M.), *Viva voce. Communication écrite et communication orale du IVe au IXe siècle en Occident latin*, Etudes Augustiniennes, Paris, 1992.

BARCLIFT (Ph.L.), «In controversy with Saint Augustine : Julian of Eclanum on the nature of sin», *Recherches de théologie ancienne et médiévale* 58 (1991), p. 5-20.

BARNES (T.), «Religion and Society in the Age of Theodosius», dans *Grace, Politics and Desire : Essays on Augustine*, Caligary, 1990, p. 157-175.

BARTELINK (G.J.M.), «Fragilitas (infirmitas) humana chez Augustin», *Augustiniana* 41 (1991), p. 815-828.

BARTELINK (G.J.M.), «Fragilitas humana chez saint Ambroise», dans *Ambrosius Episcopus*, Milan, 1974, t.2, p. 130-142.

BASTIAENSEN (A.A.R.), «Augustin et ses prédécesseurs latins chrétiens», dans *Augustiniana Trajectina*, Paris, Etudes Augustiniennes, 1987, p. 25-57.

BAVEL VAN (T.J.), *Recherches sur la christologie de saint Augustin. L'humain et le divin dans le Christ d'après saint Augustin*, Paradosis X, Fribourg, 1954.

BAVEL VAN (T.J.), «The Anthropology of Augustine», *Louvain Studies* 5 (1974), p. 34-47.

BAXTER (J.H.), «The homilies of St. Peter Chrysologus», *Journal of Theological Studies* 22 (1921), p. 250-258.

BEATRICE (P.F.), *Tradux peccati. Alle fonti della dottrina agostiniana del peccato originale*, Studia Patristica Mediolanensia 8, Milan, 1978.

BEATRICE (P.F.), *La lavanda dei piedi. Contributo alla storia delle antiche liturgie cristiane*, Rome, 1983.

BEAUDOUIN (L.), «Le viatique», *La Maison-Dieu* 15 (1948), p. 117-129.

BECK (H.G.J.), *The pastoral care of souls in south-east France during the sixth century*, Analecta Gregoriana 51, Rome, 1950.

BELS (J.), «La mort volontaire dans l'œuvre de saint Augustin», *Revue d'Histoire des Religions* 187 (1975), p. 145-180.

BENZ (E.), *Das Todesproblem in der stoischen Philosophie*, Beiträge zur Altertumswissenschaft 8, Stuttgart, 1929.

BERROUARD (M.-F.), «Le thème de la tentation dans l'œuvre de saint Augustin», *Lumière et Vie* 10 (1961), p. 52-87.

BERROUARD (M.-F.), «Pénitence de tous les jours selon saint Augustin», *Lumière et Vie* 13 (1964), p. 51-74.

BERROUARD (M.-F.), «L'exégèse augustinienne de Rom 7,7-25 entre 396 et 418 avec des remarques sur les deux premières périodes de la crise pélagienne», *Recherches Augustiniennes* 16 (1981), p. 101-196.

BERROUARD (M.-F.), «Les Lettres 6* et 19* de saint Augustin», *Revue des Etudes Augustiniennes* 27 (1981), p. 264-277.

BEYENKA (M.M.), *Consolation in Saint Augustine*, Patristic Studies 83, Washington, 1950.

Biblia Patristica, 5 vol., Paris, 1975-1990.

BLAISE (A.), *Dictionnaire Latin-Français des auteurs chrétiens*, Paris, 1955.

BLIC DE (J.), «Le péché originel selon saint Augustin», *Recherches de science religieuse* 16 (1927), p. 518-519.

BOEF DEN (J.), «Martyres sunt, sed homines fuerunt : Augustine on Martyrdom», dans *Fructus Centesimus. Mélanges offerts à Gérald J.M. Bartelink à l'occasion de son soixante-cinquième anniversaire*, Instrumenta Patristica 19, Steenbrugis, 1989, p. 115-124.

BOGLIONI (P.), «La scène de la mort dans les premières hagiographies latines», dans *Essais sur la mort : Travaux d'un séminaire de recherche sur la mort*, Montréal, 1985, p. 269-98.

BONNER (G.), *Augustine and Modern Research on Pelagianism*, The Saint Augustine Lecture 1970, Villanova, 1972.

BONNER (G.), «Rufinus of Syria and African Pelagianism», *Augustinian Studies* 1 (1970), p. 31-4.

BONNER (G.), «Pelagianism and Augustine», *Augustinian Studies* 23 (1992), p. 33-51.

BONNER (G.), «Augustine and Pelagianism», *Augustinian Studies* 24 (1993), p. 27-47.

BORGOMEO (P.), *L'Eglise de ce temps dans la prédication de saint Augustin*, Etudes Augustiniennes, Paris, 1972.

Boureau (A.), *Le simple corps du roi. L'impossible sacralité des souverains français XVᵉ-XVIIIᵉ siècle*, Paris, 1988.

Brelich (A.), *Aspetti della morte nelle iscrizioni sepolcrali dell'impero romano*, Budapest, 1937.

Brown (P.), *La vie de saint Augustin*, Paris, 1971.

Brown (P.), «Pelagius and his Supporters : Aims and Environment», dans *Religion and Society in the Age of Saint Augustine*, Londres, 1972, p. 183-207.

Brown (P.), «The Saint as Exemplar in Late Antiquity», *Representations* 2 (1983), p. 1-25.

Brown (P.), *Le culte des saints. Son essor et sa fonction dans la chrétienté latine*, Paris, 1984.

Brown (P.), *The Body and Society. Men, Women and Sexual Renunciation in Early Christianity*, New-York, 1988.

Bruyn (T.S. de), «Pelagius'Interpretation of Rom 5,12-21 : Exegesis within the Limits of Polemic», *Toronto Journal of Theology* 4 (1984), p. 30-43.

Bruyn (T.S. de), *Pelagius' Commentary on St Paul's Epistle to the Romans*, Translated with Introduction and Notes, Oxford, 1993.

Bruyn (T.S. de), «Ambivalence Within a 'Totalizing Discourse' : Augustine's Sermons on the Sack of Rome», *Journal of Early Christian Studies* 1 (1993), p. 405-421.

Budzin (A.J.), «Jovinian's four theses on the Christian life : an alternativ patristic spirituality», *Toronto Journal of Theology* 4 (1988), p. 44-59.

Burnaby (J.), *Amor Dei. A Study of the Religion of Saint Augustine*, Londres, 1938.

Burns (P.C.), *The Christology in Hilary of Poitiers Commentary on Matthew*, Studia Ephemeridis Augustinianum 16, Rome, 1981.

Burt (D.X.), «Augustine on the Authentic Approach to Death», *Augustinianum* 28 (1988), p. 527-563.

Burt (D.X.), «Augustine on the Authentic Approach to Death : an Overview», *Studia Patristica*, vol. 19, Leuven, 1989, p. 223-228.

Cabie (R.), *La lettre du pape Innocent I à Décentius de Gubbio (19 mars 416)*, Louvain, 1973.

Callam (D.), «The Frequency of Mass in the Latin Church ca. 400», *Theological Studies* 45 (1984), p. 633-650.

Callu (J.-P.), «Le Jardin des Supplices au Bas-Empire», dans *Du châtiment dans la cité. Supplices corporels et peine de mort dans le monde antique (Table ronde de l'EFR – 1982)*, Coll. EFR 79, Rome, 1984, p. 313-359.

Cannone (G.), «Elementi consolatori ed escatologia in alcune lettere di S. Agostino», *Revue de théologie ancienne et médiévale* 48 (1981), p. 58-77.

Carozzi (C.), *Le voyage de l'âme dans l'au-delà d'après la littérature latine (Vᵉ-XIIIᵉ siècle)*, Collection de l'École Française de Rome, 189, Rome, 1994.

Carton (I.), «A propos des oraisons de Carême. Note sur l'emploi du mot «observantia» dans les homélies de saint Léon», *Vigiliae Christianae* 8 (1954), p. 104-114.

Cazier (P.), «Le livre des règles de Tychonius. Sa transmission du *De doctrina christiana* d'Augustin aux *Sentences* d'Isidore de Séville», *Revue des Etudes Augustiniennes* 19 (1973), p. 241-261.

CHADWICK (H.), *The Sentences of Sextus. A Contribution to the History of Early Christian Ethics*, Cambridge, 1959.

CHAFFIN (C.), «Civic Values in Maximus of Turin and his Contemporaries», dans *Forma Futuri. Studi in onore di M. Pellegrino*, Turin, 1975, p. 1041-1053.

CHAVASSE (A.), *Etude sur l'Onction des Infirmes dans l'Eglise latine du IIIe au XIe siècle, t.I : Du IIIe s. à la réforme carolingienne*, Lyon, 1942.

CHAVASSE (A.), «La préparation de Pâques à Rome avant le Ve siècle, jeûne et organisation liturgique», dans *Mémorial J. Chaîne*, Lyon, 1950, p. 61-80.

CHAVASSE (A.), «Les féries de Carême célébrées au temps de saint Léon le Grand», dans *Miscellanea liturgica in onore di G. Lercaro*, Rome/Paris, 1966, vol.1, p. 551-7.

CHELINI (J.), *L'Aube du moyen Age. Naissance de la chrétienté occidentale. La vie religieuse des laïcs dans l'Europe carolingienne*, Paris, 1990.

CIPRIANI (N.), «Echi antiapollinaristici e aristotelismo nella polemica di Giuliano d'Eclano», *Augustinianum* 21 (1981), p. 371-389.

CLARK (E.), «Heresy, Asceticism, Adam and Eve : Interpretations of Genesis 1-3 in the Later Latin Fathers», dans *Ascetic Piety and Women's Faith. Essays on Late Ancient Christianity*, Lewinston, 1986, p. 353-85.

CLARK (E.), «New Perspectives on the Origenist Controversy : Human Embodiment and Ascetic Strategies», *Church History* 59 (1990), p. 145-162.

CLARK (E.), *The Origenist Controversy. The Cultural Construction of an Early Christian Debate*, Princeton, 1992.

CLERCK DE (P.), «Pénitence seconde et conversion quotidienne aux IIIe et IVe siècles», *Studia Patristica*, vol. 20, Leuven 1989, p. 352-374.

COCCO (E.), «Il 'De bono mortis' di S.Ambrogio. Il silenzio delle parole e le parole del silenzio», *Atti della Accademia Pontaniana* ns 24 (1975), p. 83-106.

COLEIRO (E.), «St Jerome's Lives of the hermits», *Vigiliae Christianae* 11 (1957), p. 161-178.

COLISH (M.L.), *The Stoic Tradition from Antiquity to the Early Middle Ages. I : Stoicism in Classical Latin Literature*, Studies in the History of Christian Thought 34, Leiden, 1985.

COLISH (M.L.), *The Stoic Tradition from Antiquity to the Early Middle Ages. II : Stoicism in Christian Latin Thought through the Sixth Century*, Studies in the History of Christian Thought 35, Leiden, 1985.

CORTESI (G.), «Cinque note su San Pier Crisologo», *Felix Ravenna* 127-130 (1984-1985), p. 117-132.

COURCELLE (P.), «Sur les dernières paroles de saint Augustin», *Revue des Etudes Anciennes* 46 (1944), p. 205-207.

COURCELLE (P.), *Recherches sur les Confessions de saint Augustin*, Paris, 1950.

COURCELLE (P.), «La colle et le clou de l'âme dans la tradition néo-platonicienne et chrétienne (Phédon 82e;83d)», *Revue Belge de Philologie et d'Histoire* 36 (1958), p. 72-95. Cf. *Connais-toi toi-même*, t.2, p. 325-345.

COURCELLE (P.), *Les Confessions de saint Augustin dans la tradition littéraire*, Paris, 1963.

COURCELLE (P.), «Tradition platonicienne et traditions chrétiennes du

Corps-Tombeau (Phédon 62b; Cratyle 400c)», *Revue des Etudes Latines* 63 (1965), p. 406-443. Cf. *Connaistoi toi-même*, t.2, p. 394-414.

COURCELLE (P.), «Le corps-tombeau», *Revue des Etudes Anciennes* 68 (1966), p. 101-22.

COURCELLE (P.), *Histoire littéraire des grandes invasions germaniques*, Paris, 3ᵉ éd., 1968.

COURCELLE (P.), *Connais-toi toi-même de Socrate à saint Bernard*, 3 vol., Etudes Augustiniennes, Paris, 1974-1975.

COURTOIS (Ch.), *Les Vandales et l'Afrique*, Paris, 1955.

CUMMINGS (J.T.), «The Holy Death-Bed. Saint and Penitent. Variation of a Theme», dans *The Biographical Works of Gregory of Nyssa*, Philadelphie, 1984, p. 241-263.

DALEY (B.E.), *The Hope of the Early Church. A Handbook of Patristic Eschatology*, Cambridge, 1991.

DANIELOU (J.), «La doctrine de la mort chez les Pères de l'Eglise», dans *Le mystère de la mort et sa célébration*, Lex Orandi 12, Paris, 1951, p. 134-156.

DANIELOU (J.), *Les anges et leur mission*, Gembloux, 1953.

DANIELOU (J.), *La catéchèse aux premiers siècles* Paris, 1968.

DASSMANN (E.), *Die Frömischkeit des Kirchenvaters Ambrosius von Mailand*, Münster, 1965.

DASSMANN (E.), «'Tam Ambrosius quam Cyprianus' (c. Iul. imp. 4, 112). Augustins Helfer im pelagianischen Streit», dans *Oecumenia et Patristica. Festschrift für W. Schneemelcher zum 75. Geburstag*, Stuttgart, 1989, p. 259-268.

DECRET (F.), *L'Afrique manichéenne (IVᵉ-Vᵉ siècle)*, Etudes Augustiniennes, Paris, 1978.

DE SIMONE (R.J.), «The Baptismal and Christological Catechesis of Quotvultdeus», *Augustinianum* 25 (1985), p. 265-282.

DEKKERS (E.), «Limites sociales et linguistiques de la pastorale liturgique de saint Jean Chrysostome», *Augustinianum* 20 (1980), p. 119-129.

DELEANI (S.), *Christum sequi. Etude d'un thème dans l'œuvre de saint Cyprien*, Etudes Augustiniennes, Paris, 1979.

DELUMEAU (J.), *L'aveu et le pardon. Les difficultés de la confession (XIIIᵉ-XVIIIᵉ siècle)*, Paris, 1964.

DELUMEAU (J.), *Le péché et la peur. La culpabilisation en Occident (XIIIᵉ-XVIIIᵉ siècle)*, Paris, 1983.

DEVAILLY (G.), «La pastorale en Gaule au IXᵉ siécle», *Revue d'Histoire de l'Eglise de France* 59 (1973), p. 23-54.

DEVOTI (D.), «Massimo di Turino e il suo pubblico», *Augustinianum* 21 (1981), p. 153-167.

DIDEBERG (D.), *Saint Augustin et la Première Epître de Saint Jean. Une théorie de l'agapè*, Théologie historique 34, Paris, 1975.

DINKLER (E.), *Die Anthropologie Augustins*, Stuttgart, 1934.

DODARO (R.), «Christus Iustus and Fear of Death in Augustine's Dispute with Pelagius», dans *Signum Pietatis. Festgabe für Cornelius Petrus Mayer OSA zum 60. Geburstag*, Cassiciacum 40, Würzburg, 1989, p. 341-361.

DOIGNON (J.), «La lecture de I Thess 4,17 en Occident de Tertullien à Augustin», dans *Jenseitsvorstellungen in Antike und Christentum. Gedenk-schrift für Alfred Stuiber*, Jahrbuch für Antike und Christentum 9, Münster, 1982, p. 98-106.

DOIGNON (J.), «Apeuré par la condition humaine (Hilaire de Poitiers, In Psalmum 118,15,5) : Fondements classiques et patristiques d'une topique», *Studia Patristica*, vol. 23, Leuven, 1989, p. 119-126.

DOLBEAU (F.), «Zenoniana. Recherches sur le texte et la tradition de Zénon de Vérone», *Recherches Augustiniennes* 20 (1985), p. 3-34.

DÖLGER (F.J.), *IXTHUS II : Der Heilige Fisch in der antiken Religionen und in Christentum*, Münster, 1922.

DOLLE (R.), «Les idées morales de saint Léon le Grand», *Mélanges de science religieuse* 15 (1958), p. 49-84.

DORING (K.), *Exemplum Socratis*, Wiesbaden, 1979.

DROBNER (H.), *Person-Exegese und Christologie bei Augustinus. Zur Erkunft der Formel Una Persona*, Leiden, 1986.

DROGE (A.J.) et TABOR (J.D.), *A Noble Death. Suicide and Martyrdom among Christians and Jews in Antiquity*, San Francisco, 1992.

DRUET (F.X.), *Langage, images et visages de la mort chez Jean Chrysostome*, Bruxelles, 1989.

DUDDEN (F.H.), *The Life and Times of St. Ambrose*, Oxford, 1935.

DUMORTIER (J.), «Une assemblée chrétienne au IVe siècle», *Mélanges de science religieuse* 29 (1972), p. 15-22.

DUNPHY (W.), «Marius Mercator on Rufinus the Syrian : Was Schwartz mistaken?», *Augustinianum* 32 (1992), p. 279-288.

DUQUENNE (L.), *Chronologie des lettres de S. Cyprien. Le dossier de la persécution de Dèce*, Subsidia Hagiographica 54, Bruxelles, 1974.

DUVAL (Y.), *Auprès des saints corps et âme. L'inhumation «ad sanctos» dans la chrétienté d'Orient et d'Occident du IIIe au VIIe siècle*, Etudes Augustiniennes, Paris, 1988.

DUVAL (Y.-M.), «Formes profanes et formes bibliques dans les oraisons funèbres d'Ambroise», dans *Christianisme et Formes littéraires de l'Antiquité tardive en Occident*, Entretiens sur l'Antiquité classique 23, Vandœuvres/Genève, 1977, p. 235-291.

DUVAL (Y.-M.), «Pélage est-il le censeur de l'Adversus Jovinianum à Rome en 393? Ou : du «portrait-robot» de l'hérétique chez S. Jérôme», *Revue d'Histoire Ecclésiastique* 75 (1980), p. 525-557.

DUVAL (Y.-M.), «La date du De natura de Pélage. Les premières étapes de la controverse sur la nature de la grâce», *Revue des Etudes Augustiniennes* 36 (1990), p. 257-283.

EGER (H.), *Die Eschatologie Augustins*, Greifswald, 1933.

EIJKENBOOM (P.), «Christus Redemptor in the Sermons of Augustine», *Mélanges offerts à Ch. Mohrmann*, Utrecht-Anvers, 1963, p. 233-239.

ENO (R.B.), «Christian Reaction to the Barbarian Invasions and the Sermons of Quotvultdeus», dans *Preaching in the Patristic Age*, New York, 1989, p. 139-161.

ENO (R.B.), *Saint Augustine and the Saints*, The saint Augustine Lecture 1985, Villanova, 1989.

EVANS (R.F.), *Pelagius. Inquiries and Reappraisals*, Londres, 1968.

EVANS (R.F.), *One and Holy*, Londres, 1972.

FAHEY (M.A.), *Cyprian and the Bible : a Study in Third-Century Exegesis*, Londres, 1971.

FAIVRE (A.), *Ordonner la fraternité. Pouvoir d'innover et retour à l'ordre dans l'Eglise ancienne*, Paris, 1992.

FAVEZ (Ch.), «L'inspiration chrétienne dans les «Consolations» de saint Ambroise», *Revue des Etudes Latines* 8 (1930), p. 82-91.

FAVEZ (Ch.), *La Consolation latine chrétienne*, Paris, 1937.

FENGER (A.-L.), «Tod und Auferstehung des Menschen nach Ambrosius' De excessu fratris II», dans *Jenseitsvorstellungen in Antike und Christentum. Gedenkschrift für Alfred Stuiber*, Jahrbuch für Antike und Christentum 9, Münster, 1982, p. 129-139.

FERGUSON (E.), «Inscriptions and the Origin of Infant Baptism», *Journal of Theological Studies* 30 (1974), p. 37-46.

FEUILLET (A.), *L'agonie de Gethsémanie. Enquête exégétique et théologique suivie d'une étude du 'Mystère de Jésus' de Pascal*, Paris, 1977.

FEVRIER (P.-A.), «La mort chrétienne : images et vécu collectif», dans *Histoire vécue du peuple chrétien*, Toulouse, 1979, vol. 1, p. 75-104.

FEVRIER (P.-A.), «Vie et mort dans les Epigrammata Damasiana», dans *Studi di Antichità Cristiana* 39 (1986), p. 89-111.

FEVRIER (P.-A.), «La mort chrétienne», dans *Segni e riti nella chiesa altomedievale occidentale*, Settimane ... sull'alto medioevo 33, Spolète, 1987, vol.2, p. 881-952.

FISCHER (J.-A.), *Studien zum Todesgedanken in der alten Kirche. Die Beurteilung des natürlichen Todes in der kirchlichen Literatur der ersten drei Jahrhunderte*, München, 1954.

FITZGERALD (A.), «The Relationship of Maximus of Turin to Rome and Milan : A Study of Penance and Pardon at the turn of the Fifth Century», *Augustinianum* 27 (1987), p. 465-486.

FITZGERALD (A.), *Conversion through Penance in the Italian Church of the IVth and Vth Centuries*, Lewinston, 1988.

FITZGERALD (A.), «Maximus of Turin : How he spoke of sin to his people», *Studia Patristica*, vol. 23, Leuven, 1989, p. 127-132.

FONTAINE (J.), «Un cliché de la spiritualité antique tardive : stetit immobilis», dans *Romanitas-Christianitas : Untersuchungen zur Geschichte und Literatur der römischen Kaiserzeit. (Mélanges J. Straub)*, Berlin/New York, 1982, p. 528-552.

FRAHIER (L. – J.), «L'interprétation du récit du Jugement dernier (Mt 25, 31-46) dans l'œuvre d'Augustin», *Revue des Etudes Augustiniennes* 33 (1987), p. 70-84.

FRASCHETTI (A.), «Spazi del sacro e spazi della politica», dans *Storia di Roma. 3. L'età tardoantica*, t.1, Rome, 1993, p. 675-696.

FREDRIKSEN (P.), «Tychonius and the end of the world», *Revue des Etudes Augustiniennes* 28 (1982), p. 59-75.

FREDRIKSEN (P.), «Beyond the body/soul dichotomy. Augustine on Paul against the Manichees and the Pelagians», *Recherches Augustiniennes* 23 (1988), p. 87-114.

FREND (W.H.C.), *The Donatist Church : A Movement of Protest in Roman North Africa*, Oxford, 1952.

FREND (W.H.C.), *Martyrdom and Persecution in the Early Church*, Oxford, 1965.

FRIER (B.), «Roman life expectancy : Ulpian's evidence», *Harvard Studies in Classical Philology* 86 (1982), p. 213-251.

GAIFFIER DE (B.), «La lecture des Actes de martyrs dans la prière liturgique en Occident. A propos du passionnaire hispanique», *Analecta Bollandiana* 72 (1954), p. 134-166.

GAIFFIER DE (B.), «La lecture des Passions de martyrs à Rome avant le IXᵉ siècle», *Analecta Bollandiana* 87 (1969), p. 63-78.

GALTIER (P.), *L'Eglise et la rémission des péchés dans les premiers siècles*, Paris, 1932.

GALTIER (P.), «Imposition des mains», dans *Dictionnaire de Théologie Catholique*, t.7/2, c.1302-1335.

GALTIER (P.), «Les canons pénitentiels de Nicée», *Gregorianum* 29 (1948), p. 288-94.

GAUDEMET (J.), *Les sources du droit de l'Eglise en Occident du IIᵉ au VIIᵉ siècle*, Paris, 1985.

GAUTHIER (N.), «Les images de l'au-delà durant l'antiquité chrétienne», *Revue des Etudes Augustiniennes* 33 (1987), p. 3-22.

GIRARD (J.-M.), «Influence de la perspective de la mort dans l'appréciation du temps chez saint Augustin», dans *Le temps chrétien de la fin de l'Antiquité au Moyen Age, IIIᵉ-XIIIᵉ siècles*, Colloques internationaux CNRS nᵒ 604, Paris, 1981, p. 383-390.

GIRARD (J.-M.), *La mort chez saint Augustin. Grandes lignes de l'évolution de sa pensée, telle qu'elle apparaît dans ses traités*, Paradosis 34, Fribourg, 1992.

GORDINI (G.-D.), «Usi liturgici e penitenziali degli asceti romani del IV secolo», *Miscellanea liturgica in onore di G. Lercaro*, Rome/Paris, 1967, vol.2, p. 841-872.

GRABKA (G.), «Christian Viaticum : a Study of its Cultural Background», *Traditio* 9 (1953), p. 1-43.

GREGG (R.), *Consolation Philosophy. Greek and Christian Paideia in Basil and the Two Gregories*, Patristic Monograph Series 3, Cambridge, 1975.

GREGG (R.) et GROH (D.), *Early Arianism – A View of Salvation*, Philadelphia, 1984.

GRIFFE (E.), *La Gaule chrétienne à l'époque romaine*, 3 vol., Paris, 1966.

GRILLI (A.), *Il problema della vita contemplativa nel mondo greco-romano*, Milan, 1953.

GRILLMEIER (A.), *Le Christ dans la tradition chrétienne. De l'âge apostolique à Chalcédoine (451)*, Paris, 1973.

GRILLMEIER (A.), *Le Christ dans la tradition chrétienne. Le Concile de Chalcédoine (451). Réception et opposition (451-513)*, Paris, 1990.

GROSSI (V.), *La liturgia battesimale in S. Agostino. Studio sulla catechesi del peccato originale negli anni 393-412*, Studia Ephemeridis Augustinianum 7, Rome, 1970.

GROSSI (V.), «La pastorale della riconciliazione in S. Agostino : fra tradizione e rinnovamento», dans *Catechesi battesimale e Riconciliazione nei Padri del IV Secolo*, Biblioteca di Scienze Religiose 60, Rome, 1984, p. 95-118.

GRYSON (R.), *Le prêtre selon saint Ambroise*, Louvain, 1968.

GUTTILLA (G.), «La fase iniziale della Consolatio latina cristiana», *Annali del Liceo Classico Garibaldi di Palermo* 21/22 (1984-1985), p. 108-215.

GUZIE (T.W.), «Exegetical and sacramental language in the sermons of Leo the Great», *Studia Patristica* 12 (1975), p. 208-213.

GY (P.-M.), «La mort du Chrétien», dans *L'Eglise en prière*, Paris, 1963, p. 618-630.

GY (P.-M.), «Le christianisme et l'homme devant la mort», *La Maison-Dieu* 144 (1980), p. 7-23.

GY (P.-M.), «La pénitence et la réconciliation», dans *L'Eglise en prière*, Paris, 1984, t.3, p. 116-131.

HADOT (P.), «Platon et Plotin dans trois sermons de saint Ambroise», *Revue des Etudes Latines* 34 (1956), p. 202-220.

HADOT (P.), *Exercices spirituels et philosophie antique*, Etudes Augustiniennes, Paris, 2ᵉ éd., 1987.

HAMMAN (H.G.), «Saint Augustin et la formation du clergé en Afrique chrétienne», dans *Congresso Internazionale su S. Agostino nel XVI Centenario della Conversione*, Rome, 1987, vol.2, p. 337-346.

HAMMAN (H.G.), «La formation du clergé latin dans les quatre premiers siècles», *Studia Patristica*, vol. 20, Leuven, 1989, p. 238-249.

HAMMAN (H.G.), «La transmission des sermons de saint Augustin : les authentiques et les apocryphes», *Augustinianum* 25 (1985), p. 311-327.

HANNON (J. J.), *Holy Viaticum, a Historical Synopsis and a Commentary*, Washington, 1951.

HARBERT (B.), «Romans 5,12 : Old Latin and Vulgate in the Pelagian Controversy», *Studia Patristica*, vol. 22, Leuven, 1989, p. 261-264.

HARL (M.), «Les modèles d'un temps idéal dans quelques récits de vie des Pères cappadociens», dans *Le temps chrétien de la fin de l'Antiquité au Moyen Age, IIIᵉ-XIIIᵉ siècles*, Colloques internationaux CNRS nᵒ 604, Paris, 1981, p. 220-241.

HARNACK VON (A.), *Sieben neue Bruchstücke der Syllogismen des Apelles*, Leipzig, 1890.

HARNACK VON (A.), *Marcion. Das Evangelium vom fremden Gott*, Leipzig, 2ᵉ éd., 1924.

HEFELE (Ch.) et LECLERCQ (H.), *Histoire des Conciles*, t.1, 2 vol., Paris, 1907.

HEINZELMANN (M.), «Neue Aspekte der biographischen und hagiographischen Literatur in der lateinischen Welt (1-6 Jahrhundert)», *Francia* 1 (1973), p. 27-44.

HELLEMO (G.), *Adventus Domini. Eschatological Thought in 4th-Century Apses and Catecheses*, Leiden, 1989.

HOPKINS (K.), *Death and Renewal, Sociological Studies in Roman History 2*, Cambridge, 1983.

HORDEN (P.), «The death of ascetics : sickness and monasticism in the early Byzantine Middle East», *Studies in Church History* 22 (1985), p. 41-52.

HOVEN (R.), *Stoïcisme et Stoïciens face au problème de l'au-delà*, Paris, 1971.

HUMPHREYS (S.C.), *Mortality and Immortality : the anthropology and archeology of death*, Londres, 1982.

HUNTER (D.), « Resistance to the Virginal Ideal in Late Fourth Century Rome : the Case of Jovinian », *Theological Studies* 48 (1987), p. 45-64.

HUNTER (D.), « On the Sin of Adam and Eve : A little-known Defense of Marriage and Childbearing by Ambrosiaster », *Harvard Theological Review* 82 (1989), p. 283-299.

IACOANGELI (R.), « La catechesi escatologica di s. Ambrogio », *Salesianum* 41 (1979), p. 403-417.

ISAMBERT (F.-A.), « Les transformations du rituel catholique des mourants », *Archives de Science sociale des Religions* 39 (1975), p. 89-100.

JALLAND (T.), *The Life and Times of St. Leo the Great*, Londres, 1941.

JAMES (N.W.), « Who were the Pelagians found in Venetia during the 440s? », *Studia Patristica*, vol. 22, Leuven, 1989, p. 271-276.

JANINI (J.), *S. Siricio y las Cuatro Tempo*, Valence, 1958.

JANSSENS (J.), *Vita e morte del cristiano negli epitaffi di Roma anteriori al secolo VII*, Analecta Gregoriana 223, Rome, 1981.

JAY (P.), « Jérôme à Bethléem : les Tractatus in Psalmos », dans *Jérôme entre l'Occident et l'Orient. XVIᵉ centenaire du départ de saint Jérôme de Rome et de son installation à Bethléem*, Etudes Augustiniennes, Paris, 1988, p. 367-380.

JENKINS (C.), « Aspects of the Theology of St. Peter Crysologus », *The Church Quarterly Review* 103 (1927), p. 233-259.

JOHANNY (R.), *L'Eucharistie centre de l'histoire du salut chez saint Ambroise*, Théologie historique 9, Paris, 1968.

JOUASSARD (G.), « L'abandon du Christ d'après saint Augustin », *Revue des sciences philosophiques et théologiques* 13 (1924), p. 310-326.

JUNGMANN (J.-A.), *Missarum Solemnia. Explication génétique de la messe romaine*, trad. franç., Paris, 1952.

KELLY (J.N.D.), *Early Christian Doctrines*, Londres, 2ᵉ éd., 1960.

KELLY (J.N.D.), *Jerome, his Life, Writings, and Controversies*, Londres, 1975.

KLEINBERG (A.M.), « De agone christiano : the preacher and his audience », *Journal of Theological Studies* 38 (1987), p. 16-33.

LA BONNARDIERE (A.-M.), « Les commentaires simultanés de Mt 6,12 et de 1 Jo 1,8 dans l'œuvre d'Augustin », *Revue des Etudes Augustiniennes* 1 (1955), p. 129-147.

LA BONNARDIERE (A.-M.), *Biblia Augustiniana A.T. Les Livres Historiques*, Etudes Augustiniennes, Paris, 1960.

LA BONNARDIERE (A.-M.), *Biblia Augustiniana N.T. Les Epîtres aux Thessaloniciens, à Tite et à Philémon*, Etudes Augustiniennes, Paris, 1964.

LA BONNARDIERE (A.-M.), *Recherches de chronologie augustinienne*, Etudes Augustiniennes, Paris, 1965.

LA BONNARDIERE (A.-M.), « Le combat chrétien : exégèse augustinienne d'Ephésiens 6,12 », *Revue des Etudes Augustiniennes* 11 (1965), p. 235-238.

LA BONNARDIERE (A.-M.), « Pénitence et réconciliation des pénitents d'après saint Augustin », *Revue des Etudes Augustiniennes* 13 (1967), p. 31-53 et p. 249-283; 14 (1968), p. 181-204.

LA BONNARDIERE (A.-M.), *Biblia Augustiniana A.T. Le livre de la Sagesse*, Etudes Augustiniennes, Paris, 1970.

LA BONNARDIERE (A.-M.), « Les Enarrationes in Psalmos prêchées par saint

Augustin à l'occasion de fêtes de martyrs», *Recherches Augustiniennes* 7 (1971), p. 73-104.

LA BONNARDIERE (A.-M.), *Biblia Augustiniana A.T. Le Livre de Jérémie*, Etudes Augustiniennes, Paris, 1972.

LA BONNARDIERE (A.-M.), «Les *Enarrationes in Psalmos* prêchées par saint Augustin à Carthage en décembre 409», *Recherches Augustiniennes* 11 (1975), p. 52-90.

LAGARDE (A.), «La pénitence dans les Eglises d'Italie au cours des IVᵉ et Vᵉ siècles», *Revue de l'Histoire des Religions* 92 (1925), p. 108-147.

LAMBOT (C.), «Les sermons de saint Augustin pour les fêtes des martyrs», *Analecta Bollandiana* 67 (1949), p. 249-266.

LAMIRANDE (E.), *L'Eglise céleste selon saint Augustin*, Paris, 1963.

LAMIRANDE (E.), *Paulin de Milan et la Vita Ambrosii*, Paris-Montréal, 1983.

LAMPE (G.W.H.), «St. Peter's Denial and the Treatment of the Lapsi», *Orientalia Christiana Analecta* 195 (1973), p. 113-133.

LANÇON (B.), «Maladie et médecine dans la correspondance de Jérôme», dans *Jérôme entre l'Occident et l'Orient. XVIᵉ centenaire du départ de saint Jérôme de Rome et de son installation à Bethléem*, Etudes Augustiniennes, Paris, 1988, p. 355-366.

LANDES (R.), «Lest the millenium be fulfilled : apocalyptic expectations and the pattern of western chronography 100-800 CE», dans *The Use and Abuse of Eschatology in the Middle Ages*, Leuven, 1988, p. 137-211.

LANE FOX (R.), *Pagans and Christians*, San Francisco, 1986.

LANG (B.), «L'explication de texte comme l'une des formes élémentaires du culte chrétien», Communication à l'EHESS-Paris, Mars 1991.

LANZONI (F.), «I Sermoni 107 e 130 di S. Pier Crisologo», *Rivista di scienze storiche* 6 (1909), p. 944-962.

LANZONI (F.), «I Sermoni di S. Pier Crisologo», *Rivista di Scienze Storiche* 7.1 (1910), p. 121-86, p. 241-60, p. 331-61 et 7.2 (1910), p. 1-22, p. 183-216.

LAPOINTE (G.), *La célébration des martyrs en Afrique d'après les sermons de saint Augustin*, Montréal, 1972.

LATTIMORE (R.), *Themes in Greek and Latin Epitaphs*, Urbana, 1962.

LAVALETTE DE (H.), «L'interprétation du Ps 1,5 chez les Pères «miséricordieux» latins», *Recherches de science religieuse* 48 (1960), p. 544-563.

LE BAILLIF (I.), *Les attitudes devant la mort à Rome aux Iᵉ et IIᵉ siècles après Jésus-Christ*, Thèse de 3ᵉ cycle de l'Université de Paris X.

LECLERCQ (H.), «Cliniques», dans *Dictionnaire d'Archéologie chrétienne et de Liturgie*, t.3/2, c.1942-5.

LECLERCQ (H.), «Communion des morts», dans *Dictionnaire d'Archéologie chrétienne et de Liturgie*, t.3/2, c.2445-6.

LECLERCQ (H.), «Réserve eucharistique», dans *Dictionnaire d'Archéologie chrétienne et de Liturgie*, t.14/2, c.2385-2389.

LE LANDAIS (M.), «Deux années de prédication de saint Augustin. Introduction à la lecture de l'*In Johannem*», dans *Etudes Augustiniennes*, Paris, 1953, p. 9-95.

LEMARIE (J.), «La testimonianza del martirio nei sermoni di Cromazio di Aquileia», *Rivista di Storia e Letteratura Religiosa* 5 (1969), p. 3-12.

LIZZI (R.), *Vescovi e strutture ecclesiastiche nella città tardoantica (L'Italia Annonaria nel IV-V sec. d.C.)*, Biblioteca di Athenaeum 9, Côme, 1989.

LOISELLE (A.), «*Nature*» *de l'Homme et Histoire du salut*. Etude sur l'anthropologie d'Ambroise de Milan, thèse dactyl., Lyon, 1970.

LONGERE (J.), *La prédication médiévale*, Etudes Augustiniennes, Paris, 1983.

LOUIT (D.), «Le reniement et l'amour de Pierre dans la prédication de saint Augustin», *Recherches Augustiniennes* 10 (1975), p. 217-268.

MACMULLEN (R.), «The preacher's audience», *Journal of Theological Studies* 40 (1989), p. 503-511.

MADEC (G.), *Saint Ambroise et la philosophie*, Etudes Augustiniennes, Paris, 1974.

MADEC (G.), *La Patrie et la Voie. Le Christ dans la vie et la pensée de saint Augustin*, Paris, 1989.

MAES (B.), *La loi naturelle selon Ambroise de Milan*, Analecta Gregoriana 162, Rome, 1967.

MAHIEU (L.), «L'abandon du Christ sur la croix», *Mélanges de science religieuse* 2 (1945), p. 209-242.

MAIER (J.L.), *Le dossier du Donatisme*, 2 vol., TU 134-135, Berlin, 1987-1989.

La maladie et la mort du chrétien dans la liturgie, Conférences Saint-Serge, XXIᵉ Semaine d'Etudes Liturgiques, Rome, 1975.

MALONE (E.), *The Monk and the Martyr*, Studies in Christian Antiquity 12, Washington, 1950.

MANDOUZE (A.), *Saint Augustin, l'aventure de la raison et de la grâce*, Etudes Augustiniennes, Paris, 1968.

MARKUS (R.), *The End of Ancient Christianity*, Cambridge, 1990.

MARKUS (R.), *Conversion and Disenchantment in Augustine's Spiritual Career*, The Saint Augustine Lecture 1984, Villanova, 1989.

MARROU (H.-I.), «Le dogme de la résurrection des corps et la théologie des valeurs humaines selon l'enseignement de saint Augustin», *Revue des Etudes Augustiniennes* 12 (1966), p. 111-136 = *Patristique et Humanisme. Mélanges*, Paris, 1976, p. 429-455.

MARROU (H.-I.), «Les attaches orientales du Pélagianisme», *CRAI*, 1968, p. 459-472, = *Patristique et Humanisme. Mélanges*, Paris, 1976, p. 331 – 344.

MARROU (H.-I.), «La diatribe chrétienne», dans *Patristique et Humanisme. Mélanges*, Paris, 1976, p. 267-277 (trad. franç. de «Diatribe B. Christlich», dans *Reallexicon für Antike und Christentum*, vol.3, 1957, c.997-1009).

MARROU (H.-I.), *Décadence romaine ou Antiquité tardive (IIIᵉ-VIᵉ siècle)*, Paris, 1977.

MARTIN (H.), «Deux prédicateurs du XVᵉ siècle parlent de la mort», dans *La mort au Moyen Age*, Strasbourg, 1977, p. 103-124.

MARTINETTO (G.), «Les premières réactions antiaugustiniennes de Pélage», *Revue des Etudes Augustiniennes* 17 (1971), p. 83-117.

MATTHEWS (J.), *Western Aristocracies and Imperial Court AD 364-425*, Oxford, 1975.

MERSH (E.), *Le Corps Mystique du Christ. Etudes de théologie historique*, Paris, 3ᵉ éd., 1951.

MESLIN (M.), *Les Ariens d'Occident, 335-430*, Patristica Sorbonnensis 8, Paris, 1967.

MILES (M.R.), *Augustine on the Body*, Washington, 1979.

MILES (M.R.), *Fullness of Life. Historical Foundations for a New Asceticism*, Philadelphie, 1981.

MILES (M.R.), «The Body and Human Values in Augustine of Hippo», dans *Grace, Politics and Desire : Essays on Augustine*, Calagary, 1990, p. 55-67.

MOHRMANN (Ch.), «Saint Augustin écrivain», *Recherches Augustiniennes* 1 (1958), p. 43-66.

MONACHINO (V.), *La cura pastorale a Milano, Cartagine e Roma nel secolo IV*, Analecta Gregoriana 41, Rome, 1947.

MONAT (P.), «L'exégèse de la Parabole de l'Intendant infidèle du IIᵉ au XIIᵉ siècle», *Revue des Etudes Augustiniennes* 38 (1992), p. 89-123.

MONCEAUX (P.), *Histoire littéraire de l'Afrique chrétienne*, 7 vol., Paris, 1901-1923.

MONTCHEUIL DE (P.), «La polémique de saint Augustin contre Julien d'Eclane d'après l'Opus imperfectum», *Recherches de Science Religieuse* 44 (1956), p. 193-218.

MOOS VON (P.), *Consolatio. Studien zur mittellateinischen Trostliteratur über den Tod und zum problem den christlichen Trauer*, Münich, 1971.

MORIN (G.), «L'origine des Quatre-Temps», *Revue Bénédictine* 14 (1897), p. 337-346.

La mort, les morts dans les sociétés anciennes, G. Gnoli et J.-P. Vernant, éd., Cambridge, 1982.

La mort, les morts et l'au-delà dans le monde romain, F. Hinard, éd., Caen, 1987.

Morte e immortalità nella catechesi dei Padri del III-IV secolo, Rome, 1985.

MOSSAY (J.), *La mort et l'au-delà dans saint Grégoire de Naziance*, Louvain, 1966.

MOURANT (J.A.), *Augustine on Immortality*, The saint Augustine Lecture 1968, Villanova, 1969.

MUNIER (Ch.), *Les Statuta Ecclesiastica Antiqua*, Paris, 1960.

MURPHY (F.X.), «The sermons of Pope Leo the Great : content and style», dans *Preaching in the Patristic Age*, New York, 1989, p. 183-197.

McGLYNN (R.H.), *The Incarnation in the Sermons of Saint Peter Chrysologus*, Mundelein, 1956.

MOREAU (M.), *Le dossier Marcellinus dans la correspondance de saint Augustin*, Etudes Augustiniennes, Paris, 1973.

NAUROY (G.), «La méthode de composition d'Ambroise de Milan et la structure du *De Jacob et beata vita*», dans *Ambroise de Milan. XVIᵉ Centenaire de son élection épiscopale*, Etudes Augustiniennes, Paris, 1974, p. 115-153.

NTEDIKA (J.), *L'évolution de la doctrine du purgatoire chez saint Augustin*, Etudes Augustiniennes, Paris, 1966.

NTEDIKA (J.), «La pénitence des mourants et l'eschatologie des Pères latins», dans *Message et Mission*, Louvain-Paris, 1968, p. 109-127.

NTEDIKA (J.), *L'évocation de l'au-delà dans la prière pour les morts. Etude de patristique et de liturgie latines (IVᵉ-VIIIᵉ s.)*, Louvain, 1971.

NUVOLONE (F.G.) et SOLIGNAC (A.), «Pélage et Pélagianisme», dans *Dictionnaire de Spiritualité*, t.12, Paris, 1986, c.2889-2942.

OBERHELMAN (S.M.), *Rhetoric and Homiletics in Fourth-Century Christian Literature. Prose Rhythm, Oratorial Style, and Preaching in the Works of Ambrose, Jerome and Augustine*, Atlanta, 1991.

O'CONNEL (R.), *The Origin of the Soul in St. Augustine's Later Works*, New York, 1978.

OLIVAR (A.), *Los Sermones de San Pedro Crisologo*, Montserrat, 1962.

OLIVAR (A.), *La predicación cristiana antigua*, Barcelone, 1991.

OLIVAR (A.), «Sobre la cristologia de san Pedro Crisologo», dans *Bessarione*, Rome, 1985, p. 95-106.

OLTRAMARE (A.), *La diatribe romaine*, Paris, 1926.

OPELT (I.), «Das Bild des Sokrates in der christlichen lateinischen Literatur», dans *Platonismus und Christentum. Festschrift Dörrie*, Jahrbuch für Antike und Christentum 10, Münster, 1983, p. 192-207.

ORLANDI (T.), «Coptic Literature», dans *The Roots of Egyptian Christianity*, Philadelphie, 1986, p. 51-81.

PADOVESE (L.), *L'originalità cristiana. Il pensiero etico-sociale di alcuni vescovi norditaliani del IV secolo*, Rome, 1983.

PAGANOTTO (E.), *L'apporto dei sermoni di S. Pier Crisologo alla storia della cura pastorale a Ravenna nel secolo V*, Thèse de la Pontificia Università Gregoriana, Rome, 1969.

PAGELS (E.), *Adam, Eve, and the Serpent*, New York, 1988.

PALANQUE (J.-R.), *Saint Ambroise et l'Empire Romain*, Paris, 1933.

PALMER (P.F.), *Sacraments and Forgiveness. History and Doctrinal Development of Penance, Extreme Unction and Indulgences*, Londres, 1960.

PAREDI (A.), *La liturgia di S. Ambrogio*, Milan, 1940.

PASTORINO (A.), «Il 'De obitu sancti Paulini' di Uranio», *Augustinianum* 24 (1984), p. 115-141.

PAXTON (F.S.), *Christianizing Death. The Creation of a Ritual Process in Early Medieval Europe*, Ithaca, 1990.

PELIKAN (J.), *The Shape of Death. Life, Death and Immortality in the Early Fathers*, Londres, 1962.

PELLEGRINO (M.), «Martiri e martirio in S. Massimo di Torino», *Rivista di Storia e Letteratura Religiosa* 17 (1981), p. 169-192 = *Ricerche Patristiche*, Turin, 1982, vol.1, p. 683-703.

PELLEGRINO (M.), «Doppioni e varianti nel Commento di S. Agostino a Giov. XXI, 15-19», *Studi e Materiali di Storia delle Religione* 38 (1938), p. 403-419 = *Ricerche Patristiche*, Turin, 1982, vol.1, p. 97-113.

PELLEGRINO (M.), «S. Agostino pastore d'anime», *Recherches Augustiniennes* 1 (1958), p. 317-338 = *Ricerche Patristiche*, Turin, 1982, vol.1, p. 315-336.

PELLEGRINO (M.), «Cristo e il martire nel pensiero di Sant'Agostino», *Rivista di Storia e Letteratura Religiosa* 2 (1966), p. 427-460 = *Ricerche Patristiche*, Turin, 1982, vol.1, p. 635-668.

PELLEGRINO (M.), «Chiesa e martirio in Sant'Agostino», *Rivista di Storia e*

Letteratura Religiosa 1 (1965), p. 191-227 = *Ricerche Patristiche*, Turin, 1982, vol.1, p. 597-633.

PELLEGRINO (M.), «Cristo e il martire nel pensiero di S. Ambrogio», dans *Ricerche Patristiche*, Turin, 1982, vol.1, p. 583-588.

PELLEGRINO (M.), «Il martire e la chiesa nel pensiero di S. Ambrogio», dans *Ricerche Patristiche*, Turin, 1982, vol.1, p. 589-595.

PEPIN (J.), «Augustin et le symbolisme néoplatonicien de la vêture», dans *Augustinus Magister*, Paris, 1955, vol.1, p. 293-306.

PERI (V.), *Omilie origeniane sui Salmi. Contributo all'identificazione del testo latino*, Studi e Testi 289, Rome, 1980.

PERLER (O.), *Les voyages de saint Augustin*, Etudes Augustiniennes, Paris, 1969.

PERRIN (M.), *L'homme antique et chrétien. L'anthropologie de Lactance*, Paris, 1981.

PÉTRÉ (H.), «Misericordia. Histoire du mot et de l'idée du paganisme au christianisme», *Revue des Etudes Latines* 12 (1934), p. 376-389.

PIETRI (Ch.), *Roma Christiana. Recherches sur l'Eglise de Rome, son organisation, sa politique, son idéologie de Miltiade à Sixte III*, 2 vol., BEFAR 224, Rome, 1976.

PIETRI (Ch.), «Les aristocraties de Ravenne (V^e-VIe s.)», *Studi Romagnoli* 34 (1983), p. 643-673.

PIKHAUS (D.), *Levensbeschouwings en milieu in de latinjnse metrische inscripties*, Bruxelles, 1978.

PIKHAUS (D.), «La vie, la mort et l'au-delà dans les inscriptions latines paléochrétiennes», *Studia Patristica* 15 (1984), p. 233-237.

PIZZOLATO (L.F.), «La 'consolatio' cristiana per la morte nel sec IV. Riflessioni metodologiche e tematiche», *Civilta classica e cristiana* 6 (1985), p. 441-474.

PLINVAL DE (G.), *Pélage, ses écrits, sa vie et sa réforme*, Paris, 1943.

PLUMPE (J.G.), «Mors secunda», dans *Mélanges J. de Ghellinck*, Gembloux, 1951, t.1, p. 387-403.

POLLASTRI (A.), *Ambrosiaster : Commento alla Lettera ai Romani. Aspetti Cristologici*, L'Aquila, 1977.

PONTET (M.), *L'exégèse de saint Augustin prédicateur*, Paris, 1946.

POQUE (S.), *Le langage symbolique dans la prédication d'Augustin d'Hippone. Images héroïques*, Etudes Augustiniennes, Paris, 1984.

POQUE (S.), «L'écho des événements de l'été 413 à Carthage dans la prédication de saint Augustin», dans *Homo spiritalis. Festgabe für Luc Verheijen OSA zum 70. Geburstag*, Cassiciacum 38, Würzburg, 1987, p. 391-399.

POSCHMANN (B.), *La pénitence et l'onction des malades*, Histoire des Dogmes IV.3, Paris, 1966.

PRETE (S.), *Pelagio e il Pelagianismo*, Rome, 1961.

PUECH (H.-Ch.), *Sur le Manichéisme et autres essais*, Paris, 1979.

PUECH (H.-C.) et HADOT (P.), «L'entretien d'Origène avec Héraclide et le commentaire de saint Ambroise sur l'Evangile de Luc», *Vigiliae Christianae* 13 (1959), p. 204-234.

QUASTEN (J.), *Initiation aux Pères de l'Eglise*, t.IV, Paris, 1986.

RAMSEY (B.), «Almsgiving in the Latin Church : the Late Fourth and Early Fifth Centuries», *Theological Studies* 43 (1982), p. 226-259.

REBILLARD (E.), «La détresse des mourants : sa valeur dans les sermons d'Augustin», *Revue des Etudes Latines* 69 (1991), p. 145-167.

REBILLARD (E.), «La naissance du viatique. Se préparer à mourir en Italie et en Gaule au Vᵉ siècle», *Médiévales* 20 (1991), p. 99-108.

REBILLARD (E.), «Aux origines du viatique. Etude lexicale des emplois du mot *viaticum* dans les documents italiens et gaulois du Vᵉ siècle», *Bulletin de la Société Ernest-Renan* 40 (1990-1991), p. 15-21.

REBILLARD (E.), «*Quasi funambuli* : Cassien et la controverse pélagienne sur la perfection», *Revue des Etudes Augustiniennes* 40 (1994), p. 197-210.

RECHEIS (A.), *Engel, Tod, und Seelenreise. Das Wirken der Geister beim Heimgang des Menschen in der lehre der alexandrinischen und kappadokischen Väter*, Rome, 1958.

REFOULE (R.), «Datation du premier concile de Carthage contre les Pélagiens et du Libellus fidei de Rufin», *Revue des Etudes Augustiniennes* 9 (1963), p. 41-49.

REVEILLAUD (M.), «Le Christ-Homme, tête de l'Eglise. Etude d'ecclésiologie selon les Enarrationes in Psalmos d'Augustin», *Recherches Augustiniennes* 5 (1968), p. 67-94.

RICHE (P.), «La pastorale populaire en Occident (VIᵉ-XIᵉ siècles)», dans *Histoire vécue du peuple chrétien*, Toulouse, 1979, t.1, p. 195-221.

RIES (J.), «Mort et survie selon les doctrines de Mani» dans *La mort selon la Bible dans l'Antiquité classique et selon le Manichéisme*, Louvain, 1983, p. 137-157.

RIGHETTI (M.), *Manuale di Storia Liturgica*, 4 vol., Milan, 1964-1969.

RILEY (H. M.), *Christian Initiation. A Comparative Study of the Interpretation of Baptismal Liturgy in the Mystagogical Writings of Cyril of Jerusalem, John Chrysostom, Theodore of Mopsuestia and Ambrose of Milan*, Studies in Christian Antiquity 17, Washington, 1974.

RIST (J.M.), *Stoic Philosophy*, Cambridge, 1969.

RIVIERE (J.), «Mort et démon chez les Pères. I-Les Pères latins», *Revue des sciences religieuses* 10 (1930), p. 577-603.

RONCONI (A.), «Exitus illustrium virorum», dans *Reallexicon für Antike und Christentum*, t.7, 1969, c.1258-68.

RONDEAU (M.-J.), *Les commentaires patristiques du psautier (IIIᵉ-Vᵉ siècles)*, 2 vol., Orientalia Christiana Analecta 219-220, Rome, 1981-1985.

RONDET (H.), «Notes d'exégèse augustinienne», *Recherches de science religieuse* 39 (1951-1952), p. 472-477.

RONDET (H.), «Le symbolisme de la mer chez saint Augustin», dans *Augustinus Magister*, Paris, 1955, vol.2, p. 691-701.

RONDET (H.), «Notes d'exégèse augustinienne : Psalterium et Cithara», *Recherches de science religieuse* 46 (1958), p. 408-415.

RONDET (H.), «Essais sur la chronologie des Enarrationes in Psalmos de saint Augustin», *Bulletin de littérature ecclésiastique* 61 (1960), p. 117-27, p. 258-68; 65 (1964), p. 110-36; 68 (1967), p. 180-202; 71 (1970), p. 174-20; 75 (1974), p. 161-88.

RUSH (A.C.), *Death and Burial in Christian Antiquity*, Studies in Christian Antiquity 1, Washington, 1941.

RUSH (A.C.), «The Eucharist : The Sacrament of the Dying in Christian Antiquity», *The Jurist* 34 (1974), p. 10-35.

RUTHERFORD (R.), *The Death of a Christian : The Rite of Funerals*, New York, 1980.

Sacrements pour les malades. Pastorale et célébration, Paris, Chalet-Tardy, 1980.

SAINT-ROCH (P.), *La pénitence dans les conciles et les lettres des papes des origines à Grégoire le Grand*, Rome, 1991.

SANDERS (G.), *Bijdrage Tot de Studie der latijnse metrische Grafschriften van het heidense Rome : de Begrippen Licht en Duisternis*, Bruxelles, 1960.

SANDERS (G.), *Licht en Duisternis in de chrislijke Grafschriften*, Bruxelles, 1965.

SANDERS (G.), «La mort chrétienne au IVᵉ siècle d'après l'épigraphie funéraire de Rome. Nouveauté, continuité, mutation.», dans *Miscellaneae Historicae Ecclesiasticae VI*, Bruxelles, 1983, p. 251-266.

SANDERS (G.), «L'épitaphe latine païenne et chrétienne : la synchronie des discours sur la mort», dans *Acta of the VIIIth International Congress on Greek and Latin Epigraphy*, Athènes, 1984, p. 181-218.

SANDERS (G.), *Lapides memores : païens et chrétiens face à la mort. Le témoignage de l'épigraphie funéraire latine*, Epigrafia e Antichità 11, Faenze, 1991.

SAVON (H.), *Saint Ambroise devant l'exégèse de Philon le Juif*, Etudes Augustiniennes, Paris, 1977.

SAVON (H.), «Une consolation imitée de Sénèque et de saint Cyprien», *Recherches Augustiniennes* 14 (1979), p. 153-190.

SAVON (H.), «La première oraison funèbre de saint Ambroise (De Excessu fratris I) et les deux sources de la consolation chrétienne», *Revue des Etudes Latines* 58 (1980), p. 370-402.

SAXER (V.), *Morts, martyrs, reliques en Afrique chrétienne aux premiers siècles. Les témoignages de Tertullien, Cyprien, et Augustin à la lumière de l'archéologie africaine*, Théologie historique 55, Paris, 1980.

SAXER (V.), *Les rites de l'initiation chrétienne du IIᵉ au VIᵉ siècle. Esquisse historique et signification d'après les principaux témoins*, Spolète, 1988.

SCHEIBELREITER (G.), *Der Bischof in der merovingischer Zeit*, Cologne, 1983.

SCHEIBELREITER (G.), «The Death of a Bishop in the Early Middle Ages», dans *The End of Strife*, Edimbourg, 1984, p. 32-43.

SCHMITZ (J.), *Gottesdienst im altchristlichen Mailand*, Theophania 25, Cologne-Bonn, 1975.

SHAW (B.), «The Cultural Meaning of Death : Age and Gender in the Roman Family», dans *The Family in Italy*, New Haven, 1991, p. 66-90.

SICARD (D.), *La liturgie de la mort dans l'Eglise latine, des origines à la réforme carolingienne*, Liturgiewissenschaftliche Quellen und Forschungen 63, Münster, 1978.

SICARD (D.), «La mort du chrétien», dans *L'Eglise en prière*, Paris, 1984, t.3, p. 238-54.

Sieben (H.J.), *Exegesis Patrum. Saggio bibliografico sull'esegesi biblica dei Padri della Chiesa*, Sussidi Patristici 2, Rome, 1983.

Simonetti (M.), «La Sacra Scrittura in Teofilo d'Antiochia», dans *Epektasis. Mélanges J. Daniélou*, Paris, 1972, p. 197-207.

Simonetti (M.), «Qualche riflessione su Quodvultdeus di Cartagine», *Rivista di Storia et Letteratura Religiosa* 14 (1978), p. 201-207.

Sirago (V.A.), *L'uomo del IV secolo*, Naples, 1989.

Smith (J.Z.), *Drudgery Divine. On the Comparison of Early Christianities and the Religions of Late Antiquity*, Chicago, 1990.

Sotinel (C.), «Maximus von Turin», dans *Theologische Realenzyklopädie*, vol.XXII (1993), p. 304-307.

Sottocornola (F.), *L'anno liturgico nei sermoni di Pietro Crisologo*, Cesena, 1973.

Spanneut (M.), *Le Stoïcisme des Pères de l'Eglise de Clément de Rome à Clément d'Alexandrie*, Patristica Sorbonnensia 1, Paris, 1957.

Spanneut (M.), *Permanence du stoïcisme de Zénon à Malraux*, Gembloux, 1973.

Spanneut (M.), «Le stoïcisme et Saint Augustin», dans *Forma Futuri. Studi in onore di M. Pellegrino*, Turin, 1975, p. 896-914.

Speigl (J.) «Petrus Chrysologus über die Auferstehung der Toten», dans *Jenseitsvorstellungen in Antike und Christentum. Gedenkschrift für Alfred Stuiber*, Jahrbuch für Antike und Christentum 9, Münster, 1982, p. 140-153.

Spinelli (M.), «L'eco delle invasioni barbariche nelle omelie di Pier Crisologo», *Vetera Christianorum* 16 (1979), p. 87-93.

Stauffer (E.), «Abschiedsreden», dans *Reallexicon für Antike und Christentum*, t.1, 1950, c.29-34.

Stein (E.), *Histoire du Bas-Empire*, Paris, 1950.

Stramondo (G.), *Studi sul «de mortalitate» di Cipriano*, Catane, 1964.

Straw (C.), «Augustine as Pastoral Theologian : the Exegesis of the Parables of the Field and Threshing Floor», *Augustinian Studies* 14 (1983), p. 129-151.

Studer (B.), «Una Persona in Christo. Ein augustinisches Thema bei Leo dem Grossen», *Augustinianum* 25 (1985), p. 453-487.

Studer (B.), «Die Einflüsse der Exegese Augustins auf die Predigten Leos des Grossen», dans *Forma Futuri. Studi in onore di M. Pellegrino*, Turin, 1975, p. 915-930.

Studer (B.), «L'Eucarestia, remissione dei peccati secondo Ambrogio di Milano», dans *Catechesi battesimale e Riconciliazione nei Padri del IV Secolo*, Biblioteca di Scienze Religiose 60, Rome, 1984, p. 65-80.

Studer (B.), «Sacramentum et exemplum chez saint Augustin», *Recherches Augustiniennes* 10 (1975), p. 87-141.

Studer (B.), «Le Christ, notre justice, selon saint Augustin», *Recherches Augustiniennes* 15 (1980), p. 99-143.

Stuiber (A.), *Refrigerium interim*, Bonn, 1957.

Stuiber (A.), «Der Tod des Aurelius Augustinus», dans *Jenseitsvorstellungen in Antike und Christentum. Gedenkschrift für Alfred Stuiber*, Jahrbuch für Antike und Christentum 9, Münster, 1982, p. 1-8.

TENTLER (T.N.), *Sin and Confession on the Eve of the Reformation*, Princeton, 1977.

TESELLE (E.), «Rufinus the Syrian, Caelestius, Pelagius : Explorations in the Prehistory of the Pelagian Controversy», *Augustinian Studies* 3 (1972), p. 61-95.

TOSCANI (G.), *Teologia della chiesa in sant'Ambrogio*, Studia Patristica Mediolanensia 3, Milan, 1974.

TRAPE (A.), «Introduzione generale» dans *Nuova Biblioteca Agostiniana*, t.17/1 : *Natura e Grazia*, Rome, 1981, p. vii-ccxv.

TRUZZI (C.), *Zeno, Gaudenzio e Cromazio. Testi e contenuti della predicazione cristiana per le chiese di Verona, Brescia e Aquileia*, Brescia, 1985.

TURNER (C.H.), *Ecclesiae Occidentalis Monumenta Juris Antiquissima, canonum et conciliorum graecorum interpretationes latinae*, Oxford, 1899-1939.

UYTFANGHE VAN (M.), «L'hagiographie et son public à l'époque mérovingienne», *Studia Patristica* 16 (1985), p. 54-62.

UYTFANGHE VAN (M.), «L'empreinte biblique dans la plus ancienne hagiographie occidentale», dans *Le monde latin et la Bible*, La Bible de Tous les Temps 2, Paris, 1985, p. 565-610.

UYTFANGHE VAN (M.), *Stylisation biblique et condition humaine dans l'hagiographie mérovingienne*, Bruxelles, 1987.

VALERO (J.), *Las bases antropologicos de Pelagio en su tratado de las Expositiones*, Madrid, 1980.

VALERO (J.), «El Estoicismo de Pelagio», *Estudios Eclesiaticos* 57 (1982), p. 39-63.

VERBRAKEN (P.-P.), *Etudes critiques sur les sermons authentiques de saint Augustin*, Instrumenta patristica 12, Steenbrugis, 1976.

VERMEULEN (J.), *The Semantic Development of Gloria in Early Christian Latin*, Latinitas Christianorum Primaeva 12, Nimègue, 1956.

VERMEYLEN (J.), «Le cheminement de la pénitence selon saint Augustin», *Collectanea Mechlinensia* 51 (1966), p. 514-546.

VERSTREPEN (J.-L.), «Origines et instauration des Quatre-Temps à Rome», *Revue Bénédictine* 103 (1993), p. 339-365.

VINCENTINI (O.), «La morale nei sermoni di San Zeno vescovo di Verona», *Studia Patavina* 29 (1982), p. 241-284.

VOGEL (C.), «La discipline pénitentielle en Gaule des origines au IXᵉ siècle : le dossier hagiographique», *Revue des sciences religieuses* 30 (1956), p. 1-26 et p. 157-186.

VOGEL (C.), *La discipline pénitentielle en Gaule des origines au VII siècle*, Strasbourg, 1962.

VOGEL (C.), *Le pécheur et la pénitence dans l'Eglise ancienne*, Paris, 1966.

VOGT (H.J.), *Coetus Sanctorum. Die Kirchenbegriff des Novatian und die Geschichte seiner Sonderkirche*, Theophania 20, Bonn, 1968.

VORGRIMLER (H.), *Busse und Krankensalbung*, Handbuch der Dogmengeschichte IV,3, Vienne, 1978.

VOVELLE (M.), «Les attitudes devant la mort, front actuel de l'histoire des mentalités», *Archives de science sociale des Religions* 39 (1975), p. 17-29.

VOVELLE (M.), «L'histoire des hommes au miroir de la mort», dans *Death in the Middle Ages*, Louvain, 1983, p. 1-18.

WALKER (J.H.), «Further Notes on Reservation Practice and Eucharistic Devotion. The Contribution of the Early Church at Rome», *Ephemerides Liturgicae* 98 (1984), p. 392-404.

WALPOLE (S.), *Early Latin Hymns*, Cambridge, 1922.

WILLIS (G.G.), *Saint Augustine's Lectionary*, Londres, 1962.

WRIGHT DOYLE (G.), «Augustine's sermonic method», *Westminster Theological Journal* 39 (1977), p. 213-238.

ZARB (S.), *Chronologia Enarrationum S. Augustini in Psalmos*, Malta, 1948.

INDICES

INDEX SCRIPTURAIRE

GENÈSE 2, 17 : 34; 2-3 : 11-12, 3, 19 : 15, 18, 38-39; 4, 7 : 135; 22, 7-8 : 25; 27, 40 : 21
DEUTÉRONOME 32, 39 : 131
2 ROIS 12, 13 : 162
JOB 7, 1 : 154, 156, 157, 189, 190, 192; 14, 5 : 140, 141
PSAUMES 1, 5 : 133; 4, 5 : 137; 6, 1 : 169; 26, 9 : 159; 37, 5 : 139; 42, 5 : 146-148, 159; 48, 6 : 138-139; 50, 5-6 : 152; 50, 11 : 159; 89, 7 : 56; 94, 2 : 159; 99, 1 : 177; 100, 1 : 133; 110, 10 : 149; 115, 5 : 116; 118, 3 : 155; 118, 52 : 134; 118, 101 : 137; 118, 124 : 142; 128, 4 : 158; 129, 1 : 160; 129, 3 : 160, 195; 142, 2 : 141, 142, 151, 171
PROVERBES 20, 9 : 141, 190, 195
SAGESSE 1, 13 : 14, 48, 101; 2, 24 : 14, 101
ECCLÉSIASTIQUE 1, 16 : 149; 3, 33 : 163-164
ISAÏE 11, 2-3 : 149; 53, 7 : 104
EZÉCHIEL 18, 4 : 12; 18, 23 : 217; 18, 33 : 217
MATTHIEU 5, 3 : 149; 5, 7 : 193-194; 5, 22 : 160; 6, 12 : 156, 157, 161, 195; 9, 12-13 : 171; 18, 15-18 : 131; 18, 18 : 204, 206; 25, 31-46 : 193; 26, 22 : 194; 26, 38-39 : 70-82; 26, 38 : 2, 83, 111, 229; 26, 39 : 44, 58, 112-113; 36, 41 : 157

MARC 8, 25 : 79
LUC 1, 5-25 : 178; 1, 6 : 134, 174; 1, 12 : 172; 9, 27 : 26-27; 11, 5-13 : 136; 12, 20 : 188; 15, 17 : 175; 15, 25 : 177; 21, 34 : 185; 22, 42 : 57; 22, 61 : 111; 23, 42 : 181, 217
JEAN 1, 23 : 131; 3, 8 : 133; 5, 14 : 130; 6, 54 : 202; 10, 11 : 177; 12, 25 : 79; 15, 13 : 44; 21, 15-19 : 58; 21, 18 : 37, 43, 44, 55-58, 83
ROMAINS 5, 12 : 46-47; 5, 12-21 : 178; 6, 3 : 17; 6, 4 : 12, 131; 7, 15 : 173; 7, 17 : 155; 7, 23 : 140, 152, 171, 192
1 CORINTHIENS 15, 1-3 : 98; 15, 31 : 23; 15, 53 : 59, 60; 15, 54 : 153; 15, 55 : 1
2 CORINTHIENS 5, 1 : 59; 5, 4 : 37, 44, 58-61, 63, 70, 83
GALATES 5, 17 : 171, 189
EPHÉSIENS 5, 25-27 : 134
PHILIPPIENS 1, 21 : 12, 229; 1, 23 : 13, 14, 21, 28, 37, 61-63; 1, 21-24 : 18; 3, 21 : 75
1 THESSALONICIENS 4, 13 : 32
2 TIMOTHÉE 3, 12 : 116, 188; 4, 6-8 : 32, 43, 58, 62
JACQUES 2, 13 : 195
1 JEAN 1, 8 : 155, 161, 190, 195; 4, 18 : 149, 150

INDEX DES SOURCES

AMBROISE

Apologia Dauid 46 : 135; 54 : 140.
De bono mortis 1.2 : 12; 2.3 : 12, 13; 3.8 : 12, 22; 3.9 : 22; 4.13 : 14; 4.15 : 14; 7.30 : 41; 8.31 : 9, 19, 20, 41, 134; 8.33 : 18, 19, 20, 133; 8.45 : 19; 11.48 : 133; 12.52 : 24.
De Cain et Abel I, 3, 10 : 140; II, 7,

25 : 135; II, 9, 27 : 135; II, 10, 35 : 17.

De excessu fratris II, 35 : 23; 36-37 : 13, 15, 39; 37 : 16; 38 : 15; 47 : 14, 15.

De fide II, 41-42 : 72-73; II, 56 : 73; II, 90 : 73; II, 92 : 140.

De Iacob et beata uita I, 1, 1 : 137; I, 8, 38 : 21; II, 3, 10-13 : 21; II, 3, 12 : 21.

De interpellatione Iob et Dauid I, 3, 6 : 136; I, 7, 22 : 141; II, 1, 1 : 136.

De Ioseph 1.1 : 20

De mysteriis 6, 31-32 : 138; 6, 32 : 139

De Nabuthae 12, 52 : 164

De Noe 22, 80-81 : 135; 22, 81 : 140; 29, 112 : 136.

De officiis I, 47, 228 : 136-137

De paenitentia I, 1, 3-4 : 140; I, 3, 10-14 : 215; I, 3, 13 : 12; I, 4 : 140; I, 8, 39 : 143; II, 7, 74 : 141; II, 10, 95 : 144, 162; II, 11, 194 : 135.

De paradiso 5.28 : 17; 7.35 : 17; 9.45 : 13, 17; 11.51 : 135.

De sacramentis I, 5-6 : 130; II, 17 : 18; II, 23 : 17; III, 4-7 : 138.

Epistulae 2, 7 : 21; 51, 4 : 137

Exameron V, 23.7-8 : 60

Explanationes in Psalmum 1, 20 : 141; 1, 22 : 142; 1, 53 : 142; 35, 23 : 142; 36, 18 : 137; 36, 60 : 57; 36, 70-75 : 142; 36, 81 : 60; 37, 51 : 143; 38, 22 : 60; 39, 18 : 60, 77; 40, 6 : 77; 40, 7 : 138; 43, 74 : 60; 48, 8-9 : 138-139; 61, 4 : 140; 61, 6 : 77

Expositio in Psalmum 118 3, 22 : 60; 7, 15-17 : 134; 8, 28-30 : 142; 8, 30 : 140; 13, 16 : 137; 16, 31-33 : 142-143; 16, 32 : 140; 20, 22-42 : 142; 22, 27 : 140

Hymni XII, 17-20 : 57.

In Lucam I, 17 : 134; VII, 1-6 : 26-27; VII, 35 : 13; 17; VII, 88 : 136; VII, 126 : 60; VII, 133 : 77; VII, 152 : 134; X, 56 : 76; X, 57 : 77; X, 60-62 : 77; X, 177-178 : 57.

ATHANASE

Oratio contra Arianos 3, 26 : 70.

AUGUSTIN

Confessiones 4, 6, 11 : 69; 6, 16, 26 : 148

Contra Adimantum 21 : 87.

Contra Cresconium III, xlix, 54 : 88.

Contra duas epistulas pelagianorum I, xiii-xiv : 153; IV, i, 1 : 42; IV, ii, 2 : 42; IV, iv, 6 : 41; IV, x, 27 : 42.

Contra Faustum 21, 5 : 86; 21, 7 : 86; 30, 6 : 84.

Contra Iulianum II, 3, 6 : 42.

Contra litteras Petiliani II, xiv, 32 : 88; II, xx, 46 : 88.

Contra Maximinianum arianum 2, 20 : 70.

De catechizandis rudibus 5, 9 : 149; 7, 11 : 149; 22, 40 : 90; 25, 47 : 149.

De ciuitate Dei XIII, v-vi : 41; XIII, ix : 41; XIV, iii : 64; XIV, vi, 3-4 : 90; XIV, vi-ix : 90; XIV, 9, 5 : 151.

De diuersis quaestionibus 25 : 87; 34 : 91.

De doctrina christiana III, xxx, 42 : 73; III, xxxi, 44 : 73.

De dono perseuerentiae 20, 53 : 64.

De duabus animabus 9, 12 : 156.

De Genesi ad litteram VI, xxv, 36 : 33; VI, xxvi, 37 : 34.

De gratia Christi et de peccato originali II, 3, 3 : 30.

De gratia noui testamenti (= Ep. 40) 16 : 84; 27 : 84.

De libero arbitrio III,vi.18-viii.23 : 86.

De natura et gratia 18, 20 : 161; 19 : 46; 21, 23 : 36; 35, 41 : 165; 57, 67 : 149; 63, 74-75 : 134, 174.

De peccatorum meritis et remissione I, ii, 2 : 33, 34, 37; I, iii, 3 : 33, 35; II, 10, 13 : 161; II, 19-20 : 174; II, 30, 49 : 35; II, 31, 50-51 : 35; II, 34, 54 : 35; III, 1, 1 : 36; III, 13, 23 : 36.

De perfectione iustitiae hominis II : 46; XVIII, 38 : 174.

De praedestinatione sanctorum xiv, 26-29 : 42.

De sermone Domini in monte I, i, 3 : 149; I, iv, 11-12 : 149.

De spiritu et littera 5-6 : 149; 23-24 : 149.

Enarrationes in Psalmos 6,4 : 174; 6,5 : 174; 18,i,10 : 151; 21,i,25 : 159; 21,ii,4 : 78; 26,ii,16 : 159; 29,2,19 : 159; 30,ii,s.1,3 : 57, 58, 79; 30,ii,s.1,4 : 65; 30,ii,s.1,13 : 60; 31,ii,9 : 159; 31,ii,26 : 78, 79; 32,ii,s.1,1-2 : 159; 32,ii,s.1,2 : 78; 32,ii,s.1,19 : 159; 40, 6 : 74, 78; 42 : 146-148; 42, 7 : 78, 151, 158, 159; 44,10 : 159; 44,18 : 159; 50,11 : 162; 50,14 : 159; 50,16 : 159; 57,3 : 159; 58,s.1.12 : 151; 58,s.1,12-14 : 159; 58,s.1,13 : 159; 63,18 : 78; 66,7 : 159; 67,40 : 159; 68,s.1,3 : 57, 59, 60, 65; 68,s.2,2 : 159; 74,2 : 159; 74,9 : 159; 78,12 : 151; 85, 1 : 78; 87, 3 : 79, 82; 87, 5 : 74; 89, 7 : 56, 79; 90,s.2,6 : 224; 93,18-19 : 78; 94,4 : 159; 100,6 : 78; 101,s.1,2 : 75; 101,s.1,3 : 159; 103,s.3,11 : 78; 103,s.4,13 : 159; 118,s.3 : 162; 118,s.3,1-2 : 155-156; 118,s.29,4 : 159; 118,s.31,8 : 159; 122,3 : 159; 128,9 : 151, 158-159; 129 : 160-161; 142, 6 : 151; 142, 9 : 78; 142,13 : 159; 144,19 : 78.

Epistulae 79 : 85; 145, 5 : 149; 151, 14 : 224; 217, vi, 22 : 42; 258, 5 : 224.

Opus Imperfectum II, 186 : 37; III, 189 : 46; VI, 17 : 38; VI, 25 : 38; VI, 27 : 38-39, 40; VI, 30 : 39.

Retractationes I,15,2 : 156; II, 6, 2 : 69; II, 36 : 84.

Sermones 4, 36 : 117; 8, 17 : 149; 19,1 : 159; 20, 2 : 159; 29,2-4 : 159; 29A, 3 : 159; 29A, 4 : 159; 31, 3 : 55, 74, 79, 82; 34 : 149; 46, 10 : 157; 47, 2 : 159;56, 8 : 153; 56, 11 : 153, 155; 56, 12 : 156; 57,

6 : 153; 57, 9 : 153; 57, 11 : 156; 58, 4 : 153; 58, 10 : 155; 59, 5 : 153; 59, 7 : 153; 94A : 118; 136A, 2 : 159; 150 : 90; 156 : 90; 156, 7 : 90; 160, 5 : 78; 161, 9 : 151; 170, 4-6 : 151-152; 170, 8 : 158; 172, 1 : 9, 45; 173, 2 : 45, 55, 57; 176, 5 : 159; 179A, 1 : 151; 179A, 6 : 154; 181 : 165-166; 186, 2 : 78; 194, 4 : 159; 214, 7 : 78; 223E, 1 : 157; 229H, 2 : 53; 229H, 3 : 67; 256, 1 : 157; 261, 7 : 78; 265A, 6 : 78; 265D, 3 : 78; 277 : 68-69; 277, 8 : 60; 278, 12 : 159; 278, 13 : 154; 280, 3-4 : 55; 286, 7 : 117; 296, 8 : 56, 58, 78, 79; 297, 1-2 : 56; 297, 2 : 45, 47; 297, 3 : 79, 80; 298, 3 : 62, 63; 298, 4 : 63; 299, 8 : 43-44, 55, 57, 58, 79; 299, 9 : 44, 60; 301 : 53; 301A, 3 : 53; 302, 4 : 53; 305, 2 : 74; 305, 4 : 79, 80-81, 82, 89; 306 : 54; 311 : 53; 313C, 1 : 80; 313D, 1 : 80; 313D, 3 : 79, 80; 328, 9 : 117, 118; 329, 2 : 78; 330, 2 : 80; 331, 1 : 80; 335A, 2 : 54; 335B, 3 : 55, 79; 335B, 4 : 54; 335D, 3 : 117; 335H, 2 : 53; 344, 3 : 53, 55, 57, 58, 66, 79; 344, 4 : 60, 66-67; 348, 2 : 150; 348, 2-3 : 90; 348, 4 : 150; 351, 12 : 159; 352, 1 : 159; 393 (dubius) : 213; Mayence 21, 6 : 159.

Tractatus in epistolam Ioannis 1, 6 : 159; 9, 7 : 159.

Tractatus in Ioannis euangelium 4, 13 : 224; 12, 13 : 159, 167; 12, 14 : 155; 41, 10 : 150; 43, 7 : 151; 52, 3 : 78; 60, 1 : 89; 60, 2 : 74, 89; 60, 2-4 : 79; 60, 3 : 90; 60, 4 : 90; 60, 4-6 : 2; 60, 5 : 81, 82, 89, 91; 123, 5 : 60, 61-62, 79.

CÉLESTIN I

Epistulae 4 : 217-219; 4, 2 : 181.

CÉSAIRE

Sermones 41, 3 : 118; 52, 1 : 118; 114, 1 : 118; 115, 2 : 118; 225, 2 : 118.

CHROMACE D'AQUILÉE

Sermones 2, 5 : 130; 6,1 : 130; 14, 4 : 130; 38, 2 : 16-17, 18.
Tractatus in Mattheum 58 : 131.

CICÉRON

De oratore II, 7, 30 : 19.
Tusculanes 3.4,9 : 19.

CONCILES

Breuiarum Hipponiense 4. 203.
Ancyre, c.6 : 205.
Nicée, c.11-13 : 205-208.
Orange, c.3 : 208-210; c.11 : 208-209.
Statuta Ecclesiastica Antiqua, c.20-21 : 209.

CONSTANCE DE LYON

Vita Germani 41 : 201.

CYPRIEN

De mortalitate 8 : 2.
De zelo et liuore 12 : 57; 16 : 189.
Epistulae 10, 5, 1-2 : 117; 57, 1 : 204.
Testimonia ad Quirinum III, 58 : 60.

EUSÈBE

Histoire ecclésiastique VI, 44, 1-6 : 204.

FAUSTE DE RIEZ

Epistulae 5 : 222.

GAUDENCE DE BRESCIA

Tractatus 3, 16 : 138; 8, 34 : 18; 13, 16 : 138; 13, 20 : 163; 15, 13 : 18; 17 : 26.

GRÉGOIRE LE GRAND

Dialogorum libri III, 26, 7-9 : 118.
Homeliae in Euangelia 27, 3 : 118.

HILAIRE DE POITIERS

De trinitate X, 9 : 70.
In Mattheum 31, 4 : 71; 31, 5 : 72; 31, 8 : 72
Tractatus in Psalmum 1, 21-23 : 133.

HONORIUS

Rescriptum : 49-50.

INNOCENT I

Epistulae 1 : 214; 6 : 214-217.

JÉRÔME

Dialogus aduersus pelagianos I, 11-12 : 174.
Epistulae 133, 13 : 174.
In Mattheum IV, 26, 37-39 : 72.

JUSTIN

Apologie I, 65,5 : 202.

LÉON LE GRAND

Epistulae 108 : 219-220; 108, 3 : 203; 147 : 220-222.
Sermones 2, 1 : 190, 195; 9 : 193; 10, 2 : 194; 11, 1 : 190, 194, 195, 197; 18, 2 : 196; 19, 1 : 185-186; 35, 3-4 : 194; 36 : 189; 37, 3 : 190; 37, 3 : 195; 39, 5-6 : 195; 40, 1 : 190; 42, 1 : 190; 43 : 190; 43, 2 : 190; 43, 3 : 192; 43, 4 : 195; 44, 1 : 190-191; 44, 3 : 195; 45, 1 : 192; 46, 4 : 195; 47, 1 : 117, 188-189, 190; 48, 1 : 192; 48, 4 : 195; 49, 3 : 192; 49, 5 : 195; 50, 1 : 190, 193; 50, 2 : 190; 50, 3 : 195; 50, 5 : 195; 52, 5 : 109; 53, 1 : 109; 54 : 110-112; 56 : 112-113; 56, 1 : 110; 58 : 113-115; 58, 3 : 194; 59, 8 : 192; 62, 2 : 110; 72, 2 : 191; 82, 6 : 115; 84bis, 2 : 116; 85, 4 : 117; 88, 2 : 196; 88, 3 : 196; 89, 2 : 196; 89, 3 : 196; 90 : 186-188; 90, 1 : 190; 93 : 191-192; 94, 3 : 196.
Tomus II (= Epistula 165), 4 : 114.

MARIUS MERCATOR

Commonitorium super nomine Caelestii 36 : 34.

MARTYRIUM POLYCARPI

2, 2 : 1.

MAXIME DE TURIN

Sermones 2, 3 : 22; 6, 1 : 131; 22A, 4 : 163-164; 35, 2 : 131; 35, 4 : 132; 62, 3 : 132; 72, 1 : 18.

ORIGÈNE

Entretien avec Héraclide 25, 22 : 13.
In Lucam Homeliae II, 1 : 134.

PALLADIUS

Dialogus de uita et conuersatione beati Ioannis Chrysostomi 11 : 202.

PASSIO MARCULI

10 : 88.

PASSIO PERPETUAE ET FELICITATIS

18 : 1.

PAULIN DE MILAN

Vita Ambrosii 47, 3 : 200.

PIERRE CHRYSOLOGUE

Sermones 1, 1 : 176; 2, 1 : 176; 2, 5 : 176; 3, 3 : 177; 5, 5 : 98; 6 : 177; 6, 2 : 49; 8 : 179; 11, 1 : 49; 11, 2 : 46; 13, 5 : 87; 14 : 179; 15, 4 : 172; 23, 1 : 105; 23, 2 : 106; 24, 3 : 106; 25, 2 : 179; 29, 1 : 179; 29, 5 : 171; 30, 4 : 171; 33, 2 : 107-108; 40, 4 : 49; 41, 1 : 49; 41, 2 : 170, 171, 173; 41, 4 : 179; 42, 3 : 179; 42, 4 : 182; 43, 5 : 179; 45, 1 : 169-170, 174; 45, 3 : 170; 45, 4 : 171; 54, 6 : 171; 60, 4 : 106; 61, 6 : 105; 64, 3 : 106-107; 65, 7 : 49; 70, 5 : 171; 72bis, 1 : 105; 72bis, 4 : 105; 81, 4 : 172; 83, 2 : 172; 84, 4 : 172; 84, 7 : 176; 86 : 178; 87 : 178; 88 : 178; 88, 2 : 173; 88, 5 : 106; 90 : 178; 91 : 178; 91, 3 : 172, 174; 92 : 178; 97, 2 : 181; 101 : 100-102; 110, 4 : 46; 110, 5 : 98; 110, 7 : 46, 103-104, 105; 111, 2 : 46-47, 170; 111, 5 : 47; 111, 8 : 47-48; 112, 1 : 48; 118 : 98-99; 118, 2 : 97; 125 : 182-184; 156, 5 : 98; 167 : 180; 167, 6 : 171.

POSSIDIUS

Vita Augustini 31, 1-2 : 214.

QUOTVULTDEUS

De accedentibus ad gratiam I,v,4 : 94
De Symbolo I vi : 97; x,16 : 95.
De Symbolo III xi : 96; xii,5 : 96.
De tempore barbarico I i,1 : 94; i,11 : 94; iv,17-18 : 95; v,1 : 94; v,2 : 94; vii : 97.
De tempore barbarico II i,2 : 94; v,16 : 95; vi,2 : 95; vii,4 : 94; xii,4 : 94.
Liber promissionum IV,13,22 : 97.

RUFIN

Liber de fide 29 : 31, 33; 32 : 31; 33 : 32; 40 : 32, 35.

SIRICE

Epistulae 1 : 210-211.

SULPICE SÉVÈRE

Epistulae 2, 9-11 : 117.

TERTULLIEN

Aduersus Marcionem V, 12.4 : 60-61.
De resurrectione mortuorum 42, 3 : 60.
Scorpiace 15, 3 : 57.

THÉOPHILE D'ANTIOCHE

Ad Autolycum II, 24-27 : 16, 17.

URANIUS

De obitu Paulini 2 : 200-201.

ZÉNON DE VÉRONE

Tractatus I, 2 : 60; I, 2.14 : 76; I, 35 : 133; I, 39 : 24-25; I, 42.1 : 132; I, 43 : 25; I, 59 : 25; I, 62 : 25; II, 2 : 25-26; II, 10 : 132; II, 24 : 132.

INDEX ANALYTIQUE*

Adam (péché d') : – châtiment : 15-17 (Ambroise), 31-32 (Rufin), 38-39 (Julien d'Eclane); conséquences : 138-140, 170, 173, 187, 191-192, 225.

arianisme : 70-71, 106.

ascèse, ascétisme : 22-23, 52, 117.

attitudes (devant la mort) : 3, 4.

baptême : – et discontinuité : 129-131, 145, 199; – et mort : 32, 35; – délai du baptême : 224n.

carmina epigraphica : 2, 122-123.

charité : 163-164, 178-179, 196.

consolation : 2, 9, 100, 102, 108.

corps : – attachement au : 34, 37, 59-60, 67-68, 86, 89, 96, 108; – instrument du salut : 64-66; – mépris du : 22-23, 63, 68, 85, 89.

crainte du châtiment : – et crainte servile : 150; – imperfection de : 149-150; – chez les pélagiens : 149; – signe de culpabilité : 133-134; salutaire : 157-158, 166, 194-195.

diatribe : 9, 12, 102.

donatisme : 87-89.

Enoch et Elie : 27, 35, 44.

foi (et crainte) : 24-26, 35, 95, 106-107.

invasions (réaction face aux) : 56n, 66, 93, 97.

manichéisme : – conception de la mort : 84-85; dualisme : 86.

martyre du temps de paix : 116-119, 189.

martyrs : 1, 24, 52-55, 68, 87, 94, 115-116.

miséricorde divine : 142, 158, 148, 161, 186-187, 216, 217, 218-219, 223, 226.

novatianisme : 140, 143, 215.

opinion : 19, 45.

Pater : 152, 154, 155, 161, 165-166, 167, 195n.

péché : – et baptême : 130-131, 134, 153-154; – mécanisme du : 136-137, 155; – et responsabilité : 135-136, 155, 156, 166, 172-173.

péché originel : – et baptême : 153, 156; – séquelles du : 153-154.

pélagianisme : 4n, 10, 29 et suiv., 83-84, 92, 127, 145, 149, 148, 161, 165-166, 174-175, 229n.

pénitence : – canonique : 131, 143, 162-164, 179-180, 184, 203-204, 205-207, 212, 214, 225-226; – *in extremis* : 180-182, 184, 185, 212 et suiv., 226; – quotidienne : 144, 156, 160-161, 162, 164.

philosophes : 9, 23, 28, 98-99, 101-102, 122.

résurrection : 60, 66-69, 96, 97-100.

stoïcisme : 13, 28, 71, 89-91, 122; – stoïcisme chrétien : 91-92.

---

⁹⁹⁹ Cet index n'a été conçu que comme un complément de la table des matières : de nombreux mots clés, explicites dans les titres et sous-titres, n'y sont donc pas repris.

TABLE DES MATIÈRES

	Page
Préface de Peter Brown	VII
Introduction générale	1

Première Partie
TIMOR MORTIS

Introduction	9
Chapitre 1 : *Mihi uiuere Christus est et mori lucrum.* Ambroise et la prédication de la fin du IVe siècle	11
1. La mort dans l'économie du salut	11
Les trois morts, p. 12. La mort est un remède, p. 14. Exégèse de Gen 3,19, p. 15.	
2. Le chrétien devant la mort	18
La crainte des insensés, p. 19. Portrait du sage, p. 20. Mourir chaque jour, p. 21. Etre avec le Christ, p. 23. Mort du corps et mort de l'âme, p. 26.	
Chapitre 2 : *Morte moriemini.* La polémique sur la mortalité dans la controverse pélagienne et ses conséquences pour la prédication sur la mort	29
A. Mort et péché originel : le débat théologique	30
1. De Rufin le Syrien à Pélage	30
Rufin le Syrien, p. 30. Célestius, p. 34. Pélage, p. 36.	
2. La polémique contre Julien d'Eclane	37
La crainte de la mort, p. 37. *Donec reuerteris in terram*, p. 38. Les ennemis du Paradis, p. 39. Les traités *de bono mortis*, p. 40.	
B. Mort et péché originel dans la prédication	43
1. Augustin	43
Vox naturae, p. 43. Un instinct animal, p. 44.	

Page

2. Pierre Chrysologue   45

La mort est un «accident», p. 46. «Dieu n'a pas fait la mort», p. 47.

Chapitre 3 : *Tristis est anima mea usque ad mortem*. Faiblesse humaine et peur de la mort dans la pastorale d'Augustin.   51

A. Peur de la mort et amour de la vie   52

1. L'exemple des martyrs   52

Amatores uitae, p. 53. *Toleratores mortis*, p. 54.

2. Pierre et Paul face à la mort   55

Le recul de Pierre (Jean 21,18), p. 55. Le cas de Paul, p. 58. L'interprétation de 2 Cor 5, 4, p. 59. Relecture de Phil 1, 23, p. 61.

3. Une nouvelle anthropologie   63

Corps, âme et péché originel, p. 64. Peur de la mort et salut, p. 65.

4. Résurrection et crainte de la mort   66

Les deux morts, p. 66. Résurrection et amour du corps, p. 68.

B. Faiblesse humaine et faiblesse du Christ   70

1. L'exégèse de la tristesse du Christ (Mt 26, 38)   70

Le Christ arien, p. 71. Hilaire, p. 71. Jérôme, p. 72. Ambroise, p. 72. Augustin, p. 73.

2. Le Christ et la faiblesse humaine dans la prédication avant Augustin   75

Zénon de Vérone, p. 75. Ambroise, p. 76.

3. La compassion du Christ dans les sermons d'Augustin . . .   78

Leçon de patience, p. 78. Compassion du Christ, p. 79. La détresse du mourant, p. 80.

C. Un contexte pastoral complexe   83

1. Repères chronologiques   83
2. Les Manichéens et la mort   84

Mort et anthropologie manichéenne, p. 84. Crainte de la mort et bonté du corps (Eph 5, 27), p. 86.

3. Les donatistes ou l'Eglise des martyrs   87

La *Passio Marculi*, p. 88.

4. Un stoïcisme latent   89

Page

Chapitre 4 : *Mori nolle est timoris humani.* La crainte de la mort dans la prédication de la première moitié du Vᵉ siècle 93

A. Quotvultdeus 93

Mors aeterna, p. 94. Le *uehiculum mortis*, p. 96.

B. Pierre Chrysologue 97

1. L'erreur des philosophes : critique des traités *de bono mortis* 98

Un absurde paradoxe, p. 98. Vaines consolations, p. 100.

2. Crainte de la mort et condition humaine 103

Le recul de Pierre (Jean 21,18), p. 103. *Necessitas / voluntas*, p. 104. *Mors amara*, p. 106.

C. Léon le Grand 109

1. La tristesse du Christ (Mt 26, 38-39) 109

Commercium salutare, p. 110. *Si possibile est*, p. 112. *Causa fragilitatis et trepidationis humanae*, p. 113.

2. L'imitation des martyrs 115

Pie uiuere, p. 116. Crainte de la mort et martyre du temps de paix, p. 117.

Conclusion 121

SECONDE PARTIE

DIES IUDICII

Introduction 127

Chapitre 1 : *Utquid timebo in die mala?* Ethique de la discontinuité et prédication sur la peur du jugement à la fin du IVᵉ siècle 129

1. La grâce du baptême 129

Tu es désormais guéri (Jn 5, 14), p. 130. Baptême et jugement, p. 131. Peur du jugement et mauvaise conscience, p. 133.

2. Péché et responsabilité 135

Tu as péché, tais-toi! (Gen 4, 7), p. 135. Raison et ébriété naturelle, p. 136. L'iniquité de mon talon me cernera (Ps 48, 6), p. 138.

Page

3. Fragilité humaine et pénitence 140

Le juste pénitent, p. 141. Pénitence et contrôle de la raison, p. 143.

Chapitre 2 : *Utquid tristis es, anima mea?* La peur du jugement dans les sermons d'Augustin 145

1. L'*Enarratio in Psalmum 42*. 146
2. La crainte des châtiments 148

Au commencement, p. 148. Crainte et *uolontas peccandi*, p. 149. La crainte chaste, p. 150.

3. L'impossiblité d'être sans péché 151

Captiuus in lege peccati, p. 152. Les séquelles du péché originel, p. 153. Sournoises infiltrations, p. 155.

4. Crainte et pénitence 157

L'homme face au péché, p. 158. Le remède de la pénitence quotidienne, p. 160. Redéfinition de la pénitence, p. 161.

5. A l'heure de la mort 165

Chapitre 3 : *Paenitentiam agite, adpropinquauit regnum caelorum*. Peur du jugement et préparation à la mort dans la prédication de la première moitié du Ve siècle 169

A. Pierre Chrysologue 169
1. La peinture d'un homme malade 169

Infirmitas humana, p. 169. Les séquelles du péché originel, p. 171. Affirmations anti-pélagiennes, p. 174.

2. Les remèdes pénitentiels 175

Dans l'année liturgique, p. 176. Acheter la miséricorde, p. 178. *Paenitentiam agite*, p. 179. *In extremis*, p. 181.

B. Léon le Grand 185
1. La nécessité de se préparer à la mort 185

Ad aduentum dei praeparari, p. 185. *Mors improuisa*, p. 186.

2. L'impossible perfection 188

Pie uiuere, p. 188. Tentations, p. 190. Les séquelles du péché d'Adam, p. 191.

3. Le jugement 193

La menace du jugement, p. 193. Une peur salutaire, p. 194.

4. L'observance chrétienne 195

Page

Chapitre 4 : *Quasi uiaticum profecturis*. Se préparer à la mort aux IVe et Ve siècles.. 199

1. L'Eglise ancienne faisait-elle communier les mourants? . . 200

Le témoignage de l'hagiograhie, p. 200. Examen des preuves indirectes, p. 202. La réconciliation des pénitents moribonds, p. 203. Le concile de Nicée (325), p. 205. Le concile d'Orange (441), p. 208. La lettre de Sirice à Himère de Tarragone (385), p. 210.

2. La pénitence *in extremis* 212

Le témoignage d'Augustin, p. 213. La décrétale d'Innocent I (401-417), p. 214. La décrétale de Célestin I (422-432), p. 217. Les décrétales de Léon le Grand (441-461), p. 219. Un rigorisme gaulois?, p. 222.

CONCLUSION 225

CONCLUSION GÉNÉRALE 229

BIBLIOGRAPHIE 233

INDICES 257

Index scripturaire, p. 259. Index des sources, p. 259. Index analytique, p. 264.

TABLE DES MATIÈRES 265

Achevé d'imprimer
en décembre 1994
sur les presses de la
Scuola Tipografica S. Pio X
Via degli Etruschi 7
I – 00185 Roma